世纪中国论坛典藏文库

新供给经济学

供给侧结构性改革与持续增长

肖林 著

格致出版社 上海人民出版社

出版说明

出版作为人类思想和智慧的凝结，集聚了发明创造和社会实践的经验与成果，推动了人类文明进步。飞速发展的数字和互联网技术并未削弱出版业的这一功能，反而前所未有地促进了其创新发展。

长期以来，上海世纪出版集团始终以弘扬主旋律、引领学术思潮、关注时代命题为己任，并围绕中国发展的重大事件、重大战略决策和重大理论问题举办“世纪中国论坛”。结合2016年“世纪中国论坛”，上海世纪出版集团融合移动端、语音端等新技术，以纸电一体同步发布的方式隆重推出《世纪中国论坛典藏文库》，实现了出版方式与互联网、新技术、新模式的融合发展，表达了出版人在奉献好书的同时，努力践行社会责任、文化理想的使命追求。

《世纪中国论坛典藏文库》聚焦中国经济的长期增长主题，荟萃了诺贝尔经济学奖得主、熊彼特奖得主和中国经济学杰出贡献奖得主等中外著名经济学家的扛鼎之作，著译并重，经典闪耀。

著名经济史学家安格斯·麦迪森早在1998年出版的《中国经济的长期表现》英文版中就预言，中国可能在2015年成长为世界最大的经济体，从而恢复它在1890年之前所享有的世界经济地位。2014年，在《中国的奇迹：发展战略与经济改革》出版20周年之际，经济学家林毅夫在为图书新版撰写的长篇序言中特别指出："出乎主流经济学界预料之外的是，中国经济在此书出版后20年却基本沿着我们在书中所预测的增长轨迹前进。"

然而，中国经济自2012年增速明显减慢，国内生产总值（GDP）增长率一直处于下行趋势。经济学家们所预言的奇迹或增长赖以产生的基础是否改变？对于未来，我们是否还有足够的信心？

首届中国经济学杰出贡献奖得主吴敬琏在专著《中国增长模式抉择》第一版（2005年）中，就指出了转型、结构调整不能取得成效的很多具体原因，归结到一点，就是存在体制性障碍，核心内容就是政府仍然在资源配置中起决定性的作用，抑制或排除了市场的作用。他在第四版的序言中写道："中国在21世纪面对着两个必须解决的问题，一个是体制改革，一个是发展转型。"

无独有偶，中国经济改革研究的先驱巴里·诺顿在《中国经济：转型与增长》一书中，全面描述和评价了1949年以来的中国经济，并把中国的制度转型放在经济增长的大框架里论述，既突出了转型对中国经济增长的必要性，也突出了转型对中国经济增长的促进作用。

显然，制度转型不可能一蹴而就。诺奖得主道格拉斯·诺思和斯坦福大学教授青木昌彦在各自的经典作品《制度、制度变迁与经济绩效》与《比较制度分析》中，分别从东西方的不同视角阐释了制度的内涵，揭示了制度在经济发展和绩效中的作用。

公共选择理论的奠基者曼瑟·奥尔森的遗著《权力与繁荣》则提出了“强化市场型政府”这一分析经济增长的前沿性概念，为金融危机后的亚洲以及其他发展中国家的治理演变和经济政策提供了有用的分析框架。

对于那场起始于亚洲的金融危机，沈联涛用《十年轮回：从亚洲到全球的金融危机》一书进行了详细的解剖，并警示我们2017年可能发生的另一场全球金融危机。对于可能引发危机的高杠杆问题，瑞典的邓达德等在《新国富论：撬动隐秘的国家公共财富》一书中给出了全新的解决方案，并因此被《经济学人》和《金融时报》推荐为2015年度图书。

根据“十三五”规划的蓝图，中国经济将保持中高速增长，到2020年国内生产总值和城乡居民人均收入比2010年翻一番。2015年11月，习近平总书记提出要着力加强供给侧结构性改革，这是实现收入翻番的必由之路，其目标就是通过消除生产要素供给能力和配置效率以及全要素生产率提高的体制性障碍，消除经济运行中不平衡、不协调、不可持续的因素，一方面挖掘传统增长动能的潜力，另一方面开启新的可持续增长动能，最终实现经济增长方式的转变。正如习近平总书记指出的：“中国共产党人和中国人民完全有信心为人类对更好社会制度的探索提供中国方案。”我们将以出版更多的精品力作传播道路自信、理论自信、制度自信和文化自信，为实现中华民族伟大复兴的中国梦作出贡献。

《世纪中国论坛典藏文库》编委会

2016年7月

前　言

改革开放30多年来中国取得了令全球瞩目的伟大历史性成就，实现了从传统计划经济向现代市场经济转型，从低收入国家向中高收入国家迈进，已经成为世界第二大经济体。改革开放和快速发展的巨大成功，也引起了国内外经济学界对中国经济学理论的创新性研究，一些西方经济学家试图从不同经济学理论视角来诠释中国经济发展和发展中的问题，比如西方主流宏观经济学、发展经济学、结构经济学、制度经济学等，但往往研究结论与中国经济发展实证的检验结果相去甚远甚至背道而驰。一些中国经济学家也作过艰苦严肃的理论研究探索，还有些中国经济学家认为经济学理论是普适的，因此质疑有没有特殊的中国经济学理论问题。我认为，中国国情决定了中国的发展成就、发展实践和发展理论，这个基本国情就是：发展中的大国，发展不平衡，人口众多，计划经济转向市场经济，封闭经济转向开放经济，实现市场化改革并坚持社会主义制度等。

因此，摆在中国经济学界面前的重大而紧迫的课题，就是开拓性研究中国经济学理论，用实证总结过去，用理论验证实证、指导未来。这是我多年来的学术追求并为之不懈努力。近两年，我和上海社会科学院权衡研究员一起主持了《中国经济学大纲——中国特色社会主义政治经济学探索》重大课题研究，由上海经济学界40多位中青年学者组成的强大研究团队，正在集中开展这一重大经济学理论课题的开拓性研究，并已形成初步研究成果，我们将继续努力持续深化这项研究。

自2015年11月中央首次提出“供给侧结构性改革”以来，中国新供给经济学就成为了中国经济新常态下指导改革发展的新思想、新理念、新理论。近年来，我和我的研究团队已经开展了一系列相关研究，从供给侧角度探讨中国经济持续发展问题。比如，经济增长潜力与全要素生产率提高问题，市场化改革推进制度创新问题，创新驱动发展战略与产业结构调整问题，稳增长、调结构、惠民生政策协调问题，主动开放战略与自贸试验区建设问题，等等。2015年11月，国家发展和改革委员会委托我牵头承担《新常态下中国结构性改革和结构性政策问题研究》这一国家重大决策咨询研究课题。我随即成立了以上海市政府发展研究中心研究人员为主体的研究团队，在近年我们的相关研究成果基础上，开展重点问题的深化研究和理论观点综合梳理，如关于供给经济学和需求经济学的理论基础研究，从全球视角对供给侧改革背景、路径、政策等方面的比较研究等等，已形成课题研究总报告。

本书就是基于上述我主持的一系列研究，进一步深化、系统化、理论化而形成的，旨在从理论视角到实证分析、从全球视角到中国实践，系统全面深入提出中国新供给经济学理论框架和思想方法。全书共9章，从五方面展开论述：第一，关于供给经济学经典理论及反思。从经典经济学理论及学派的基本学术观点中进行梳理，从供给和需求两个视角，对供给经济学和需求经济学理论体系作比较研究，并对中国经济学界的有关研究和讨论进行综合分析。这部分内容主要在第1章论述。第二，关于全球视角的供给经济学实践。从全球视角全面研究分析供给侧结构性改革的产生与发展、策略与路径、政策与成效，以及对中国供给侧结构性改革的借鉴和启示。这部分内容主要在第2章和第3章论述。第三，关于中国新供给经济学理论逻辑。从新常态下中国结构性改革面临的形势与风险，以及中国特色社会主义发展阶段和发展特征展开分析，研究提出中国供给侧结构性改革的背景逻辑、内涵特征，论述中国特色社会主义政治经济学理论体系及供给侧结构性改革经济思想的关系，并提出中国新供给经济学理论逻辑和架构。这部分内容主要在第 4 章和第 5 章论述。第四，关于中国新供给经济学思想方法。从中国新供给经济学理论逻辑出发，全面系统提出中国供给侧结构性改革的战略路径，即为实现中国经济高效持续增长，必须通过供给侧结构性改革，把握内生变量和外生变量，实现要素新供给（劳动力、资本、技术、土地等）、制度新供给（市场制度、开放制度、政府制度、企业制度等）、结构新供给（产业结构、城乡结构、区域结构、资源结构等）和政策新供给（去产能、去库存、去杠杆、降成本、补短板等）。这部分内容主要在第 6 章和第 7 章论述。第五，关于中国新供给经济学与经济持续增长。要实现经济持续稳定增长的目标，必须实现社会总供需均衡和有效的宏观调控，在加强供给侧结构性改革同时，加强需求侧管理的协同运用，促进消费升级、有效投资和外贸转型。宏观调控与总供需结构的变化导致了中国经济波动阶段性特征，供给侧结构性改革将推动中国经济增长潜力的释放，从而实现经济中长期高效持续增长。这部分内容主要在第 8 章和第 9 章论述。

供给侧结构性改革经济思想，是中国新供给经济学的核心理论观点，也是中国特色社会主义政治经济学的新发展。从内涵、理论和方法来看，中国供给侧结构性改革不同于西方供给学派或供给经济学所提出的改革，也不同于结构主义经济学思想所提出的改革，而是基于当今中国发展阶段对中国改革实践的理论综合性集成创新。供给侧结构性改革的理论基础是中国特色社会主义政治经济学范畴，新供给经济学是中国特色社会主义政治经济学的重要组成部分。本书研究提出了中国新供给经济学基本理论框架和逻辑分析方法，并据此理论和方法提出破解中国经济发展困境的战略路径。这是我们对中国新供给经济学理论创新的一次开拓性探索，也是为中国新供给经济学构建系统化理论框架的一次学术尝试。

这项研究及成果令我们欣慰和兴奋，我们深知，中国新供给经济学理论创新将是一个漫长的理论研究和实践检验相结合的过程，是从实践到理论，再从理论到实践的反复过程。本书提出的理论框架是初步的，我们力争提供一个中国新供给经济学深化研究的方向和思想方法，比如将理论框架上升至基于内生变量和外生变量的经济数学模型，而理论上提出的供给侧结构性改革路径也有待实践检验、修正和完善，等等。对此我们仍在深入研究探索中，我们期待与国内外经济学界共同研究探讨中国新供给经济学理论的创新和发展。

肖　林

2016年4月1日于上海

ABSTRACT

China's reform and opening up in the past three decades has made great historic achievements attracting global attention, achieved the transition from a planned economy to a modern market-oriented economy, from a low-income country to a middle and high-income country which is now the world's second largest economy. The huge success of reform and opening up and rapid development has attracted the domestic and international economic academia to conduct innovative research on China's economic theory. Some Western economists tries to explain China's economic development and development issues from different schools of economics theory, such as the mainstream Western macro-economics, development economics, structural economics, institutional economics, but more often than not the research conclusions are far away or even contrary to the empirical study results of China's economic development. Some Chinese economists have made arduous theoretical research and exploration, and some other Chinese economists believe that economic theories are universal, therefore doubting whether there is a special economic theory for China. I think that the Chinese national condition determines China's development achievements, practices and theories. The national basic situations are: a big developing country, unbalanced development, large population, the transition from a plan-oriented economy to a market-oriented economy, from a closed economy to an open economy, to achieve market-oriented reforms and uphold socialism.

Thus, the important and urgent task placed in front of Chinese economics is to conduct pioneering study on Chinese economic theory, use empirical studies to sum up the past and theoretical studies to verify the empirical results and guide the future. This is my academic pursuit for years. In the past two years, I worked with Professor Quan Heng from Shanghai Academy of Social Sciences on the key research project "Outline of Chinese Economics—Exploration on Socialist Political Economics with Chinese Characteristics". A team of more than 40 young economists and scholars in Shanghai have been carrying out this major trailblazing economic theoretical research, and the preliminary research results have been achieved, we will continue our efforts to deepen this research.

Since November 2015, the Central Government has for the first time proposed the theory of "structural reform on supply-side", new supply-side economics has become the new thought, new idea and new theory guiding China's economic reform and development in the New Normal. In recent years, my research team and I have carried out a series of studies on China's sustainable economic development issues from the supply-side perspective. For example, the economic growth potential and total factor productivity enhancement issues; propelling the institutional innovation under the market-oriented reforms; the strategy of innovation-driving development and industrial structure adjustment; the policy coordination issues of steady growth, structural adjustment and benefiting people's livelihood; the proactive strategy of opening up and the construction of free trade zone, etc. In November 2015, the National Development and Reform Commission (NDRC) delegated me to lead a major national decision-making consulting research with the topic "Research on Chinese Structural Reforms and Structural Policy Issues under the New Normal ". I immediately established a research team composed of personnel from the Development Research Center of Shanghai Municipal People's Government, on the basis of relevant researches in recent years, and we made in-depth research and comprehensively sorted out theories and arguments on key issues, for example, the basic theory study of demand-side economics and supply-side economics, and the comparative studies from the global perspective on background, path, policy of supply-side reform, etc. Meanwhile, we have issued the general report on this research.

This book is developed in a more profound, systematic and theoretical manner based on the preceding series of research I presided, aiming to put forward a new supply-side theoretical framework and economics thinking from theory to empirical analysis, from global perspective to the practices of China. This book is divided into five aspects in nine chapters: First, the theory and reflection on the classical supply-side economics. Studying the classic economics theories and views of classic school and from the perspective of both supply and demand side, this book presents comparative studies on the supply-side economics and demand-side economics, and also conducts a comprehensive analysis on the study and discussion by Chinese economists. These contents are covered in the first chapter. Second, the global practice of supply-side economics. This is a comprehensive research and analysis on the origination, development, strategies, paths, policies and performance on the supply-side structural reform from a global perspective, as well as the reference and inspiration to the Chinese supply-side structural reform. These contents are discussed in Chapter 2 and Chapter 3. Third, the theoretic logic of China's new supply-side economics. It analyzes the stage and development characteristic of the socialism with Chinese characteristics under the situation and risks of China's structural reforms in the New Normal, puts forward the logic background and connotation characteristics of China's supply-side structural reforms, discusses the relation between the political economics theory with Chinese Socialist Characteristics and the economic thoughts of supply-side structural reforms, and puts forward a theoretical logic and framework on China's new supply-side economics. These are covered in Chapters 4 and 5. Fourth, the methodology of China's new supply-side economics. Based on China's new supply-side economics theory and logic, a comprehensive and systematic strategy of supply-side structural reform is proposed, which is: to realize China's continuous economic growth effectively, the supply-side structural reform must be performed and the indigenous and external variables must be handled with care to achieve new supply of factors (labor, capital, technology, land, etc.), new supply of institutions (market institution, open-up institution, government institution, corporate institution, etc.), new supply of structures (industrial structure, urban and rural structure, regional structure, and resources structure, etc.), new supply of policies (cutting over-capacity, destocking, deleveraging, reducing costs and identifying growth areas, etc.). These contents are discussed in Chapter 6 and Chapter 7. Fifth, China's new supply-side economics and sustainable economic growth. To achieve sustainable and stable economic growth, we must achieve balance of total supply-demand and effective macro-control. While strengthening the supply-side structural reform, we must strengthen demand-side management and collaboration, promote consumption upgrading, effective investment and foreign trade transformation. While macro-control and the structural change of total supply and demand made for the characteristics of China's economic fluctuation, the supply-side structural reform would promote the release of China's economic growth potential to achieve the effective and sustainable economic growth in middle and long term. These are discussed in Chapter 8 and Chapter 9.

The supply-side structural reform is the core theoretical perspectives of China's new supply-side economics, and also the new development of the socialist political economics with Chinese characteristics. From the perspective of connotation, theory and methods, China's structural reform on supply-side is different from that proposed by Western supply-side school or supply-side economics, and also different from the reform proposed by structural economists. It is an integrated innovation in the reform theories at the present stage of Chinese development. The theoretical basis of supply-side structural reform falls under socialist political economics with Chinese characteristics, and the new supply-side economics is an important part of socialist political economics with Chinese characteristics. The book studies on basic theoretical framework and logical analysis of China's new supply-side economics, and also provided a strategic path for the plight of China's economic development. This is a pioneering exploration on Chinese new supply-side economics and also an academic trial to form a systematic theoretical framework about China's new supply-side economics.

The research and its' results are of our great relief and excitement, as we know that innovation in China's new supply-side economics will be a long process of combining theory with practices, a process that from practice to theory and vice versa over and over again. Theoretical framework presented in this book is preliminary and we strive to provide a direction and way of thinking for deepening the study on new supply-side economics in China, for example, how to replenish the theoretical framework with economic mathematical models based on endogenous variables and exogenous variables, and the proposed theoretical routes on supply-side structural reform are yet to be proven, amended and improved, etc. We have been studying and exploring arduously and we look forward to partnering with domestic and foreign economists to explore innovative research and development on China's new supply-side economics theory.

目 录

CONTENTS

1

供给经济学与需求经济学理论比较

本书所说的供给经济学或需求经济学，分别是指把经济分析重点和经济政策侧重点放在供给侧或需求侧的经济理论。供给经济学或需求经济学都不是经济理论发展中普遍的表述，之所以提出这两个表述，是为下面供给侧结构性改革理论的研究提供方法和术语上的基础。我们在这一章对供给经济学和需求经济学理论及其一些侧面发展进行简要的梳理。由于我们的目的是为供给侧结构性改革理论研究提供服务，研究并提出中国新供给经济学的基本理论和思想方法，因此我们的梳理没有覆盖到所有可以归到供给经济学或需求经济学名目下的理论和研究，而是主要包括如下四个部分内容：一是市场机制中的供给和需求；二是供给经济学和需求经济学基本理论；三是供给经济学和需求经济学的反思与超越；四是中国经济学界的相关研究和讨论。

1.1 市场机制中的供给和需求

供给和需求是现代经济学中的两个基本术语，围绕两个术语构建起了经济学的基本分析框架和一系列重要理论，在这个框架下强调市场机制自动作用的理论，是目前经济学的主流。

1.1-1 供给和需求概念的形成

经济学文献中，“供给”和“需求”术语很早就出现了。但是，在古典经济学(从亚当·斯密到主观价值学派的经济学)以前，“供给”往往特指财政中的“特许供应”和军事中的“后勤保障”；“需求”除了“效用”的含义外，还有更宽泛的“承担”或“受托”等意思；同时，这两个术语也很少配套出现，没有明显的对应关系。

古典经济学兴起以后，“供给”摆脱了原有狭隘的含义，开始表示更加一般化的商品或服务供应；而原来比较宽泛的“需求”，出现了一些规范和限制，开始特指商品或服务的效用，并强调其与经济行为人具体收入条件之间的关系，特别是在古典经济学提到“需求数量”时，需求成为了经济行为人在不同商品或服务的可能价格情况下，所对应的不同需求数量(Groenewegen, 1973)。大卫·李嘉图的《政治经济学和赋税原理》是最早直接和配套使用“供给”和“需求”术语的重要经济学著作，也是最早把市场、价格与供给和需求联系起来的经济学著作，并形成了供给和需求的市场研究框架。马克思的经济理论中，“供给”和“需求”术语不是核心概念，但马克思的经济理论是德语中最早研究“供给”和“需求”的经济理论之一。更重要的是，马克思在使用“供给”术语时，比其他古典经济学家更加接近现代含义①，而且他的“供给”和“需求”术语之间也形成了对应关系。

① 例如，马克思不再使用德语的“Angebot”(特供，offer)，而使用了德语“Zufuhr”(供给，supply)的术语。

1.1-2 供给和需求的理论框架

在供给和需求的框架下，经济学形成了不同的市场运行理论观点，并且在这个基础上，构造了不同的经济政策建议。

1. 微观层面的供给和需求

供给经济学和需求经济学都面对着同一套以供给和需求为框架的市场机制理论，但在各自立场上对其各个层面和环节形成了不同的观点，相应提出了不同的经济政策主张。根据现代经济学的表述方法，这套供给和需求框架下的市场机制理论主要内容如下。

首先，在微观层面，供给是生产者(厂商)的特定产品(服务)供给；需求是消费者对特定产品的需求。供给数量和需求数量分别由供给函数和需求函数决定。供给函数是厂商根据投入要素的边际生产力条件，在不同产品价格下的产品供应量；供给数量与价格呈正比。另一方面，需求函数是需求者根据产品价格及其相关的预算约束，在产品效用(偏好)最大化时形成的对产品的需求；需求数量与价格呈反比。

市场机制(价格和供给需求之间的调节)是指：(1)在单个产品(服务)市场上，价格与供给数量、需求数量之间存在自动反馈的调节机制，最终能够消除超额供给或超额需求，实现单个产品市场的局部均衡。(2)在把同类产品的供给和需求进行归并后，不同产品的市场之间，联结成为互为供给和需求关系。在这些市场之间，每个产品的超额供给或超额需求，仍然能通过价格自动反馈调节机制，最终同时消除全部市场上的超额供给或超额需求，实现一般均衡(瓦尔拉模型)。

2. 宏观层面的供给和需求

进一步，在宏观层面，宏观经济学模型认为：(1)总供给是一定就业水平下的总产出供给水平；有的宏观经济学把投入向劳动力、资本、土地和技术等要素(总量)拓展，在总量生产函数下，这些要素结合形成的总产出供给水平(微观层面中单个产品的边际生产力等约束，在宏观层面不再清晰地显示出来)；总供给与一般价格水平相联系，形成“总供给函数”。(2)总需求是通过实际市场的产品、服务和资本品需求与货币市场的实际货币余额需求，一起形成的与一般价格水平联系的总需求水平(微观中的单个需求者的效用和偏好关系也不再明显存在)。

如果产品市场、要素市场和劳动力市场上都存在完美的价格、供给和需求的反馈调整机制，宏观层面上，经济能在充分就业水平上实现均衡。

持有自由市场观点的经济理论（或供给经济学）认为在上述微观和宏观两个层面上的这种市场机制确实存在；而反对这种立场的经济理论（需求经济学）认为，在微观层面或者宏观层面或者两个层面上，存在着某些市场机制的缺陷，使得市场没有自动实现这种均衡的能力。

3. *萨伊定律*

让·巴蒂斯特·萨伊在《政治经济学概论》中阐述了关于供给和需求的重要观点，是上述持市场机制能自动调节以实现均衡的观点的集中表述，这些表述后来被称为“萨伊定律”。

萨伊定律可以整合为三个部分内容：(1)产品价值（生产成本）与其购买力相等；(2)供给创造自己的需求（买一种产品的购买力来自卖另一种产品）；(3)货币只是交易媒介，没有其他功能，引入货币，不改变上述供给需求之间关系。①

萨伊定律的“供给创造需求”是承认市场机制自动调整能力的集中表述。一般来说，在理论上认同萨伊定律，认为市场能自动调整到充分就业的均衡水平的经济学是供给经济学，反之则是需求经济学。由于这个理论立场上的差别，供给经济学在政策上主张，政府不要干预或少干预市场，主动减少对市场的干扰，让市场机制充分发挥作用；需求经济学主张，为保证实现充分就业和稳定增长的均衡水平，政府必须采取一系列直接或间接的市场干预和需求管理措施。

---

① 在萨伊的《政治经济学概论》(第15章)中，上述论述的原话是：(1)产品生产及其相应产生的购买能力是“由其他价值组成，即由同样是劳动、资本和土地的果实的其他产品组成”。(2)“一种产品一经产出，从那时刻起就给价值与它相等的其他产品开辟了销路”；“当交易最后结束时，我们将发觉交易总是以一种货物交换另一种货物”，“要买一件东西，不使用另一件东西的价值为购买手段，就买不成”；“产品用产品交换”，“产品之间互为购买对象和购买手段”；“生产会自行创造销路”，“生产给产品创造需求”。(3)“钱的全部效用，在于把你的顾客想买你的货物而卖出的货物的价值移到你的手中”，“需要的是产品而不是钱”，“货币只不过是媒介而已”；“销路呆滞绝不是因为缺少货币，而是因为缺少其他产品”。

1.2 供给经济学和需求经济学基本理论

根据上述框架，我们对供给经济学和需求经济学及其相关理论和政策观点进行综合归纳。

1.2-1 需求经济学：核心是“三驾马车”理论

最早反对市场有自动实现均衡能力的经济思想，可能是重商主义经济学，这些思想受到亚当·斯密等古典经济学家的批评后，长期处于消声状态。主张市场自由是古典经济学的主流，需求经济学对这一主流提出了挑战，因作为一种支流或异端，而比主流更早地形成了一些特征。

1. 古典有效需求不足理论

在阐述市场自动调节能力的萨伊定律最初提出的时期，托马斯·马尔萨斯、让·西斯蒙第等古典经济学家根据他们对法国大革命和拿破仑战争后的经济萧条和小生产者破产的观察，从各种角度对这个定律提出了批评。一些现代研究认为这些批评很多是出于对萨伊定律的误解，但是，这些批评中提出了有效需求不足等概念及相应理论，成为了现代经济学相应概念和理论的源头。

马尔萨斯是早期对萨伊定律提出批评的最重要的古典经济学家。马尔萨斯主要有四个观点：(1)需求决定供给。他认为有效需求是能保证商品供给的自然和必要条件的需求，是需求者为使所需商品能够不断足够供给而支付的代价。因此，需求是实现供给的条件，颠倒了萨伊定律中供给和需求的因果关系。(2)存在有效需求不足的情况。马尔萨斯提到了两个有效需求不足的观点：一是收入的“窖藏”，即存在不能转化为投资的过度储蓄；二是相对需求而言，消费不足。①马尔萨斯在与李嘉图的通信中集中讨论后

① 前一种有效需求不足，是更为现代经济学重视的投资不足(与后面的(3)有直接关系)，这种理论直接否认了斯密关于储蓄等于投资的说法；后一种有效需求不足是消费不足。

一种有效需求不足。他认为，劳动者生产带来超过生存工资部分的利润和储蓄，随着储蓄转化为投资（不考虑“窖藏”的情况），供给能力不断扩大，经济将面临消费不足的瓶颈，导致有效需求不足（因此，他强调了储蓄转化为投资的长期效应）。其原因在于劳动者（收入是生存工资）有消费意愿但没有增加需求能力，资本家追求的是投资和利润，不是消费。(3)货币价值储藏功能。马尔萨斯在反对萨伊定律的过程中，与他提到的第一种有效需求不足相关，有时还提到货币不仅有交换媒介的功能，而且有价值储藏功能，因而可能存在滞留购买力的问题。(4)需求侧政策。马尔萨斯对消费不足提出了应对政策，如增加政府公共事业支出，暗示战争作为消除供给过剩的手段，更有特色（也是最为诟病）的是，建议形成足够庞大的只消费不生产的阶级（包括地主、官吏、牧师等），以消费掉多余的供给能力。

马尔萨斯的这些需求经济学观点，受到了李嘉图的反对。随着英国在19世纪中期后黄金发展时期的到来，需求经济学在后来很长时期内没有受到重视，经济学的主流是持自由市场立场的供给经济学理论。

2. 凯恩斯经济学

在20世纪30年代西方经济大萧条背景下，约翰·梅纳德·凯恩斯发表《就业、利息和货币通论》，继承了马尔萨斯理论，形成了自己的有效需求不足理论。

具体地说，凯恩斯认为：(1)有效需求是总供给和总需求均衡下的需求，有效需求决定了社会的就业水平，但这个就业水平不一定是充分就业水平。有效需求是由消费和投资组成的，由于收入的边际消费倾向小于1，收入与消费之间的储蓄缺口将持续拉大，有待投资填补。(2)凯恩斯不同意古典经济学所持的储蓄顺利转化为投资的观点，认为有效需求不足不仅是消费不足，更是投资不足（强调了没有被马尔萨斯重视的观点）。投资取决于不确定的预期投资回报率与现行市场利息率的比较。在资本积累过程中，随着利润下降形成了投资动力不足的趋势，投资很难自动填补存在的储蓄缺口。(3)凯恩斯批判了萨伊定律把货币仅仅看作是交易媒介，是中性的，只影响名义经济和一般价格水平的观点。凯恩斯指出货币还是价值储藏手段，货币也影响了实际的经济生产和收入。在这个条件下，供给的价值可以暂时“窖藏”起来，而不为需求所吸纳。凯恩斯进一步提出流动性偏好的利息理论，由于货币利率下降比其他资产的利率下降要慢,可能出现流动性陷阱的情况,从而否定了利率自动调节保持投资与储蓄相等的古典经济学观点。(4)工资不能自动调整以实现充分就业水平。(5)因此,凯恩斯从需求侧提出了政府为实现充分就业,干预市场、加大公共设施支出、提振投资的政策主张。

3. 凯恩斯经济学的动态长期化

凯恩斯理论关注的是实现充分就业的短期问题,其政策主张集中在衰退和萧条时期。20 世纪 50—70 年代,凯恩斯理论开始向长期充分就业和稳定增长方向拓展,形成了哈罗德—多马模型,或经济增长理论。

罗伊·哈罗德在《动态经济学》中讨论了凯恩斯提出的储蓄与投资的关系问题,提出经济实现稳定增长的条件是储蓄率与投资率相等;在有劳动和资本两种要素的经济体系中,上述相等关系就是储蓄率跟资本产出比和劳动力增长率保持同步增长的关系($s = vn$,其中:s 为储蓄率,v 为资本产出比,n 为劳动力增长率)。哈罗德进一步指出,如果储蓄率大于或小于投资率,经济将面临供给(生产)能力过剩或不足,相应出现经济高涨(充分就业)和衰退(失业)的局面(这个增长条件被后来的索洛等增长理论接受)。哈罗德认为,储蓄率、资本产出比和劳动力增长率是相互独立的,经济保持上述关系只是偶然的。埃维塞·多马认为,由于投资短期扩大需求、长期扩大供给作用,这个关系一旦偏离,高涨(或衰退)都将是累积性的,加速朝远离均衡增长的方向偏离。

为保持经济平衡增长,哈罗德和多马认为资本产出比和劳动力增长率取决于技术进步和人口自然增长,政府是难以作为的;唯一可取的政策方向是影响和调整需求侧的储蓄率和消费—投资结构(利润—工资结构)。

4. 需求侧的"三驾马车"经济增长理论

由此,凯恩斯及其后来的追随者形成了以需求侧为重点的需求经济学,他们把维持稳定增长和充分就业经济政策的重点放在消费、投资和出口等三个需求方面的管理上,形成了"三驾马车"理论。简而言之,第一,鼓励消费。政府可以做的是,推动形成财产收入分配和再分配制度(包括累进税和遗产税来缩小分配不均的幅度),加强社会福利和保障,形成私人消费的保障,提高消费倾向。第二,鼓励投资。政府除了通过一系列税收政策,鼓励私人投资外,更主要的是直接在基础设施和公共领域投资,在产业领域形成强大的国有经济。第三，鼓励出口。依托本国特殊的资源优势（如廉价劳动力），鼓励加工贸易，形成外来需求，鼓励出口，推进外向型经济。虽然鼓励出口的政策并不是凯恩斯或凯恩斯主义经济学的主要政策内容，但在20世纪60年代至21世纪初，日本、一些发展中经济体（如亚洲“四小龙”）和中国广泛采用这些政策，取得了重大的成功。

1.2-2 有关需求侧的其他理论

在凯恩斯等需求经济学和“三驾马车”政策理论之外，还有一些强调需求侧的社会理论。这些理论有的阐述需求经济学政策的社会制度背景，也有的进一步拓展了需求侧的意义。

1. 制度调节理论

凯恩斯经济理论在政策上提出了实现充分就业和稳定增长的需求管理主张，而有效需求管理是建立在特定的制度基础上的。20世纪70年代法国经济社会学家米歇尔·阿格利塔、阿兰·利皮茨和罗伯特·博耶等提出的调节学派理论，提供了与需求经济学相适应的制度理论框架。

调节学派理论不同意市场能通过“看不见的手”实现供给需求均衡的观点。他们认为资本主义在不同阶段和发展模式下实现经济扩张，需要有三个制度基础的协调，一是生产范式，即微观的生产运行模式（如分工模式）；二是积累体制，即保持供给和需求平衡、保持消费和积累平衡的宏观资源和收入分配体制；三是调适机制，即为保证生产和积累平稳进行，对市场、经济、金融、社会、意识形态、行动媒介和国际秩序等制度进行调整的方式（这个机制处于微观和宏观之间）。只有形成合适的调适机制，才能形成生产范式和积累体制的默契，形成比较稳定的长期发展。

根据这个思路，调节学派认为，第二次世界大战后西方社会经历了两个阶段：一是20世纪80年代之前，资本主义采取了大批量和标准化生产范式，相应的是有大批量和标准化的大众消费配合的积累体制；于是形成了以工会合法工资协商、平民主义的民主社会为特点的调适机制。二是20世纪80年代以后，随着现代通信技术的发展，资本主义出现了小规模、定制化的生产范式，相应的是有创新和金融化特征的灵活积累体制；于是形成了工资分散谈判、股权激励、放松规制、新公共管理等调适机制。

2."普遍经济"理论

乔治·巴塔耶是当代西方思想的重要源头之一。巴塔耶认为,经济学家关注的只是有限经济,与此对照,他在《被诅咒的部分》中论述的是普遍经济。

巴塔耶认为,有生命力的经济吸纳的资源(供给)必然超过维持其生存所需要的资源(即简单再生产的需求);过剩的资源(储蓄)被用于经济增长(扩大再生产的投资);但在这部分被增长吸纳的资源以外,还有剩余的资源,这部分资源必须不受经济利益目的约束而被耗费掉。巴塔耶把这部分资源称为"被诅咒的部分",并认为有经济利益的积聚总是有限度的(这是有限经济关注的),因此"被诅咒的部分"是不可避免的。如果社会不主动以奢侈、游戏、艺术、反常性行为等方式消耗掉这部分资源,就会以一种"灾难性的花费"(如战争)耗费掉这些资源。如何耗费掉这部分剩余,是不同社会的特征。①经济和社会演化、发展和转型,需要这个耗费部分。

由此,从供给和需求语言来看,巴塔耶的有目的的需求相当于有效需求,相对经济的储蓄供给来说,有效需求不可完全耗费这些供给,这是经济的常态;为了经济或者社会的转型,就必须找到在现行经济环境下没有特定经济目标的耗费储蓄的途径,形成顺利把这部分耗费掉的机制和环境,这是保证社会健康运行的基础。

1.2-3　供给经济学:核心是"四要素"理论

一般来说,古典经济学派持有自由市场的立场,他们认为市场自动调节,保持在均衡状态是经济的常态;在这个基本面上他们进行了各种经济分析。这些古典经济学的观点基本和所谓的供给经济学是一致的,供给经济学就是古典经济学。但是,第二次世界大战之后,主张政府需求管理政策的经济学占了主导地位,当持自由市场立场的经济学派要重新提出与需求经济学不同的理论和政策时,使用"供给经济学"的称法才有了实际意义。

---

① 巴塔耶认为,中世纪的剩余财富被耗费给了上帝,对于人自己来说是无保留地向上帝献出劳动。巴塔耶认为,资本主义摧毁了这个宗教的"神圣世界",把非生产性的消耗交给了生产的人,交给了资产阶级。

1. 古典自由市场经济学

亚当·斯密、李嘉图等古典经济学家都可以归在所谓的供给经济学中。我们把李嘉图看作供给经济学在古典经济学时期的主要代表是因为:(1)他继承了斯密“看不见的手”的市场理论;(2)他认为萨伊定律是对斯密的正确理解,明确采取了与萨伊定律一致的立场;(3)他在与马尔萨斯的讨论中,对萨伊定律做了“具有原创性、准确性和深刻性的归纳”。

李嘉图除了坚持一般古典经济学自由市场理论和立场外,还针对马尔萨斯的需求经济学观点,直接阐明三个供给经济学观点:(1)供给大于需求的情况只是在协调失败、计算失误和比例失调情况下出现的暂时现象,不可能是普遍和长期的,因此,排除了这是经济系统性和结构性问题的可能性。(但李嘉图有时也不反对政府对一些暂时性的失衡进行干预。)(2)否认了马尔萨斯有效需求不足具有普遍意义。李嘉图认为,普遍消费不足的可能性很小,马尔萨斯看到的消费不足只是消费结构改变情况下,部分消费领域短期不足,而长期中供给结构(投资或积累)不会盯住短期消费结构,供给结构将对消费结构做出相应的调整。(3)随着资本积累,在投资与储蓄相等的情况下,消费结构和投资结构将趋于相互重叠混合。①这些观点维护了市场供给和需求自动实现均衡、充分就业和增长的调节机制。同时,与这些理论观点一致,在1810年代中期李嘉图积极主张废除《谷物法》,要求实行自由贸易和促进资本主义发展的自由主义政策,都成为了古典经济学时期供给侧政策的经典案例。

在李嘉图之后,持自由市场立场的理论是经济学主流。虽然19世纪70年代以后,古典经济学和供给需求框架经过了彻底改造,但是,主流经济学中这些自由市场立场观点没有改变,甚至有进一步强化的倾向。

2. 市场自动调节观点的影子

在西方20世纪30年代大萧条背景下,凯恩斯经济学的兴起结束了古典

① 但是,李嘉图也承认一种特殊情况:工资上升(因地租上升)带来的利润率下降及其引起的资本竞争和投资需求不足(《政治经济学及赋税原理》第21章)。在这种情况下,他反对亚当·斯密的储蓄和投资相等的古典经济学立场(萨伊定律的另一表现)。因此,李嘉图反对的是马尔萨斯“消费不足”的观点,而消费不足是马尔萨斯有效需求不足的基本立足点。

供给经济学的统治地位。在第二次世界大战以后的近 30 年时间内，经济学的主流是需求经济学。但是，在这个蛰伏时期，供给经济学在需求经济学理论中留下了一些重要的影子。凯恩斯经济学与这些自由市场理论元素结合，形成了新古典综合理论，为后来的供给经济学复活提供了基础。

供给经济学在需求经济学中的影子主要有两个方面：(1)在凯恩斯理论模型化过程中，逐渐纳入的与自由市场理论相适合的一般均衡理论框架，形成了 *IS-LM* 模型等分析框架。(2)在宏观供给和需求讨论中，在供给侧发展出了总量生产函数的概念，最后形成了总供给—总需求（*AS-AD*）等模型，成为需求经济学中对经济增长和通货膨胀等问题讨论的重要框架。

在这些供给经济学的影子下，凯恩斯经济学成为市场经济理论在短期（特别是经济萧条时期）的特例，而自由市场成为经济学的常态。

3. 供给侧的“四要素”新经济增长理论

宏观经济学中的总供给是就业数量的函数。新古典综合增长理论的代表罗伯特·索洛和后来的新增长理论的代表保罗·罗默、罗伯特·卢卡斯等对经济增长进行了深入研究。在他们的增长模型中，经济供给侧的总供给能力被归纳为来源于劳动力、资本、土地（自然资源）和技术等四种要素，他们把这些要素分别加总形成总量，仿照微观生产函数（厂商生产理论），以劳动力、资本和土地三种要素构造总量生产函数①。

根据其模型构造，这些增长理论逐个讨论了供给侧的劳动力、资本和土地等要素对增长的贡献；而对技术（第四种要素）的讨论，采取两种例外的路径：一是把技术看作是上述模型中三种要素贡献之后的残余部分（“索洛残差”，即三种要素分别贡献后的整合贡献或“全要素生产率”）；二是把技术看作是在劳动力、资本或土地三种要素上，通过种种假设附加计算上去的部分（教育、培训、运用、改良等等）。这样，形成了供给经济学供给侧的“四要素”理论。

在 20 世纪 80 年代后，新增长经济学在这个框架下，加强了对技术要素的研究，特别是，有的研究把约瑟夫·熊彼特的“企业家精神”“毁灭性创新”等概念也以某种形式纳入了这个框架之中（熊彼特因此被不恰当地认为是

① 一般总量生产函数中只包括劳动力和资本两种要素。

供给经济学家),使得供给经济学的"四要素"理论及其相应的政策主张逐渐聚焦到了技术创新领域,与需求经济学所强调的需求管理政策形成了鲜明对照。

1.2-4 有关供给侧的其他理论

在上述"四要素"理论之外,其他一些理论也对供给侧进行了重点论述。例如,强调长期资源瓶颈的"增长的极限"理论、"供应学派"和讨论社会主义经济的短缺经济学。

1. 长期资源供给的瓶颈

罗马俱乐部的《增长的极限》是关于长期增长中全球资源瓶颈的著名报告。这个报告利用系统动力学方法,建立了世界发展的模型,对人类经济增长的前景提出了悲观预测。《增长的极限》提出,人口爆炸、粮食生产、不可再生的资源消耗、工业资金和环境污染等五个问题已经成为世界发展的瓶颈;如果不改变增长模式,这些问题将呈指数方式恶化,世界经济增长将在2000—2100年之间停止。据此,报告建议对增长进行控制,实现人口和资本基本稳定的全球均衡状态。

《增长的极限》没有以供给经济学为理论基础,但报告提出的五个问题直接涉及了供给经济学分析框架中基本要素(人口、土地和能源等)的瓶颈问题。增长的极限观点没有获得经济学家普遍赞同。供给经济学家可能认为,市场的资源价格存在自动调整的机制,在增长极限到来之前,资源价格会急剧上升,引发其他资源对短缺资源的替代,在可看到的未来不可能出现增长停止。

2. 供应学派

美国和英国在20世纪80年代出现的"供应学派"理论,虽然没有"四要素"理论的基础框架,但与上述供给经济学一致的是,这一理论也提出了供给侧的政策主张,其自由市场立场更加鲜明。

供应学派在理论和政策上主要有乔治·吉尔德和阿瑟·拉弗两个代表人物:(1)吉尔德为供应学派提供了最重要的理论观点。他认为,现代社会中,财富与贫困是跟效率与公平联系在一起的;在凯恩斯等强调公平的经济思想影响下,经济的重点放在了需求侧,供给侧成为派生的东西,颠倒了经济增长的因果关系(他认同萨伊定律"供给创造需求");资本主义要恢复"为了需求就必须先有供应"的道德观念,要为企业家提供用武之地。(2)拉弗提出了"拉弗曲线"观点,即随着税率增加,税收数量在最初上升,达到最大值后将逐渐减少(因为税率上升,闲暇将替代更多的生产,而减少收入和税基)。以此,拉弗向里根政府提出了大规模减税、减福利的政策主张,以发挥市场作用,提高供给能力。

供应学派与其说是一种经济理论,不如说是对战后欧美经济政策的反思,他们在理论上建树不大。罗伯特·蒙代尔和张五常等重要的经济学家,都同情供应学派,并在某些场合以特殊口吻做出自己是供应学派的表态。①

3. 社会主义国家的改革理论

在欧美推进改革的同时,20 世纪 80 年代社会主义国家也开展了更具深远影响的改革运动。东欧经济学家提出了许多重要的理论和政策主张,亚诺什·科尔内的短缺经济学是其中最重要的理论之一,对经济学发展和东西方改革实践都有重要意义。

科尔内从供给侧的视角,提出企业受到资源、需求或预算三种可能约束。资本主义企业预算约束是硬的、有效的,形成了有效的需求约束,从而经济中普遍存在的是有效需求不足。但在社会主义经济中,生产要素和产品都是计划分配供给,企业预算和需求约束是软的、无效的②,企业普遍存在产量冲动、囤积倾向和投资饥渴,因此,经济中存在普遍的短缺或供给不足(经济过热和劳动力紧张)。同时,社会主义经济中,企业在面临资源约束时,采取应对措施是降低产出、强制性替代和改变产品结构,又加剧了经济中的短缺。进一步,科尔内认为社会主义企业的预算约束软化,根源在于政府对企业的"父爱主义"。为解决社会主义经济供给侧短缺问题,就要改革社会主义所有制、决策权结构和决策机制,形成有效的预算和需求约束。

---

① 罗伯特·蒙代尔只是在 20 世纪 70 年代早期从供应学派的立场批评了尼克松政府高税收抑制通货膨胀的做法,并没有对这个学派做出重要的理论贡献,他并不是这个学派的积极参与者。

② 无效的预算约束表现为:(1)计划价格对企业没有约束作用,大多数企业可以变相提价,转嫁亏损;(2)税收制度是软的;(3)国家对企业的无偿拨款;(4)信贷制度是软的;(5)软条件的外部资金投资。

1.3 供给经济学和需求经济学的反思与超越

1.3-1 对供给和需求“两分法”的反思

根据科尔内的理论，社会主义经济在供给侧上的短缺，原因在于需求侧的软约束，这样在逻辑上形成了供给和需求互为因果的关系。这自然可以提出一些问题，例如，把经济分为供给和需求两侧在多大程度上是可靠和必然的；在具体的政策实践中能否截然地把两者分开；以及是否可以超越这种“两分法”思路。

1. 关于供给和需求各自侧重点的三种观点

目前，对经济和经济研究分为供给需求两侧和两个路径，有三种不同的观点。

第一种观点是，经济本身具有潜力性和持续性。供给经济学关注的是经济中的生产力和经济长期发展能力，因此，供给侧政策针对长期制度和结构问题，将影响潜在增长率。而需求经济学关注短期问题，特别是一种萧条时期的经济学，需求侧政策（需求刺激的短期管理政策）在短期可能有效，但对长期结构性制度性问题是无效的。许多经济学家（特别是中国经济学家）认同这些观点，因此，他们主张政府要关注的是长期制度问题，推动建立和完善市场秩序，政府的职责应仅限于做市场的守护人。

第二种观点，有的经济学家可能承认经济有自身发展规律，生产力是长期发展水平决定的，但是，他们认为，生产力把经济发展或增长的潜力拉到了一个特定的高度，并不是说经济运行能长期保持在这个高度上。政府的短期需求管理政策可能对这个潜在的高度无能为力，但需求管理政策对经济长期维持在这个水平上，或不偏离得很远，是可以有所作为并必须有所作为的。政府的作用不仅仅是秩序的制定者、市场的守护人，而是更积极的干预者和参与者。这个观点也是经济学中长期存在的。

比第二种观点更进一步，还有的经济学家持第三种观点。他们甚至不承认有不依赖短期的长期问题（这样的长期问题可能只存在于凯恩斯说的“我们都死了”之后），经济发展和增长长期的潜力水平是建立在连续的短期基础上的，需求管理政策既然可以影响短期的增长水平，也必然影响到长期的潜力，经济达到长期的潜力是通过一个一个短期政策来实现的。

上述三种观点中，前面两种观点的分歧，在于对经济发展或增长长期和短期何者是常态、何者是特例的不同看法；第三种观点提出了如何区分、连接短期和长期，短期是如何通向长期的机制等基本问题。

2. 供给和需求是同一问题的两面

在上述区分供给需求侧重点的讨论之外，还有一些经济学理论认为供给和需求是一个问题的两面，不可互相分开。

例如，张五常在对萨伊定律进行解释时，指出供应侧是需求侧的反面，对一种商品的供应就是其对这种商品的需求观点。他给出的原因是：(1)在同一经济行为人情况下，对一种商品他愿意放弃多少，意味着他愿意持有多少这种商品。(2)在没有生产和商品总量固定的交易经济情况下，边际成本就是边际效用。(3)考虑有生产和投资的情况，经济行为人在对生产（投资）和不生产（不投资）进行选择时，这两种选择结果是在同样的效用评价基础上的，生产、不生产或生产多少是同一选择的结果。因此，供给与需求形成“镜面影像”，供给与需求是一回事，供给曲线和需求曲线是同一条曲线，均衡总是存在的。（张五常似乎认为储蓄都是自愿的，包括不投资或投资于无用的领域。）

但是，张五常对萨伊定律做出“供应不是创造自己的需求，而是为了需求”的重要修正中，还是对供给和需求做出了某种区分，供给和需求之间存在着因果方向，供给是原因，需求是结果。

3. 供给和需求是社会分工的产物

杨小凯在“超边际经济学分析”思路下，对供给和需求“两分法”提供了有意义的思考路径。杨小凯认为，新古典经济学中的供给者（企业）和需求者（消费者）之间的分工结构是外生给定的，经济行为人决定供给量和需求量与他们的专业化水平选择并没有关系。但是，实际上，供给和需求的区分是专业化水平的表现，是经济行为人根据交易成本做出决策的结果。从一个完全自给自足的经济开始，随着生产和交易产品的交易成本下降，经济行为人的分工效益开始上升，分工开始逐渐细化，推动了经济演化，最后导致了专业化经济。对于同一种产品，有的行为人是专门从事生产和供给的，有的是专门需求的。因此，供给和需求的分开，与特定交易成本联系在一起。

我们可以从杨小凯的论述进一步在经济政策上做出推论，降低交易成本的政策，可能同时改变供给和需求结构，很难分清这些政策究竟是供给侧还是需求侧的，因此不必关心是供给侧还是需求侧政策，关键是是否降低了交易成本，是否促进了分工细化和专业化水平。

4. 供给和需求研究路径的融合

经济学在对经济增长、充分就业和经济周期的理论研究上，本来就不存在供给侧和需求侧严格的分开不同的研究路径，现在这两种可能分开路径又出现了进一步综合和合流的趋势。这些综合和合流趋势的一个重要来源，是宏观经济学理论对微观基础研究的结果。

长期以来主张需求管理政策的宏观经济学（如新古典综合经济学）被认为缺少微观行为基础，是建立在一系列统计现象基础上的，而传统上微观经济行为被认为是受市场价格调节的行为，是有内在实现均衡的能力的。20世纪80年代，在受到自由市场观点和政策经济学（如理性预期学派）冲击下，这些宏观经济学开始探索其微观基础，为系统和全面的需求管理政策提供依据。

在这一过程中，新凯恩斯主义经济学是其中一个重要理论。其认为行为不协调、信息不对称等是经济行为人不能自动向市场均衡调节的微观基础。20世纪90年代以来，这一学派中的乔治·阿克洛夫、珍妮特·耶伦、约瑟夫·斯蒂格利茨等经济学家，进一步认为这些短期因素和应对这些因素的需求侧的政策产生了长期结构性的供给侧影响，如斯蒂格利茨研究了供给侧不同要素与总需求之间的相互影响，总需求对技术进步（总供给动力）的影响。自21世纪初以来，经济学中又出现了动态随机一般均衡（DSGE）的理论，新凯恩斯主义经济学用不完全竞争（价格和工资的不完全调整）取代了完全竞争假设，与理性预期经济学的理性决策和动态一般均衡进行了综合。

因此，总的来看，这些研究思路形成了供给侧和需求侧研究路径合流的趋势。

1.3-2 供给侧和需求侧政策评估

对供给侧和需求侧的理论进行讨论之外，更重要的是对供给侧和需求侧的政策实践效果做出评估。事实上,这两者效果也是难以完全区分的。我们从政策模拟和实际实施两个方面来看政策效果。

1. 供给侧和需求侧政策的模拟结果

吉奥瓦尼·多西等人(Dosi, Fagiolo and Roventini, 2010,以下简称DFR)采用政策模拟的方法,对供给侧和需求侧政策组合效果进行深入的研究和评估。他们研究了三个问题:(1)供给侧问题("熊彼特主义"问题),技术创新因素对充分就业、长期可持续增长的影响;(2)需求侧问题("凯恩斯主义"问题),供给侧的技术创新政策与需求侧的消费、投资等领域的相互关联和影响;(3)需求侧条件对长期增长的影响,或经济长期增长动力在于供给侧(技术创新等因素),还是总需求侧(消费、投资等)。DFR对不同制度环境和需求侧条件,对供给侧和需求侧的政策组合效果进行了模拟(结果见表1.1)。

表1.1 不同市场环境下供给侧和需求侧政策效果模拟

市场环境	GDP增长(%)	GDP不稳定性	失业率(%)
标准情况	2.54	8.09	10.72
较低的技术创新机会	1.95	7.94	13.57
较高的技术创新机会	3.15	8.28	10.25
较低的技术搜寻能力	2.31	8.25	11.76
较高的技术搜寻能力	2.68	7.75	10.31
不存在模仿	2.54	6.93	10.49
狭义专利(针对特定技术)	2.42	7.61	11.32
广义专利(针对邻近技术)	1.63	6.31	13.29
市场进入难(弱势竞争者)	1.83	7.98	14.02
市场进入易(强势竞争者)	3.76	6.97	8.53
弱势反垄断	2.65	6.98	10.36
强势反垄断	2.73	5.08	8.37
供给侧政策,无需求管理政策	1.11	155.11	78.55

注:(1)本表中供给侧政策仅包括技术创新政策或熊彼特主义政策;(2)GDP不稳定性为对标准情况的标准差×100。

首先,DFR发现长期来看,(1)经济增长动力上,较容易的市场准入、较高的技术创新机会、强势反垄断政策和较高的技术搜寻能力都是经济长期增长最有力的动力。(2)经济稳定性上,较高的技术创新机会和较低的技术搜寻能力,能较大地增加经济不稳定;强势反垄断和广义专利制度,能较大地减少不稳定。(3)在就业上,强势反垄断和较容易的市场准入能较大提升就业,较低的技术创新机会和较困难的市场准入能较大减少就业。

其次,DFR认为:(1)如果仅有熊彼特主义的供给侧技术创新政策,没有需求管理政策的支持,会极大地降低经济增长水平,严重恶化增长稳定性并导致失业急剧上升。凯恩斯主义的需求管理政策在经济下落时起到了放缓经济衰退速度的作用,也在供给侧产生了长期影响(特别是在长期生产力和增长能力方面)。(2)熊彼特主义的技术创新政策本身并不能长期维持较高的增长水平,不能减少经济周期的波动和降低失业率。在低收入、低R&D和投入的环境中,没有需求管理政策,单凭供给侧政策,经济不能摆脱低增长的泥潭。而在增长达到某一水平后,继续增加财政措施,也不能改变长期平均增长水平,但是能减少增长波动并延续充分就业的状态。

第三,DFR进一步研究了不同的劳动力市场制度环境下需求管理政策的效果。结论是,不管工资调整机制是以平均劳动生产力、消费指数还是失业增长情况为基础,都不影响需求侧财政政策的效果。特别是,在上述第三种工资调整机制(或在其他工资机制中加入这一机制的元素)情况下,古典经济学家认为的工资和物价调节本身就可以推动经济恢复增长的情况也不会自动出现,需求管理政策是必要和有效的。凯恩斯主义需求侧政策在实际上发挥了维护长期增长的作用,工资调节恢复增长机制并不存在。

由此,供给侧和需求侧政策存在着互相配合、互相补充和不可偏废的作用。

2. 供给经济学和需求经济学的政策实践

自20世纪40年代以来,不同国家在不同时期都实施过某种程度的需求侧或供给侧的经济政策,但是,对这些政策实际效果的评估并没有定论。

一般认为,西方国家在20世纪50—70年代,在主张政府干预的需求经济学指导下,推行了需求管理政策,形成了20多年较为稳定的黄金发展时期。但是,这一长期的需求管理政策引起了后来的滞胀,又被主张自由市场的供给经济学认为正是干预无效的证明,成为其反对需求经济学的理由。即使如此,在80年代以后的历次经济衰退(如90年代末的亚洲金融危机和

2008年以来的经济金融危机)中,需求管理政策仍然是各国常备的应对措施。在社会主义国家和部分非社会主义发展中国家,虽然其许多政策难以简单地归类,但这些国家计划和管制政策经常带有更极端和更大规模的需求管理的色彩,这些政策被认为既是特定时期内高速发展的基础,也是造成经济长期短缺或活力不足的重要原因。

自20世纪80年代美国的里根政府和英国的撒切尔夫人政府起,在20多年时期里,西方国家普遍推行了供给经济学的自由市场政策,通过大规模私有化、放松规制、鼓励竞争等经济政策,纠正过多的政府干预,有的国家还在一段时期内实行过"供应学派"政策。很多人认为这些供给侧政策恢复了经济活力,也有人认为它要为规制失灵、收入差距加大、泡沫经济,特别是2008年以来的世界经济危机等后果负责。虽然许多国家在经历了危机之后,重新采取了一些对市场的监管措施,但是至今没有意愿回到曾经有过的干预程度。而在中国等计划经济向市场经济转型中的国家,更没有恢复计划经济的意愿。进一步,几乎所有重要的国家都在抓紧改善创新等领域的市场竞争制度,作为恢复长期增长的重要手段,而这些又往往是供给侧的政策。

因此,从政策实践来看,大概可以认为需求经济学是有效的萧条时期的经济学;供给经济学更关注生产力本身发展和经济长期的活力动力。但是,这可能也只是一种比较具体的和狭隘意义上来理解的说法。

1.3-3 超越供给和需求框架的经济学理论

供给和需求是现代经济学的基本分析框架。从这个框架出发,形成了有不同侧重点的理论构造和政策倾向。经济学内部还有许多理论,主要不是围绕供给和需求展开的,而是强调了某种经济结构形式。虽然这些理论总的来看并不成熟,但它们提供了反思供给和需求框架的有益视角。

1. 供给和需求中的结构问题

在很大程度上,经济学中关注的结构性问题是一种长期问题。事实上,即使是主张自由市场的供给经济学也不能完全否认可能存在供给和需求短期失衡。例如,李嘉图在与马尔萨斯的讨论中也承认在协调失败、计算失误和比例失调的情况下,可能存在供给大于需求的情况。但是,他们只承认这是一种短期的情况，坚持长期是均衡的，而不承认有长期的结构性问题。这样，持有自由市场观点的经济学家一般也不会在理论层面上过多地关注这种短期失衡的情况。反对这些自由市场立场的经济学一定认为存在某种形式的长期结构问题，或者根本否认存在一个可能实现的长期均衡状态（如凯恩斯说“长期中我们都死了”）。

2. 再生产的循环流转

宏观经济过程是不同部门之间循环流转的过程。坚持这个视角的经济理论认为，供给和需求是不同生产部门之间互相投入产出的联系（虽然不一定使用总供给和总需求的术语），经济是结构关系和动态过程。经济和生产要维持和发展下去，就要在不同生产部门之间保持平衡。

法国重农学派经济学家弗朗斯瓦·魁奈编制的“经济表”，在价格不变、简单再生产和封闭经济的条件下，首先显示国民生产循环流转过程和产品在不同阶级分配的关系。马克思在对社会再生产过程分析中吸纳了魁奈的思想，并把这种分析拓展到了价值和扩大再生产的情况。马克思没有直接使用“社会总供给”与“社会总需求”概念，他在社会总产品价值包括 c、v 和 m 三个部分，社会生产包括生产消费产品和资本产品两大部类的基础上，对社会总资本的再生产进行分析，提出了社会生产重大结构关系，形成了社会总供给与社会总需求平衡的理论。马克思的总供给和总需求平衡，是社会总资本再生产过程层面、价值决定实现层面和货币价格层面等三个层面上的平衡，即总量与结构平衡、事前规划与事后实现平衡和价值与数量平衡。华西里·列昂惕夫在 20 世纪 40—70 年代发展起来的“投入—产出分析”是在魁奈和马克思经济循环流转分析传统之中的。列昂惕夫的投入—产出分析为系统地研究经济内部各产业和部门之间错综复杂的现实供给和需求交易关系提供了分析工具。

社会再生产的循环流转的现代投入—产出分析，由于被广泛运用于国民经济计划中，而被认为是主要与计划经济相关的；同时，由于很难直接用于具体市场和制度分析，因此，这一分析工具在很大程度上被忽视了。

3. 结构主义经济学

在 20 世纪 50—70 年代西方兴起的结构主义经济学（包括罗森斯坦-罗丹、霍利斯·钱纳里、罗格纳·纳克斯等经济学家）在分析发展中国家长期陷于经济困境问题的过程中，对供给和需求形成了另一种结构和制度的分析思路。

大概来说，结构主义经济学中的供给和需求是产业部门、要素市场、制度领域之间互为依赖和制约的关系。在发展中国家，存在供给和需求两个相互关联和作用的“循环链”：(1)低收入—低储蓄—资本不足—低生产力—低实际收入的供给侧循环；(2)低收入—低消费—投资不足—低资本利用率—低生产力—低收入的需求侧循环。①在两个“循环链”作用下，供给和需求存在长期系统性的断裂和失衡。由此，发展中国家往往难以达到市场均衡和可持续发展，形成了贫困的陷阱。同时，市场和价格在供给和需求之间调节的失灵，在于发展中国家市场不完全性，背后是供给和需求上的不可分性和互补性，导致市场缺乏边际效应和替代能力。②而且这些因素具有累积性，使得市场进一步偏离均衡，形成长期发展在供给和需求上的瓶颈。因此，为摆脱发展中国家经济困境，结构主义经济学主张：实行产业和税制等结构改革，采取大规模集中性工业化的“大推进”计划。

由于忽略了市场作用，结构主义经济学政策主张没有取得显著的成绩。但是，结构主义经济学提供了一个对发展中国家有借鉴意义的分析路径。

4. 创新发展理论

在主流经济学分析框架内，技术或商业创新概念是以总量生产函数的索洛残差部分来讨论的。但是，熊彼特创新理论（或毁灭性创新观点）的含义比这一框架下的内容要更加深远。

熊彼特的创新理论（《经济发展理论》，1912；《经济周期循环理论》，1939）是他的发展理论的一部分，基础是经济循环或结构理论。他认为，在不变的循环条件下，经济完全能预测未来。这样的经济，其生产活动的主体只是一些工厂主，而非真正的企业家，他们的日常经营行为也只是例行公事而已。由于完全能够预料未来的发展，所以在这种经济形态中储蓄等于零。

① 结构主义经济学认为，资本积累（形成）或投资是连接两个“循环链”的枢纽，而资本积累不仅是资本市场本身的配置问题，而且是资本、消费两个部类的问题，更涉及制度、文化、市场规模和结构、国际贸易等因素。

② “不可分性”：生产要素或变量、生产方式或生产函数、需求等方面不可连续细分。“互补性”：产业等之间的互相联系，缺少独立性。

循环运动的经济是趋于均衡或持续接近均衡的经济。①熊彼特认为接近均衡状态形成了创新进入经济的最佳条件;因此,创新可以说是技术创新,也是更广泛的商业创新和制度创新,是从根本上破坏了原来接近均衡增长的轨道,完全改变了经济循环的条件的行为,是新的经济发展的开始。熊彼特认为,能实现创新的是企业家,他们不是一般的企业主;企业家不是固定的阶层,而是流动的阶层。

熊彼特论述的不是增长,是经济发展的动态。创新通过投资在经济中传递扩散,改变了经济的产业结构和供给需求结构,具有更多的制度内涵。熊彼特的创新理论比一般供给和需求的经济分析,在内容上要丰富得多。

1.4 中国经济学界的研究和讨论

20 世纪 50—80 年代,由于社会主义生产目的被表述为是满足人民群众不断增加的社会需求,因此,计划经济对"保障供给"给予了更多的关注。在经济理论上,与之相适应,研究重点是生产供给方面。80 年代中国开始了改革开放。改革开放的目的是要把生产力从计划经济制度束缚中解放出来,因此,很多改革的理论论述也可以归为是强调供给侧的。30 多年来,中国经济理论的主流和成绩主要是在以供给制度改革转型为重点的供给理论方面。随着市场经济制度逐步建立,大概从 90 年代中期起,中国经济的供给市场开始向需求市场转变,经济发展增长中需求约束影响逐渐凸显。在这个条件下,经济学界开始越来越多地关注需求管理等政策因素,这才逐渐形成了大量有关需求的理论论述。但是,经济学界在对需求的研究中仍然对其中包含的制度问题保持了极大的关注。同时,由于中国改革是在经济结构不平衡条件下进行的,在很多情况下,改革步骤也是不平衡的,因此,经济学界也研究了大量结构性问题。中国社会主义市场经济理论和经济学界对供给侧、需求侧和结构方面的研究构成了供给侧结构性改革理论的重要来源。

① 因此,如果在一个特定总量生产函数下,有作为创新因素的"残差"反复持续地出现,在熊彼特的意义上来说,这本身就是接近均衡的状态。

我们下面对这些理论和研究做一简单梳理。①

1.4-1 社会主义市场经济理论的产生与发展

改革开放以来，中国经济理论发展的主线是中国特色社会主义政治经济学理论的形成和发展，党和国家在不同阶段提出的经济发展指导思想、行动纲领和政策措施是这一过程的主要动力和总结，也是中国供给侧和需求侧经济理论研究、并最后形成供给侧结构性改革理论的主线。从市场化改革主线和政府与市场的作用来分析，我们把这一过程大概划分为四个阶段。

1. 第一阶段："市场调节为辅"阶段

1978 年党的十一届三中全会重新确认"实事求是"的思想路线，在改革开放基本国策下，提出了"按经济规律办事，重视价值规律作用"，解决好计划和市场结合等任务。1982 年党的十二大再次提出"计划经济为主，市场调节为辅的原则"，肯定了市场"辅助作用"。在这个阶段，理论上计划仍然保持着主要地位，市场只发挥辅助作用，计划经济的色彩仍然非常浓厚。但是，这个阶段确立了市场的合法化，从而开启了中国社会主义市场经济理论探索和发展的进程。

2. 第二阶段："商品经济"阶段

1984 年党的十二届三中全会指出"商品经济的充分发展，是社会经济发展不可逾越的阶段"，提出了商品经济理论。随后，1987 年党的十三大进一步提出"社会主义初级阶段"理论，确定在公有制为主体前提下发展多种经济成分，在按劳分配原则下，鼓励一部分人先富裕起来的改革发展目标。商品经济理论成为社会主义初级阶段理论重要部分。由于没有明确说明商品深度和广度，商品经济理论仍然比较笼统；但是，商品经济理论的提出，为接下来的市场经济理论做好了铺垫。

3. 第三阶段："市场发挥基础作用"阶段

1992 年党的十四大提出市场要"对资源配置起基础性作用"；1993 年党的十四届三中全会明确提出了建设"社会主义市场经济"的目标和原则，并

① 我们对理论论述的梳理，按照研究过程中牵连到的问题线索展开，没有采取一般理论结构的顺序。

对这些目标原则进行了具体化和系统化，形成了一系列顶层设计，开始了社会主义市场经济理论的创建进程。1997—2012年间，党的十五大至十八大都反复强调市场的基础性地位，十六大提出“形成现代市场体系”，十七大提出“形成有利于科学发展的宏观调控体系”，十八大提出“处理好政府和市场的关系”，这些都深化和拓展了社会主义市场经济理论。

4. 第四阶段：“市场发挥决定性作用”阶段

2013年党的十八届三中全会提出，经济体制改革是全面深化改革的重点，“核心问题是处理好政府和市场的关系，使市场在资源配置中发挥决定性作用，更好发挥政府作用”，同时提出建设“混合所有制经济”等重要理念，在更高更广泛的层次上阐述了市场的作用，开启了中国社会主义市场经济理论建设的新阶段。2014年党的十八届四中全会进一步指出了“全面推进依法治国”的纲领，特别提出“实现经济发展”，“实现和平发展的战略目标”，“必须更好发挥法治的引领和规范作用”。2015年十八届五中全会提出了“坚持人民主体地位，坚持科学发展，坚持深化改革，坚持依法治国，坚持统筹国内国际两个大局，坚持党的领导”的原则，保证“十三五”规划紧紧围绕实现“两个一百年”奋斗目标。这些重要思想为后来形成供给侧结构性改革理论提供了思想和理论上的基础。

1.4-2 中国供给侧和需求侧的经济学理论研究①

1. 供给侧研究

中国经济学界在很大程度上是围绕社会主义市场经济理论的形成和发展展开研究的，形成了基于要素供给效率的可持续发展（增长）理论；更重要的是，由于这些研究以要素供给效率为导向，对要素供给制度及其改革的讨论成为了可持续发展理论的重要组成部分。因此，供给侧理论在很大程度上也是改革理论。

在王小鲁（2000）对中国经济增长的研究中，首先研究了资本、劳动力、资源等要素的投入对经济增长的贡献，基本上与一般增长理论的“四要素”

① 本部分对供给和需求方面的理论研究梳理，参考了王诚和李鑫的《中国特色社会主义经济理论的产生和发展》一文（《经济研究》2014年第6期）。

研究思路一致。但是，论述重点很快就转移到了市场化改革对技术进步和产业结构调整对经济增长的作用上来了。同样，卫兴华和侯为民(2007)的研究，也对资本和劳动力等要素投入对增长贡献进行了评价，并在波特“经济增长四阶段理论”的基础上，认为中国经济仍处于投资驱动阶段，具有依赖要素供给的粗放型增长和资本密集的特征。最后，他们还是把技术创新要素和要素投入制度改革看作是中国经济增长方式成功转型的基础。

经济学界对要素供给制度及其改革的研究主要集中在所有制和产权、现代企业制度、生产要素供给效率和政府在改革发展中的作用等讨论上。

所有制改革。在公有制和非公有制结构问题上，董辅礽(1994)提出在多种公有制为主导的条件下，发展多种非公有制的理论；晓亮(1996)和范恒山(1998)等提出公有制和私有制经济的协作、结合和转换关系。对所有制结构问题的关注是跟要素配置效率和公平等供给侧问题联系在一起的。董辅礽(2002)和高尚全(2005)认为非公经济具有投入高效率；按照效率标准，常修泽(2006)提出了国有经济在经济布局和结构中的进退问题。刘伟和张辉(2008)提出国有经济在第二、第三产业间存在“反效率配置”。在这些研究基础上提出的改革思路是，在垄断产业(包括服务产业)引入竞争机制，重建规制，推进民营化改革(王俊豪，2001；王俊豪等，2013；常欣，2001)。

现代企业制度。经济学界研究了国企的产权、产权形式和治理结构等问题，关注点仍然是要素效率相关的供给制度。这些研究基本上都赞同，产权主体独立、产权界定清晰和投资主体多元化是国企改革的关键(吴敬琏等，1994；周叔莲，2000；刘诗白，1998)，国企股份制改革是提高资本要素效率的重要途径(高尚全，1998；卫兴华，2008)。①有的研究还认为，国企实现资本市场上市是改善国企内部治理结构、防止机会主义短期行为、建立现代企业制度的重要手段(张亦春、周颖刚，1997)。随着国企市场主体地位逐渐形成，2010年以后，经济学界又加强了国企与政府关系、国企与改善市场秩序等供给效率和制度问题的研究(金碚，2010)，提出了国企吸引和组织更多的民资，形成多元投资主体的改革思路。

---

① 邹东涛(1997)提出公有制三个层次的实现形式：公有制主体地位、国有经济主导地位和公有制的资产(财产)组织。股份制属于第三种形式。

生产要素供给效率。(1)劳动力要素。在改革开放之初，许多研究就提出劳动力市场是建立社会主义市场经济体制的内在要求(王栋，1994；邢颖，1994)。但是，理论研究的重点很快转移到了劳动力要素效率问题，相关的如人力资本、教育(蔡增正，1999；杨立岩等，2003)、人口老龄化等(汪伟，2010；刘穷志等，2013)。更重要的是，很多研究关注了工业化、城市化和市场化过程中劳动力转移对劳动力要素效率、结构配置及经济发展的推动作用(李扬、殷剑峰，2005；蔡昉，2012)。潘家华和魏后凯(2013)、万海远和李实(2013)等深入研究了劳动力要素流动和优化配置的户籍制度等制度性障碍。(2)资本要素。林毅夫、刘培林(2003)和中国经济增长与宏观稳定课题组(2010)等都进行了重要的研究，这些研究把资本要素贡献与发展模式和战略联系在了一起；后一个研究特别提出，中国经济增长具有从计划经济向市场体制转型的发展中国家特征，经历了渐次推进的经济资源存量快速资本化过程，经济赶超和效率改进都对经济增长起到了正面激励效应。(3)土地资源要素。经济学界既承认土地要素规模投入对高速增长的贡献，也指出了其供给的低效性是不可持续的经济增长方式的重要特征；同时，他们都注意到了土地供给的低效率与财政和土地制度的关系(蒋震，2014)。(4)技术创新要素。有许多研究计算了技术进步对增长的贡献。同时，刘伟和张辉(2008)的研究还认为，随着市场化程度的提高，中国经济增长逐渐出现了技术进步贡献取代产业结构和市场化变迁贡献的趋势。而中国经济增长与宏观稳定课题组(2010)发现，中国的资本化发展过程对技术创新可能存在抑制作用，技术进步对增长贡献不大。(5)全要素生产率。经济学界对经济增长中全要素生产率进行了深入研究，指出全要素生产率主要来源于改革和结构红利(张军等，2009)。同时，很多研究把体现在较低全要素生产率中的供给效率问题，归结为改革的不彻底性，而把深化改革作为解决要素供给效率问题的总思路(吴敬琏，2008)。

政府的作用。经济学界研究了政府作用问题，形成了中国改革路径和发展模式的理论。在对供给制度和增长发展的讨论中，许多研究进一步追溯了中国经济发展中的中央和地方政府关系问题，许成钢(2011)认为中国发展治理采取了“地方分权式权威体系”的模式，钱颖一(Qian，1996)认为中国财政体制采取了“中国式联邦主义”体制。这些研究强调地方政府在生产要素供给和组织上发挥了重要作用，在这个过程中地方政府分权竞争，地方政府的增长目标、人民福利和改革利益的一致化，是推动经济高速增长的重要制度保障。

2. 需求侧研究

中国经济学界在需求侧上的主要研究集中出现在市场经济体制基本形成之后。在宏观经济调控的需求管理政策实践中，经济学界把需求侧调控手段归纳成了“三驾马车”（消费、投资和出口）政策组合。林云（1998）较早地提出了“三驾马车”说法，他认为在需求约束型经济逐渐形成后，发挥个人消费需求、投资、出口“三驾马车”的作用，克服需求约束是保持经济持续增长的必要条件。同时，他也提出要推进投资主体多元化和引导财政、外资和社会资金的制度改革，以把握需求和投资的适当规模。因此，即使是需求侧理论，也对改革问题给予了高度重视。

在20世纪90年代至2010年代间，经济学界除了有大量对消费、投资和出口的增长贡献和机制的研究[如胡永刚、郭新强（2012）对消费的研究；吴忠群（2002）对投资的研究；沈利生、吴振宇（2003）对出口的研究；林毅夫、李永军（2003）对出口的研究]之外，对“三驾马车”的制度改革研究主要集中于收入分配制度、资本市场和外汇市场、政府的作用、发挥比较优势等问题。

收入分配制度。经济学界长期关注收入分配问题。高尚全（1993）和何伟（1998）强调了市场化经济条件下，按劳分配原则不再适用，劳动力是按市场的劳动力要素贡献获取报酬；按照生产要素分配是现代市场经济秩序的基础。但是，即使是国企等公有制企业，由于垄断存在，也不能保持收入分配的公平性（夏庆杰等，2012；陈钊等，2010）。因此，许多有关收入分配对需求影响的研究指出，随着市场经济改革的深入，由于收入初次分配上垄断造成的收入失衡（岳希明等，2010）、再次分配中社保体系不健全（朱玲，2010）和各层次分配中存在的灰色收入（王小鲁，2010），收入差距正在逐渐增大，严重弱化了需求（消费）政策对经济增长的推动效果。陆铭等（2005）直接指出了收入差距过大影响了经济增长。

资本市场和外汇制度。自20世纪90年代起，经济学界针对资本市场制度对投资和增长的影响进行了大量的研究，一般都认为中国投资和经济增长与特定的货币金融政策和资本市场等制度安排存在较大的关系（中国经济宏观稳定课题组,2007;刘伟等,2002;王定祥等,2009);资本市场制度的创新拓展了货币和财政政策的空间,是推动投资和经济增长的重要措施(刘星等,2012)。有的研究关注了外汇制度对投资的影响(万解秋等,2004)。

政府的作用。与所有制结构相关,经济学界研究了投资中行政准入审批和行政垄断问题,指出其与宏观投资拉动政策的关系(于良春、张伟,2010);同时,林毅夫(2010)研究了投资"潮涌现象"和产能过剩,指出了政府在引导投资中的重要影响;甚至投资冲动是地方政府扭曲市场机制的结果(巴曙松,2004;郭庆旺、贾俊雪,2006)。

对外开放和比较优势。经济学界对出口需求集中在对外开放制度的研究上,在20世纪90年代,主要是对特区和开发区的制度研究(葛伟,1995;刘瑞明、赵仁杰,2015);最近,经济学界主要研究了自由贸易区等新型开放制度的影响(石静霞,2015)。更重要的是,在对开放和发展的研究中,林毅夫等提出了根据比较优势制定发展战略的理论。他们认为,改革开放以来,中国经济的高速发展主要来自对外开放政策,利用两种资源、两个市场,在比较优势主导下,提高了资源配置效率,扩大就业和推动增长。未来的发展要进一步实现全球配置资源,提高全要素生产率,创造和维护符合中国根本和长远利益的外部环境(林毅夫、蔡昉、李周,1999;林毅夫、刘明兴,2004;江小涓,2008)。

3. 结构方面的研究

中国经济学界对供给侧和需求侧的研究,往往都采取了结构性的观点。(1)经济发展结构性动力的观点,包括城市化及其带来的劳动力结构变化对经济增长的影响(国务院发展研究中心课题组,2010);相对价格体系的逐步调整,是促进资本积累、有效释放经济增长潜力的根本机制(刘霞辉等,2008);银行业结构对经济增长的影响(林毅夫、孙希芳,2008)。(2)结构性的转型路径,例如,在市场改革过程中双轨定价安排的意义(张军,1996)。(3)结构性的宏观调控政策,如刘树成(2004)提出,中国宏观调控政策的特点是汇率政策、产业政策、财政政策、货币政策等各个方面多工具性的结构性调节。(4)结构性政策的阶段性,有的研究提出,结构性增长动力和调控模式等主要存在于"放权让利"的改革阶段,中国经济增长动力和调控模式将从政府主导型、中间扩散型,向需求诱致型变迁(杨瑞龙,1998)。

1.4-3 有关供给侧结构性改革的一些理论观点

党的十八届三中、四中和五中全会提出的发挥市场在资源配置中的决定性作用、依法治国等理念，是中国社会主义市场经济理论和实践的深刻总结，为未来改革和发展理论指明了研究方向。在中国经济发展进入新常态和面临“三期叠加”挑战的形势下，形成了中国经济学界一些重要的理论思想。

1. 新结构主义经济学

林毅夫(2012)提出了“新结构主义经济学”理论。林毅夫把国际贸易理论运用到了国家发展和发展战略的理论上，提出发展中国家具有发展的后发优势，可以根据要素禀赋形成和发展比较优势产业，进而形成比较优势制度来推动经济发展。其中，有比较优势的要素禀赋是市场确定的，来源于经济体制改革；有比较优势的产业是市场形成的，政府“因势利导”的投资政策具有重要的促进作用。因此，这个理论在前提和基础主张上，强调了供给侧的制度改革，是与发挥市场配置资源决定作用一致的；在方向和路径上，强调了结构调整的比较优势原则，为政府有效治理、创新政府调控提供了线索。

2. 供给经济学的讨论

贾康等(2013；2015)提出了“新供给经济学”概念，早期新供给主义理论更多借鉴了里根和撒切尔夫人供应学派的经济思想；在后来的发展中，新供给经济学理论开始注重借鉴中国经济理论和对中国30多年改革实践经验的总结，但未形成系统理论框架。

新供给经济学在研究讨论中，对主流经济学理论进行了反思，认为主流经济学存在两个理论弱点，一是假设了供给环境(忽视了供给侧问题)，二是对供给侧理论和政策(如产业政策等)研究薄弱、滞后，以及理论与实践不一致(在实际政策中，也在加强结构和供给方面的操作)。因此，新供给经济学提出，要加强供给侧的分析和认知，加强经济基本理论的有效性和针对性，加强不同经济主体(市场、政府、非营利组织)功能的优化配置。根据“新供给可以自动创造新需求”的思路，他们提出“淡化总需求管理，从供给侧推动改革”的政策主张。

1.5 中国供给侧结构性改革思想的提出

改革开放30多年的实践，中国社会主义市场经济理论的提出和形成，经济学界长期对供给侧和需求侧改革发展的理论探索，特别是经济进入新常态后一系列经济思想上的创新，都为供给侧结构性改革理论形成提供了深厚的基础。

2015年11月，在中央财经领导小组会议等场合中央四次提及“供给侧改革”。同月，习近平总书记在不同场合提到“供给侧改革”和“供给侧结构性改革”，指出解决世界经济深层次问题，单纯靠货币刺激政策是不够的，要下决心在推进经济结构性改革方面做更大努力，使供给体系更适应需求结构的变化；具体地说，在适度扩大总需求的同时，加强供给侧结构性改革，着力提高供给体系质量和效率，增强经济持续增长动力。2015年12月中央经济工作会议进一步提出了推进供给侧改革和推动经济持续健康发展的思路。2016年1月中央财经领导小组第十二次会议上，习近平总书记强调，供给侧结构性改革的根本目的是提高社会生产力水平，落实好以人民为中心的发展思想。

随后，“权威人士”按照“供给侧＋结构性＋改革”的框架，形成了比较完整的供给侧结构性改革理论思路①：“从提高供给质量出发，用改革的办法推进结构调整，矫正要素配置扭曲，扩大有效供给，提高供给结构对需求变化的适应性和灵活性，提高全要素生产率，更好满足广大人民群众的需要，促进经济社会持续健康发展。”也就是说，(1)供给侧结构性改革的目标是满足人民需要，是实现“创新、协调、绿色、开放、共享”的“五大发展理念”。(2)改革是实现目标的路径，一是推进“充分发挥市场在资源配置中的决定性作用”的改革，即“矫正以前过多依靠行政配置资源带来的要素配置扭曲”，“要调整各类扭曲的政策和制度安排，进一步激发市场主体活力，更好发挥市场在资源配置中的决定性作用”；二是推进“更好发挥政府这只手的作用”的改

① 《供给侧结构性改革引领新常态》，《人民日报》2016年1月4日第1版。

革，“当前最重要的是明确政府的权力边界，以自我革命的精神，在行政干预上多做‘减法’”，因此，“不是实行需求紧缩”或“新的‘计划经济’”。(3)改革的内容在结构性领域，具体地说是“去产能、去库存、去杠杆、降成本、补短板‘五大重点任务’”。(4)改革的方向是供给侧，是“改善供给结构”，“实现由低水平供需平衡向高水平供需平衡跃升”。

2

全球视角供给侧结构性改革的产生与发展

20世纪70年代，受国际环境变化与自身结构性问题的双重影响，主要经济体陆续出现经济停滞与通货膨胀并存，财政负担过重，收支难以平衡，生产效率降低，结构调整缓慢等重大瓶颈，前期长期使用的凯恩斯主义需求管理难以走出困境。到70年代末，以撒切尔、里根、科尔等相继执政为信号，主要经济体强调市场与自由竞争的供给侧结构性改革接踵展开，将经济增长作为首要目标，重新调整政府与市场、政府与企业、政府与个人、资本与劳动、全局与结构等五大关系。

2.1 主要经济体供给侧结构性改革的时代背景

20世纪70年代，在经济全球化和新技术革命浪潮的推动下，主要经济体之间的信息交流、贸易往来、资金流动、技术转移等日趋频繁、便捷。主要经济体内部的供需结构也被纳入经济全球化进程，世界经济越过了国家和地区边界的限制，生产要素在全球范围内实现了自由流动和配置，大部分国家和地区的经济逐步形成统一、联系的运行体系。在经济全球化大背景下，技术创新引发主要经济体竞争优势轮转互换，市场经济制度不断扩张与延伸，跨国公司数量激增，都对全球范围内总供求的调整产生了重要影响。

2.1-1　全球化打破了主要经济体总供求关系的封闭格局

20世纪70年代开始，经济全球化逐渐成为世界经济运行的重要特征，各国经济相互依赖性增强，国家原先相对封闭的内部经济结构、供需结构被逐步打破。

1. 激烈的国际竞争对经济体内部经济结构产生剧烈冲击

从二战后的马歇尔计划开始，美国对欧洲盟友和日本开展援助，帮助重建基础工业。到20世纪70年代，西欧、日本经济已经成为美国的强劲对手。到70年代末，欧共体经济实力超过美国，日本成为资本主义世界第二经济大国。西欧、日本的相继崛起带动了全球贸易的快速增长，有资料显示，1964—2005年，全球贸易出口量年均增长11.2%，同期世界GDP年均增长仅为3.6%。全球贸易快速增长导致大量廉价商品进入美国，特别是西欧、日本的钢铁工业、汽车工业对美国制造业造成严重威胁，美国对本国制造业

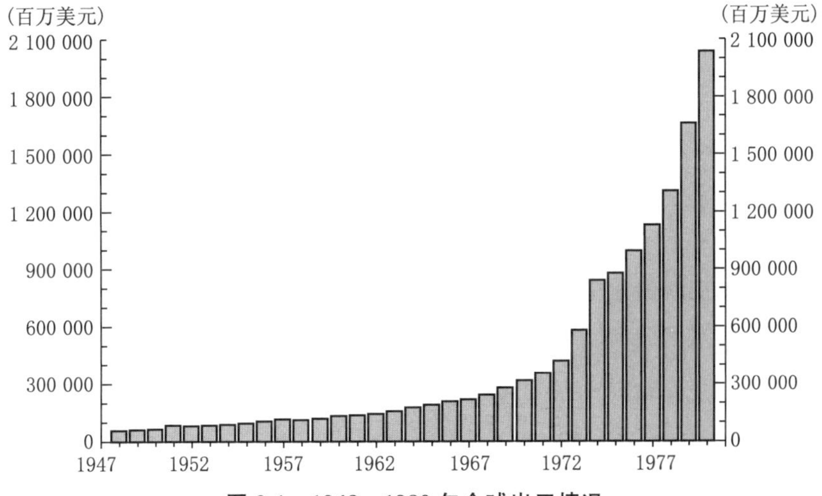

图2.1　1948—1980年全球出口情况

资料来源：Wind资讯。

产品的需求逐步萎缩，企业的生产积极性明显降低。从 1976 年开始，美国进口已经大于出口，而且逆差逐步加大，1985 年，逆差已经达到 1.484 亿美元，到 80 年代末，美国占世界钢铁总产量的份额已经下跌为 10%左右。

2. 全球化对经济体宏观调控政策的扰动不断加大

经济全球化使得主要经济体的经济周期逐步趋同，国内财政、货币等宏观调控政策的实施效果，往往受其他经济体的影响而发生扭曲。自 20 世纪 70 年代以来，贸易、金融成为经济全球化的先发领域，以贸易自由化为核心的世界多边贸易体制逐步形成。世界货币、资本市场通过现代通信工具相互连接成一个有机整体，大量的金融业务跨国界进行，金融市场日趋国际化，单一经济体货币政策传导机制中外部不可控因素增加，若遭受外部冲击，单一经济体自身的调控政策很难实现经济的稳定增长。

3. 资源价格的剧烈波动对主要经济体产生“供给冲击”

二战后，廉价和丰富的石油代替煤成为世界主要能源。有资料显示，1950—1975 年，石油和天然气占世界能源消费的比重由 37.5%提高到 64.5%，主要经济体大量进口石油，为经济发展提供了重要支撑。发达资本主义国家对石油消费的需求年均增长 7.1%，大大快于同期工业生产和国内生产总值的年均增速。1973 年，石油输出国组织开展“石油战”，将每桶原油价格从 1950 年的 1.71 美元上涨至 1973 年的 5.11 美元，1981 年 10 月达到 34 美元的高峰。石油价格上涨在全球范围内引发了剧烈的“供给冲击”，推动产品价格上涨，降低消费者的需求，对主要经济体内部经济结构的调整提出了迫切要求。以日本为例，日本严重依赖外部能源进口，石油危机对大量消耗能源的产业产生严重影响，钢铁、铝、石油化工等行业面临严峻的“结构萧条”状况。

2.1-2 技术创新引致主要经济体竞争优势的轮转互换

从 20 世纪中期开始，重大技术变革已经发生并广泛应用，大大提高了社会生产力。其中，率先利用先进技术的经济体，能够以较低成本生产产品，直接对其他经济体的总供求产生挑战与压力。

1. 技术创新带来主要经济体竞争优势的外部大轮转

20 世纪 70 年代，技术创新的地位更加凸显，并成为国际竞争的核心。

由于技术创新总是从某一个经济体逐步向全球扩散，导致主要经济体之间的技术水平出现明显差异，竞争优势呈现轮转互换的态势。20世纪50—60年代，日本实行“技术吸收战略”，着力引进美国先进科学技术，到70年代，日本的钢铁、汽车工业对美国产生了巨大竞争压力。但以1980年为分界点，美国加强了对技术转让和信息外流的控制，直接导致日本、联邦德国与美国的竞争态势再次发生急剧转换。日本由于忽视基础研究，技术储备不足，在发展高技术上也遇到了障碍，国家竞争能力明显下滑，不得不于1980年提出了“科学技术立国”发展战略，强调发展独创性技术，加强基础研究。

2. 技术创新推动主要经济体经济结构的内部正循环

技术创新对主要经济体的高速发展提供了有力的支撑，20世纪70年代开始，电子计算机、自动化、喷气发动机、合成高分子材料、原子能发电、超大规模集成电路、人造卫星等技术创新在生产中得到广泛应用，直接带来了产业结构的转换，一系列新兴产业相继涌现。在新兴产业出现的同时，传统产业不得不进行改组或转产，产业结构也从耗能多的劳动密集型向不受能源制约的知识、技术密集型转变。与此同时，主要经济体产业结构的转换也进一步推动了技术创新的再次喷发。1982年AT&T(美国电话电报公司)的分拆，可以看成80年代信息革命的起点。自此，竞争被引入通信业，网络和手机带来了美国经济的复苏。

3. 技术创新带来了产业组织和资源组织的跨界布局

技术创新的发明、使用和普及，相应减少了交易费用，拓展了交易空间范围。特别是电子计算机在小型化、个性化后的逐渐普及，个人电脑和各种信息终端相连而成覆盖全球的通信和信息网络，极大降低了交易费用，直接引发了社会生产方式和社会资源组织方式的重大变化。跨国公司利用技术创新成果在全球范围内安排产业组织(生产、经营和销售)，并在全球范围内实现剩余价值的分配。与此同时，技术创新带来了商品流转时间的缩短，极大地缩短了经济周期的时间跨度，主要经济体之间的经济周期也因跨国公司、跨国银行等机构的全球经营活动而逐步趋同。

4. 技术革命为主要经济体资本积累创造了条件

经济发展需要大量的资金投入，要有投资就要有积累，二战后资本主义国家原有的依靠压低工人工资、延长劳动时间等方法无法持续。主要经济体逐步转向依靠技术创新提高劳动生产率，带来了剩余价值的倍增，实现了资本的高积累率。战后，日本和联邦德国由于劳动生产率的迅猛提高，剩余价值实现了猛增，有资料显示，日本制造业1955—1970年的剩余价值率从314%增长到443%，随之带来了资本的高积累率。1964—1973年，日本和联邦德国的资本积累占国民生产总值的比例分别为38.4%和27%。

2.1-3 市场经济不断扩张奠定了全球总供求关系的制度基础

市场制度的扩散和延伸，是经济全球化的必要基础，也是必然结果。伴随着生产和流通逐步从经济体内部向全球化延伸，产权制度、契约制度、货币制度、贸易制度、竞争制度等各类现代制度得到扩展和普遍采纳，市场规则成为经济全球化的基本规则。

1.“两个平行世界市场”并轨推动了市场经济制度急速扩张

20世纪，整个世界被长期划分为资本主义和社会主义两大阵营，两大阵营之间的政治对抗集中体现为市场经济和计划经济的对抗。70年代末，中国实施改革开放政策，实行社会主义市场经济。80年代初，拉美国家遭遇债务危机，被迫接受新自由主义结构性改革措施。90年代，伴随着前苏联和东欧社会主义国家经济转轨，世界经济格局发生了划时代的变化，“两个平行的世界市场”逐步消失，市场经济成为全球主要国家的普遍选择。市场经济成为组织和推动世界经济运行的基础力量，世界各国的经济体制和游戏规则趋于一致，逐步形成了统一的经济与交易制度，阻碍跨国交易的各种壁垒逐步消除。

2.全球市场交易规则逐步建立

在国际经济组织的主导下，国际货币、金融、贸易及投资等方面的各项规则逐步建立，规范了全球金融、贸易和投资活动。以金融领域为典型代表，1988年，国际清算银行下属的“银行业条例及监管委员会”达成了《关于统一国际银行资本计算和资本标准的协议》即《巴塞尔协议》，对规范跨国银行的行为发挥了积极作用，全球金融领域逐渐形成了一套国际通用的基本规则和要求，对全球金融体系的运行进行规范和监管。但客观上应该看到，诸如跨国公司的设置和投资策略、全球金融市场的规制等问题，都难以完全由某个经济体单方面决定，而经济体原先对内部市场的调节和管理职能，在很大程度上让位于国际组织，在世界市场面前，单个经济体往往变得无能为力。

3. 国际组织陆续产生并发挥积极作用

20世纪70年代，国际货币基金组织、世界银行、关税与贸易总协定以及西方七国集团、经济合作与发展组织、欧共体等一系列超国家政治经济组织的作用不断扩大。超国家组织与传统国家主权观念往往是相冲突的，资本的全球流动客观上要求冲破领土和主权的束缚，当领土和主权与资本全球流动的要求相矛盾时，超国家组织就会想方设法使主权要求从属于资本扩张的要求。超国家组织对经济体内部政治生活的影响日益增大，甚至开始深度超越各主权国家的传统边界，对经济体内部的政治经济进程产生直接的重大影响。

2.1-4　跨国公司成为全球范围内调节总供求关系的主导力量

20世纪70年代，跨国公司成为国际贸易和投资的动力载体，特别是以生产全球化为重点，跨国公司对全球范围内的总供求产生了直接影响。

1. 跨国公司推动了资本的快速流动

20世纪70年代，主要经济体纷纷鼓励公司跨国经营，跨国公司的数量急剧扩大。据联合国统计，1976年，销售额在10亿美元以上的最大跨国公司共有422家，其中美国占半数以上。1980年开始，跨国公司总数从约1.1万家增加到1997年的约4.5万家，推动了国际直接投资额大幅度攀升和国际直接投资总存量急速膨胀。据联合国贸发会议《2006年世界投资报告》统计，1982年，全球对外直接投资590亿美元，投资存量6 000亿美元，全球雇员达到1 900万人。在1986—1995年的10年间，全球对外投资额保持20%左右的年均增速，90年代后5年达到了40%的年均增速，远远高于同期的GDP增速。同时期，外商投资存量也保持两位数的增速。

2. 兼并浪潮不断提升企业的规模与竞争力

20世纪70年代，大型企业特别是国际知名跨国公司之间的强强合作、跨国并购迅速发展，许多大型并购的金额都在10亿美元以上。到1990年，全世界的跨国并购达到前所未有的1 600亿美元，约相当于1980年全世界企业并购(包括国内并购和跨国并购)183亿美元的8.7倍。与此同时，跨业兼并和横向兼并并行。既有迪士尼和美国广播公司的跨行业兼并，又有德国戴姆勒公司与美国克莱斯勒公司在行业内部的横向合并。同时，建立强强战略联盟的案例不断发生，如美国波音和麦道飞机制造公司的合并，增加了竞争力，避免在竞争中两败俱伤。

3. 跨国公司成为全球经济体系中的生力军

20 世纪 70 年代，为了最小化交易成本，适应市场的复杂性、产品的多样性以及不同国家的偏好差异，跨国公司超越了国家的界限，在全球范围内开展资源配置，改变了在母国开展生产、研究、开发的做法，在全球范围内投资设厂、选购原材料、组织安排生产经营活动，水平型分工成为国际分工的主要形式。跨国公司全球性的国际分工形成了全球生产网络，使世界各国都成为世界生产的一部分，而在此过程中，跨国公司成为了调节全球范围内总供求的生力军。

2.2 主要经济体供给侧结构性改革的发展困境

二战后初期，主要经济体在凯恩斯主义需求管理指导下，取得较长时间的经济增长。但进入 70 年代后，以石油危机为导火线，主要经济体相继陷入经济停滞和通货膨胀并存的危机，推进经济增长的积极因素发挥殆尽，经济、社会等方面均暴露出明显问题。

2.2-1 经济停滞与通货膨胀并存

20 世纪 70 年代之前，凯恩斯主义需求管理为消除经济波动，把实现经济长期稳定的宏观经济政策变成短期刺激政策，造成了经济“走走停停”的恶性循环。主要经济体陆续出现经济停滞、通货膨胀和失业率居高不下的“滞胀危机”。

1. 经济增长逐步从中高速转为低速甚至负增长

主要经济体经济增长从中高速逐步下滑，进入低速增长甚至是负增长区间。20 世纪 70—80 年代，美国经济进入“滞胀期”。美国虽然从 30 年代大危机中吸取了教训，加强了政府宏观调节，在收入分配上实行了各种改良主义政策和调节措施,但是仍然不能避免经济危机。二战后到80年代初,美国经过了八次经济危机。1970—1980年,美国经济处于停滞膨胀期,国民生产总值大约每年增长3.8%,低于战后头20年。其中,从1981年7月到1982年11月的第八次经济危机持续时间最长,工业生产连续下降17个月,国民生产总值下降高达2.5%,失业率达到10.8%。此次危机是受第二次石油冲击影响,为控制通货膨胀实行了限制性货币政策,导致利率高企。与此同时,生产增长缓慢使得生产能力闲置,产业结构难以相应调整。

表2.1 美国战后历次经济危机期间工业生产指数变动情况

(1977年为100)

危机起讫年月	持续月数	危机阶段工业生产下降(%)	失业率最高纪录(%)	国民生产总值升降幅度(%)	引发危机的原因
1948.8—1949.10	15	10.1	8.3	0.02	高利率和取消战时配给制以后,消费者的购买热到了终点
1953.8—1954.4	9	9.4	3.2	−1.3	紧缩的财政金融政策和朝鲜战争结束后军事开支的缩减
1957.4—1958.4	13	13.5	7.5	−0.7	利率的上升和随之而来的银根收紧
1960.2—1961.2	13	8.6	7.1	2.6	抑制日益加速的通货膨胀而实行紧缩货币政策的结果
1969.11—1970.11	13	6.8	6.0	−0.3	应对越南战争造成的通货膨胀而实行紧缩的金融政策所触发
1973.12—1975.3	16	15.1	8.9	−1.8	石油禁运使能源价格翻了四番,金融和财政政策趋于紧缩,加上1973年投机性增加库存,也使经济形势更加恶化
1980.1—1980.7	7	8.0	7.1	1.9	第二次石油危机导致1980年的衰退,1980年3月卡特总统对信贷实行控制,厉行金融紧缩政策,对危机也起到促进作用
1981.7—1982.11	17	12.4	10.8	−2.5	受第二次石油冲击的余震,以及为控制猖狂的通货膨胀实行限制性货币政策,促使利率腾飞而发生。同时,生产增长缓慢使生产能力大量闲置

资料来源:[美]乔纳森·休斯、路易斯·凯恩:《美国经济史》,格致出版社2013年版。

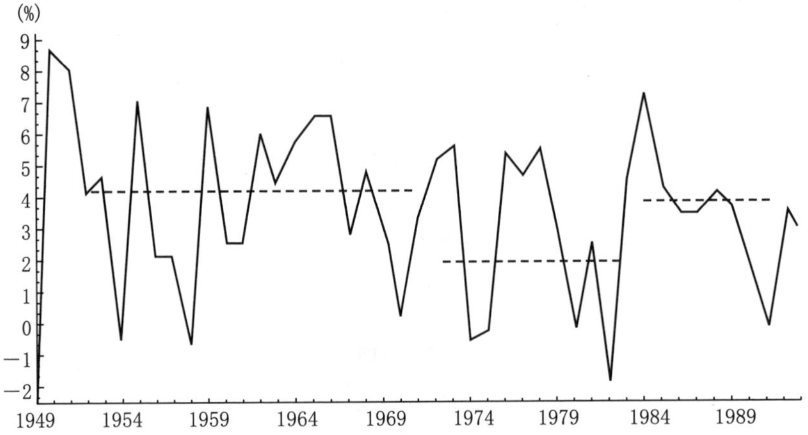

图 2.2　1949—1994 年美国 GDP 同比增速

资料来源：Wind 资讯。

英国经济跌入负增长区间。1964—1970 年和 1974—1979 年的英国工党内阁以公有化和高福利政策为纲领，试图创造出富裕的英国工人阶级，在英国实现“社会主义社会”目标。其具体措施包括：实行计划经济体制，包括对钢铁、煤炭、铁路、航空、港口、邮政、电信、汽车、造船、航宇等行业和公用事业开展国有化；提高税收；削减军事开支，具体措施包括裁军、取消新的国防研究项目、提高工资和福利水平等。但与工党的良好愿望相反，英国经济

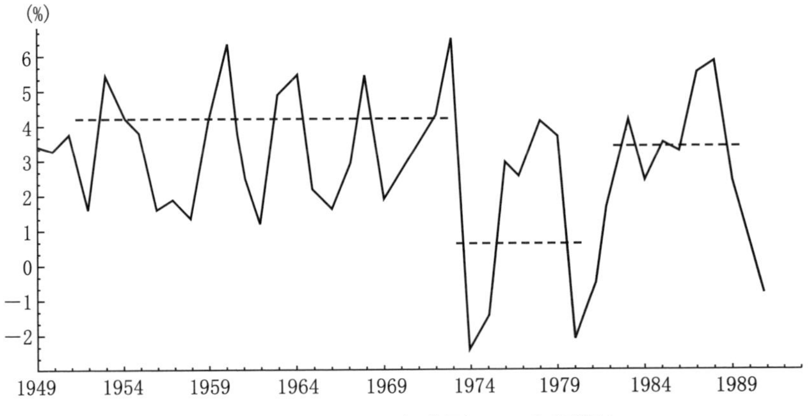

图 2.3　1949—1990 年英国 GDP 实际增速

资料来源：Wind 资讯。

并未持续前期中高速增长态势，在 1974—1979 年工党执政时期，英国 GDP 增速跌入负增长区间。

德国经济逐步陷入困境。二战后，联邦德国长期奉行以弗莱堡学派为基础的社会市场经济理论，实行社会市场经济制度，主张将市场自由原则与社会平衡原则相结合，突出市场经济的社会内容，强调国家在确保市场竞争外，还有维护社会平衡的任务。这种制度模式被战后德国首位经济部长、第二任总理路德维希·艾哈德(Ludwig Erhard)归纳为既有别于自由放任资本主义，又有别于社会主义计划经济和纳粹专制经济的“有良心的资本主义”。20 世纪 60—70 年代是德国经济的黄金年代，但进入 80 年代中后期，联邦德国经济发展逐步趋缓，经济社会矛盾日趋尖锐、创新活力日益消失。90 年代初期，尽管有两德统一的扩张效应，但德国经济增速仅为 1.95%，是二战以来最低增速。

表 2.2 联邦德国经济年均增长状况

	1951—1960 年	1961—1970 年	1971—1980 年	1981—1990 年	1990—2000 年
增长率	7.96%	4.51%	2.78%	2.3%	1.95%

资料来源：复旦大学世界经济研究所：《制度变迁与结构调整》，山西经济出版社 2006 年版。

日本经济由高速增长转向低速增长。日本从 20 世纪 50 年代中期开始了经济高速增长阶段，整个 60 年代增长率稳步保持在 10%以上。70 年代初期，在日元升值冲击下，日本面临着出口困难等问题。石油危机的发生，不仅使日本经济难以持续高速增长，而且发生了二战后最严重的经济危机。从此，日本经济结束了持续 20 年的高增长，进入低速增长阶段，经济增速由 50—60 年代的年均 10%左右下降到 70—80 年代的年均 5%左右。进入 90 年代，日本经济增速下降到年均接近 0 的水平。

2. 通货膨胀急速增加

20 世纪 70 年代是主要经济体商品和服务价格普遍上涨的时期。以美国为例，消费者价格指数上涨速度在 20 世纪 60 年代末开始加快，在 70 年代急速上升，整个十年价格翻了超过一番，从 1970 年的 38.8(以 1982—1984 年为 100)上升到 1980 年的 82.4。1980 年，美国通货膨胀接近 14%，同时期短期利率达到了 20%以上，都是美国历史上的最高值。

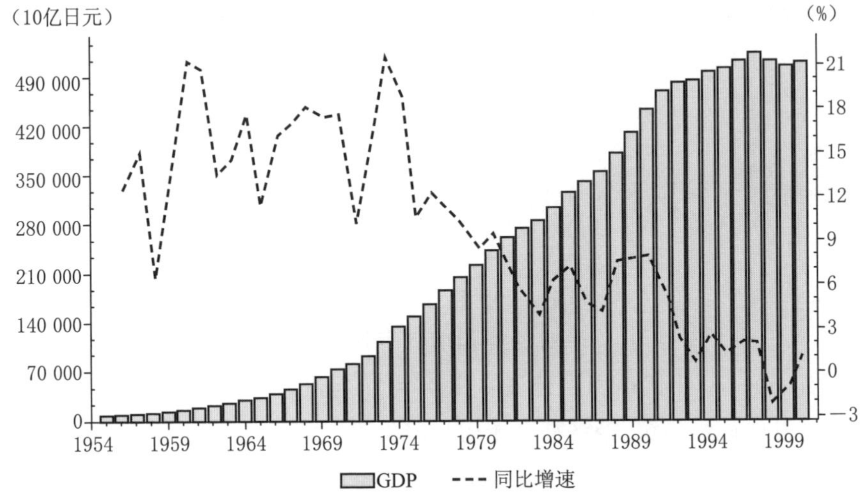

图 2.4　1954—2000 年日本 GDP 数额与增速(现价)

资料来源:Wind 资讯。

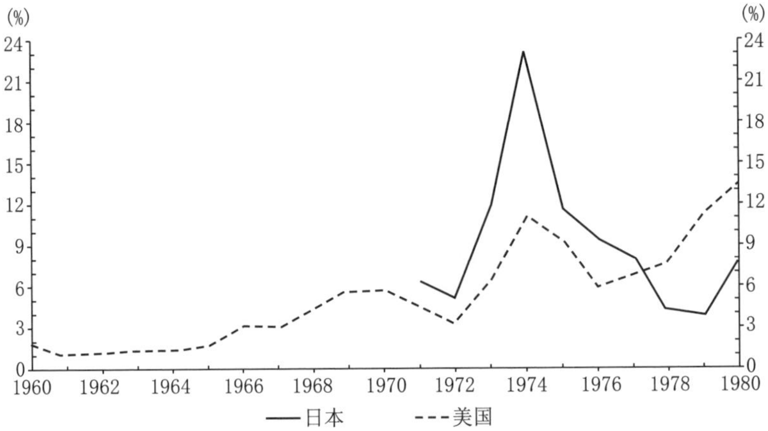

图 2.5　1960—1980 年日本、美国 CPI

资料来源:Wind 资讯。

2.2-2　财政收支失衡

在凯恩斯主义需求管理指导下,主要经济体使用财政刺激政策成为常态,进入 20 世纪 70 年代,受社会福利开支持续增加、国家机构人事费用膨胀、军事费用开支等因素影响，主要经济体财政负担明显加重，国际收支逐步失衡。

1. 财政出现巨额赤字

20 世纪 70 年代，主要经济体财政出现巨额赤字。以德国为例，各级政府通过信贷和发行政府债券来弥补赤字，除个别年份外，整个 70 年代政府债务规模保持了两位数的增速。1981 年底，政府债务总额超过 2 400 亿马克，相当于 1982 年全年的财政支出。1983 年联邦政府预算中，国债利息支付达 310 亿马克，占预算总额的 12.3%，成为仅次于“社会”和“国防”的第三大支出项目。政府新增债务在全国新形成的货币资本总额中的占比，从 1969 年的 10.3%上升到 1981 年的 37.6%。政府举债需求推升了无风险利率，挤出了企业和家庭的筹资需求。同时期，英国由于公司的国有化、工资的“大锅饭”和高福利，出现了政府支出过大，财政收支状况恶化等情况。

2. 国际收支失衡

20 世纪 70 年代，主要经济体均在经历国际收支失衡。美、英、日等三个国家均经历过贸易收支差额为负的阶段，尽管德国凭借自身制造业优势，始终保持贸易收支差额为正，但在整个 70 年代，贸易收支差额降低的态势极为明显。1978—1980 年，德国的对外贸易连续滑落，国际上对马克的信心开

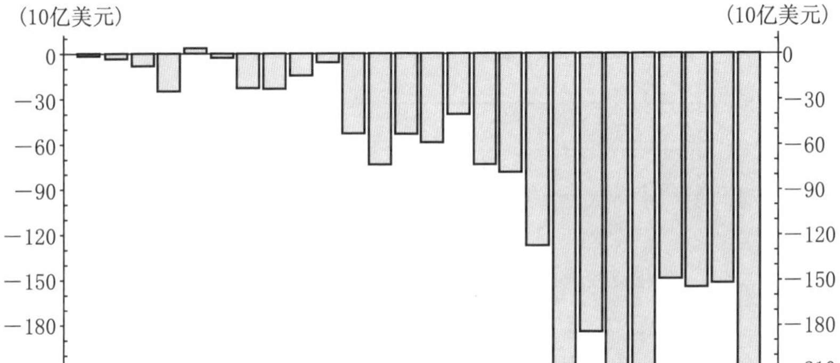

图 2.6　1964—1990 年美国联邦财政盈余

资料来源：Wind 资讯。

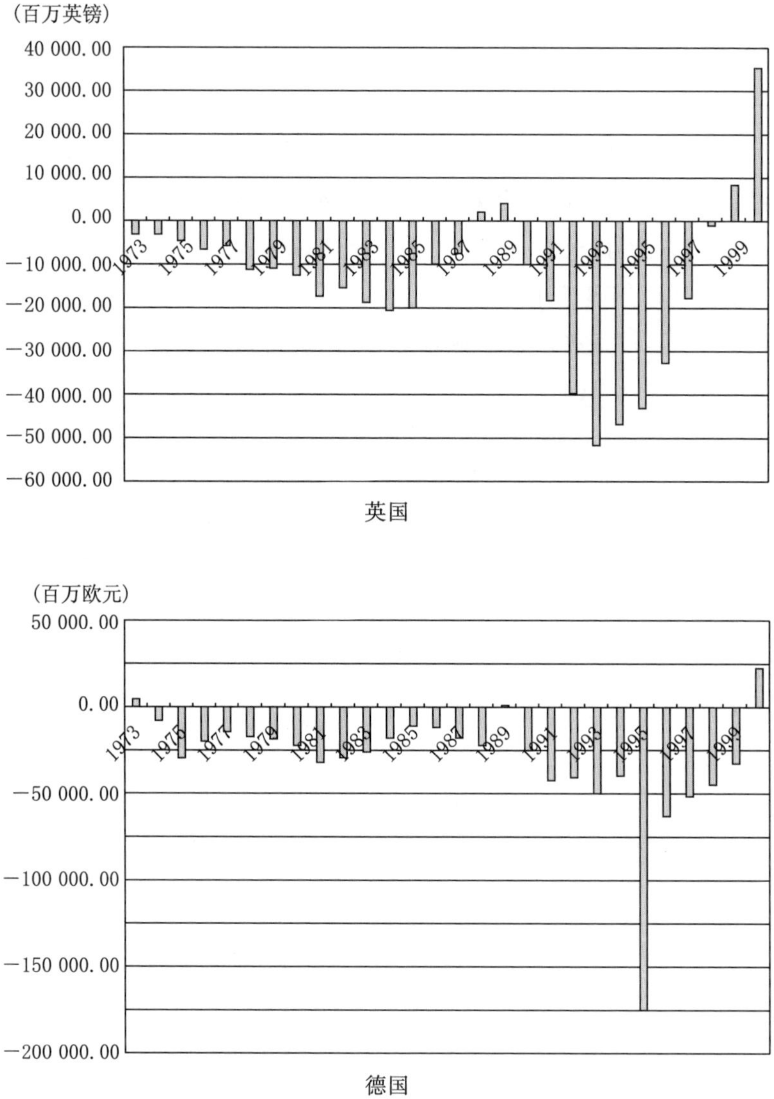

图 2.7　1973—2000 年英国、德国财政盈余

资料来源：Wind 资讯。

始下降，马克出现贬值趋势。为维护币值对外稳定，联邦银行不得不维持了紧缩的货币政策，进一步限制了通过逆周期货币政策实施经济刺激的可能性。

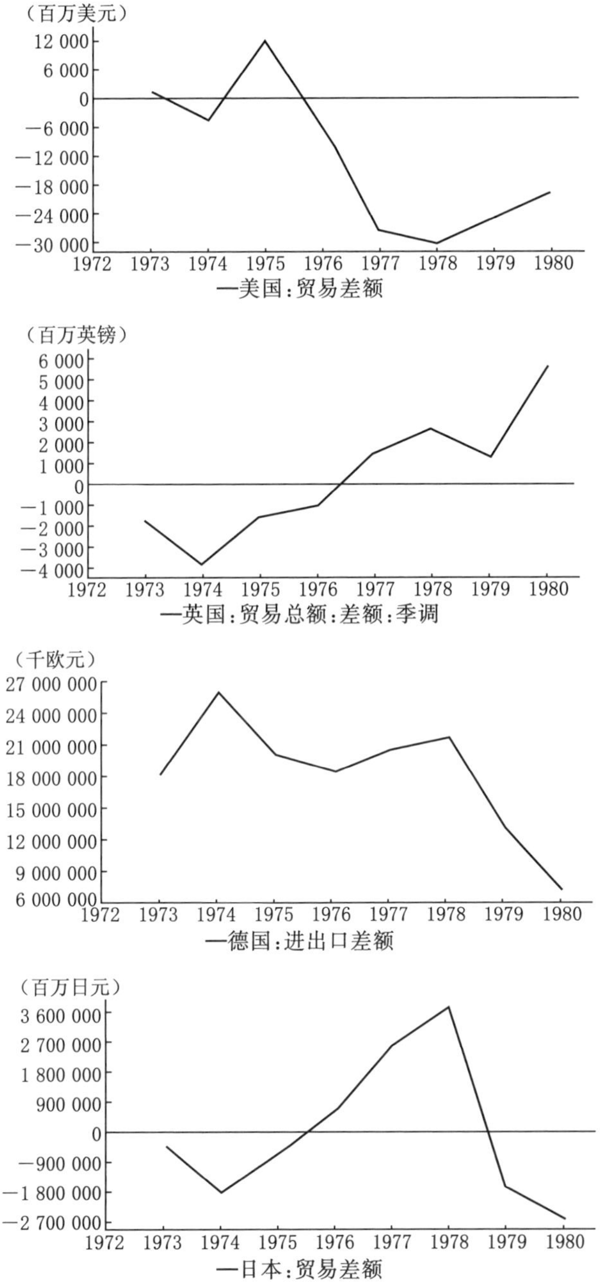

图 2.8　1972—1980 年主要经济体贸易收支差额

资料来源:Wind 资讯。

2.2-3 结构调整迟缓导致生产效率下降

20 世纪 70 年代，主要经济体在不同时间段，均面临劳动生产率走低的发展阶段。在凯恩斯主义需求管理优先考虑充分就业目标的前提下，劳动生产率走低而工资成本相对较高，实际工资率会进一步提升，加重商品的生产成本。与此同时，传统产业产能过剩情况严重，税收负担过重，企业活力降低。

1. 劳动生产率增速下滑与“滞胀”同步发生

以美国为例，从 20 世纪 60 年代中至 2005 年，美国以小时产出表示的劳动生产率增长率走出了一条 U 形曲线。在 20 世纪 60 年代末和 70 年代，美国劳动生产率增速下滑与“滞胀”同步发生，1975—1980 年间美国制造业的平均年增长率仅为 1.7%，整个企业界合在一起的年增长率仅为 1.2%。这些增长率数据低于战后大多数时期，也低于同期欧洲和亚洲的主要贸易对手。直到 90 年代，劳动生产率才显现出了上扬趋势。

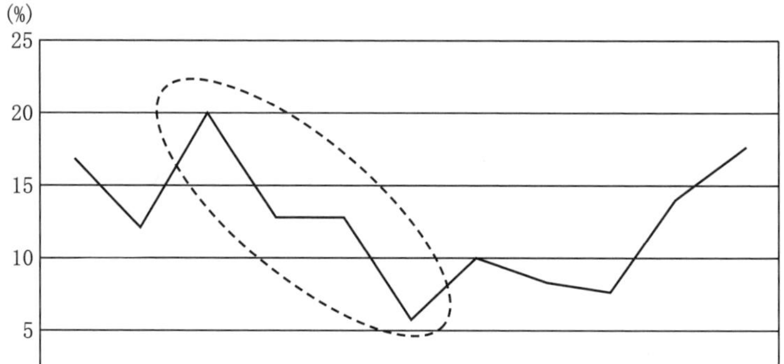

图 2.9　美国企业全部劳动生产率增长率(1955—2005 年)

资料来源：[美]乔纳森·休斯、路易斯·凯恩：《美国经济史》，格致出版社 2013 年版。

2. 产能严重过剩

20 世纪 70 年代，美国多个行业在不同时间发生了程度较为严重的产能过剩，产能利用率快速下降。80 年代初期，美国爆发了一次严重的产能过剩，产能利用率从 1980 年 6 月开始低于 80%，在 1983 年第一季度达到最低

表 2.3　美国生产率指数(1950—2005 年)

年份	企业全部		非农企业		制造业	
	劳动生产率	增长率	劳动生产率	增长率	劳动生产率	增长率
1950	37.3		41.9		34	
1955	43.6	16.89%	47.5	13.37%	38.8	14.12%
1960	48.9	12.16%	51.9	9.26%	41.8	7.73%
1965	58.8	20.25%	61.4	18.30%	48.5	16.03%
1970	66.3	12.76%	68	10.75%	54.2	11.75%
1975	74.8	12.82%	76.2	12.06%	64.3	18.63%
1980	79.1	5.75%	80.6	5.77%	70.1	9.02%
1985	87.1	10.11%	87.4	8.44%	82.3	17.40%
1990	94.5	8.50%	94.5	8.12%	92.9	12.88%
1995	101.6	7.51%	102.1	8.04%	110	18.41%
2000	116.1	14.27%	115.6	13.22%	134.4	22.18%
2005	136.5	17.57%	135.9	17.56%	170.6	26.93%

注:劳动生产率为小时产出,以 1992 年为 100。
资料来源:[美]乔纳森·休斯、路易斯·凯恩:《美国经济史》,格致出版社 2013 年版。

的 72%,之后逐渐缓慢上升,直到 1987 年才恢复到 80%以上。产能过剩主要集中在矿产、钢材、木材、皮革、汽车、家具等传统工业,其中钢铁行业和汽车行业的产能过剩最为严重,1982 年的产能利用率分别仅为 50%和 52%。日本在泡沫经济时期,企业设备投资迅速增加,1990 年设备投资额高达 88.7 万亿日元,比 1986 年增加了 58.6%,占 GNP 的 19.5%。受泡沫经济虚假繁荣的影响,大型生产线纷纷上马,迅速增加的设备投资虽然推动了"平成景气",但导致了严重的设备过剩。

3. 科技创新与产业创新缓慢

德国在 20 世纪 80 年代,科研经费的 2/3 来自企业,化工、机器制造和汽车等世界领军企业为了短期利益,将科研重点集中在成熟领域的技术改进上,缺乏创新科研,导致 90 年代后,德国在以计算机为基础的信息技术领域与美国的差距明显加大。90 年代上半期,德国科研投入占 GDP 的比重在 2%以下,从 1996 年开始,该比重有所上扬,2001 年攀升到 2.15%,但与其他国家相比,科研投入的增速明显偏慢。2002 年,德国科研投入降为 1.75%,该指标的国际排名跌至第 7 位,不仅落后于瑞典、芬兰、日本、瑞士和美国,甚至低于韩国。

图 2.10　1976—1990 年美国制造业产能利用率

资料来源：Wind 资讯。

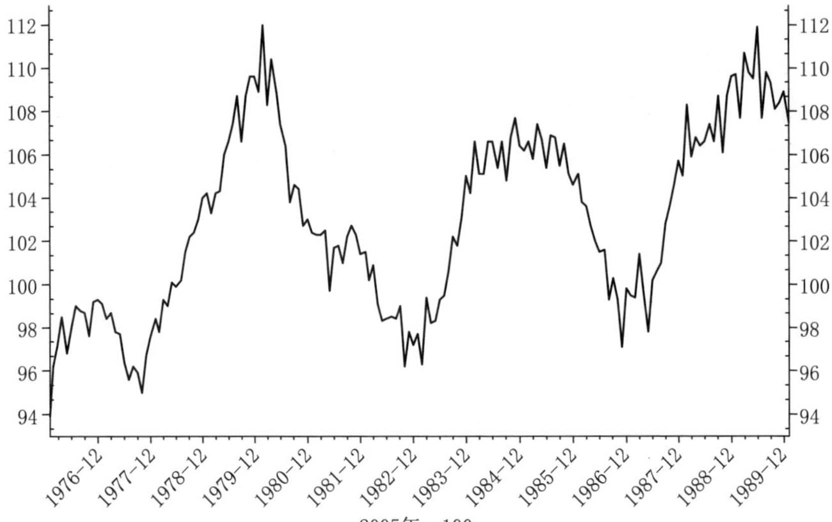

图 2.11　1976—1990 年日本制造业产能利用率指数

资料来源：Wind 资讯。

4. 税收负担过重致使企业活力降低

20 世纪 70 年代，由于税收负担过重引发的企业活力降低成为主要经济体的共同特性。以日本为例，1998 年以前，日本法人税税率为 37.5%，如果考虑到地方税和成本的因素，实际税率高达 49.98%，是发达国家中最高的。适用最高法人税率的效益好的大企业，占日本全国企业数不到 1%，其余 99%的企业中，1/3 是效率好的中小企业，但可享受中小企业税收减免，另外 2/3 是亏损企业，因而不纳税。

2.2-4 经济社会矛盾和结构问题突出

1. 区域发展不平衡问题难以消除并趋于加剧

二战后，在凯恩斯主义需求管理指导下，强化了国家干预的区域政策原则。国家干预被普遍认为不仅可以减少就业机会的区域不平衡，还可以利用衰落地区的失业劳动力，在不引发通货膨胀的同时，使宏观经济实现更快增长。因此，主要经济体频繁运用财政、金融政策甚至行政直接干预的手段帮助衰退地区，鼓励有实力的企业去受援助地区投资建厂，创造新的就业机会，从而实现区域间经济的均衡发展。但到 20 世纪 70 年代末，区域政策实践表明区域间经济差距不仅没有得到有效调整，甚至引发了很多问题和争议。以英国为例，撒切尔夫人执政之前，受援助区域的范围以及补助种类不断扩大和增多，严重增加了政府的财政负担。英国政府用于区域政策的开支从 1962/1963 年度的 0.2 亿英镑增加到 1969/1970 年度的 3.24 亿英镑，70 年代末达到了每年约 10 亿英镑。但结果令人失望，政府干预不仅没有实现受援区域的经济发展，甚至造成了南部繁荣地区的产业空心化，城市中心区环境恶化、治安恶化等“内城危机”相继爆发。

2. 劳资关系和利益集团的矛盾逐步爆发

二战后，主要经济体在凯恩斯主义需求管理指导下，积极引入工会参与政策制定，在制度上肯定了工会的合法地位，发挥了工会在政治、经济决策中的作用。进入 20 世纪 70 年代，工会势力逐渐膨胀，其过高的要价和频繁的罢工阻碍了劳动力市场作用的正常发挥，影响了资本的投入，工会逐渐演变成阻碍经济发展的重大瓶颈。此外，工会带来的罢工和劳资关系恶化，导致主要经济体政治陷入混乱之中。以英国为例，整个 70 年代，越来越多的英国人认为，这个国家正在遭受工会的“敲诈勒索”。1978—1979年间，一连串的罢工运动在英国造成了严重后果，引发英国人对政府的严重不满。以德国为例，德国工会的力量被科隆德国经济研究所称为“神秘作用”，几乎每五个从业者中就有一个是德国各种工会的成员，各类企业执委会、企业委员会中按规定均有工会代表，在各个层面的决策中发挥巨大的作用。

3. 超越发展阶段和生产力水平的福利制度导致政府财政不堪重负

凯恩斯的社会需求理论对主要经济体的社会保障政策产生了重要影响，成为福利国家社会保障制度的理论依据。按照凯恩斯主义，反危机的根本点是要采取各种措施刺激社会的有效需求。由于资本主义经济不存在自动均衡社会有效需求的机制，因此这种均衡要借助于政府的力量来实现。政府通过兴办公共事业、发展社会福利、提供社会救济，都可以提高社会的消费倾向，增加社会的有效需求，达到充分就业、缓解和消除经济危机的目的。但进入20世纪70年代后，福利国家的弊端逐渐显现，福利制度导致效率低下，对经济甚至产生了破坏力，特别是扼制了福利创造者的积极性，降低了个人积累，助长了懒惰。到1988年，英国“国民医疗制度”(NHS)实施了40年，是仅次于养老保险的第二大福利项目，其弊端也日益显著。政府的财政负担不堪重负，NHS开支占GDP的比重从1970年的4.4%上升到1980年的6.1%，医疗资源管理者与服务人员缺乏成本意识，缺乏追求效率与创新动力，医师在“按件计酬”的支付制度下，偏好给予病人“过度治疗”，形成资源浪费。

2.3 主要经济体供给侧结构性改革的实施路径

20世纪80年代开始，主要经济体相继开展供给侧结构性改革。其中，美国、英国开展的供给侧结构性改革是市场经济模式下，宏观经济管理方式的调整，是从凯恩斯主义有效需求管理向强调市场与自由竞争的供给管理的转变。同时期，针对经济发展过程中暴露的问题，德国也从长期奉行的社会市场经济模式转向强调市场与自由竞争的供给管理，明确提出了“少一些政府，多一些市场”的自由主义经济主张，试图找回福利社会赖以生存的经济基础。而日本也展开了一系列供给侧结构性改革，试图从原先政府主导市场经济模式逐步向市场经济模式摆动。

2.3-1 “新右派”思潮成为供给侧结构性改革的理论基准

20世纪60—70年代，面对经济社会暴露的众多问题，西方社会相继涌现各式各样的社会思潮，例如新左派思潮、激进主义、新法西斯主义等。当时规模最大、对世界各国影响最大的是“新右派”思潮，由“新自由主义”和“保守主义”共同构成。长期以来，新自由主义强调市场价值，保守主义强调社会秩序，保守主义往往严厉批评新自由主义的个人主义原则，但在70年代末，这两种理论出现了相互联合的倾向，无论是英国“撒切尔主义”还是美国“里根经济学”，都可以视为“新右派”思潮的具体表现。而在德国，则是在“新右派”思潮牵引下，从社会市场经济模式向强调市场和自由竞争的转变。

1. 新自由主义

按经济学派来划分，新自由主义包括货币主义学派、供给学派、公共选择学派、奥地利学派。此外，新自由主义将视野从经济领域扩展到政治和社会领域，形成自成体系的政治观。新自由主义反对政府对经济的过多干预，限制政府的活动区间，恢复市场的自发调节功能；强调私人财产和个人的选择自由不可侵犯，认为集体主义和社会主义完全破坏了这两项权利；强调法制和秩序，主张依靠强有力的政府维护自由与市场秩序。

2. 保守主义

保守主义涉及哲学、政治、经济、文化等广泛的内容和范围，对主要经济体政治、经济、社会生活的塑造和发展有着重要影响，主张尊奉传统，将对传统的尊重视为维系秩序的支柱，当国家逐步膨胀、行政集权威胁到个人自由和社会有序运行时，保守主义就把自由作为一种传统来维护；保护财产私有，将财产权与家庭联系在一起，认为财产是积累和储蓄而来的，是家庭声望的来源之一；维护社会等级，认为等级之分是自然形成的，不论是家庭还是社会，等级制度都是必然存在的；维护国家权威，主张强有力但权力有限的政府，将国家行动限制在有限的范围内，不仅是保护自由的需要，还是国家行动有效性的需要；维持秩序和法制，国家行动的目标以及强调传统的目的都是出于维持秩序的需要；尊重传统，但并不一味反对变革。

3. “新右派”成为新自由主义与保守主义的融合点

“新右派”思潮在保留保守主义传统、秩序、权威、法制、财产私有等基本理念的基础上，吸纳新自由主义通过政府对经济、社会有限干预的主张，最大限度地完善市场机制、增强企业活力。明确提出政府只是实现经济自由的工具，其作用是有限的，但也是必要的，改善和强化政府对宏观经济的控制和管理，实现经济自由。要求个人有选择的自由，充分发挥市场的自由调节作用，反对凯恩斯主义有效需求管理和充分就业模式，同时强调通过法制维护自由市场秩序。

2.3-2 推行供给侧结构性改革的主要信号

1. 美国供给侧结构性改革的信号——里根当选总统

美国供给侧结构性改革萌芽于肯尼迪政府时代，兴盛于里根总统时代，延续于克林顿总统时代。1964 年，肯尼迪政府就已经采取了减税的调控工具。1981 年 1 月 20 日，里根就任美国第 49 届总统。1981 年 2 月 18 日，里根向国会提出“经济复兴计划”，主要内容包括：降低个人所得税税率和减免企业税以刺激工作、储蓄和投资；削减民用支出，主要是社会福利支出，增加国防支出；取消或放宽管理企业的法令规章，鼓励企业积极扩大经营和投资；紧缩货币供给量的增长以抑制通货膨胀。

2. 英国供给侧结构性改革的信号——撒切尔当选首相

英国开展的供给侧结构性改革具有明显的转折特性。二战后初期，为恢复英国经济，工党和保守党在凯恩斯主义需求管理上达成共识。1979 年，撒切尔夫人当选英国首相，成为英国宏观经济管理方式的重要转折点。她彻底放弃了二战后两党的共识政治，逐步推进供给侧结构性改革，使每一个领域都发生了根本性的变化。虽然在撒切尔夫人执政 11 年间，英国经济和社会发展的绩效有起有落，但不可否认比之前有明显的改善。其后的梅杰政府基本上是沿着撒切尔政府的政策轨道惯性前行。

3. 德国供给侧结构性改革的信号——科尔当选总理

德国供给侧结构性改革发端于 1982 年基民盟主席赫尔穆特·科尔当选总理，并延续至 2005 年社民党主席格哈德·施罗德卸任总理，前后跨度超过 20 年。1982 年 10 月，基民盟主席科尔当选总理，其在《施政纲领》中宣称：

表 2.4 英国历届政府宏观经济管理方式(1945—1997 年)

执政时期	首　相	党　派	宏观经济管理方式
1945.07.26—1951.10.26	克莱门特·艾德礼	工　党	凯恩斯主义有效需求管理
1951.10.26—1955.04.06	温斯顿·丘吉尔爵士	保守党	
1955.04.06—1957.01.10	安东尼·艾登爵士	保守党	
1957.01.10—1963.10.19	哈罗德·麦克米伦	保守党	
1963.10.19—1964.10.16	道格拉斯-霍姆爵士	保守党	
1964.10.16—1970.06.19	哈罗德·威尔逊	工　党	
1970.06.19—1974.03.04	爱德华·希思	保守党	
1974.03.04—1976.04.05	哈罗德·威尔逊	工　党	
1976.04.05—1979.05.04	詹姆斯·卡拉汉	工　党	
1979.05.04—1990.11.28	玛格利特·撒切尔	保守党	强调市场与自由竞争的供给管理
1990.11.28—1997.05.02	约翰·梅杰	保守党	

表 2.5 供给侧结构性改革前后德国宏观经济管理方式

时　期	发展模式	经济制度	宏观经济管理方式	执政党	总　理
1948 年 9 月—1982 年 10 月	莱茵模式	以弗莱堡学派为基础的社会市场经济	凯恩斯主义有效需求管理	基民盟	康拉德·阿登纳(1949.9—1963.10)
					路德维希·艾哈德(1963.10—1966.11)
					库尔特·格奥尔格·基辛格(1966.12—1969.6)
				社民党	维利·勃兰特(1969.6—1974.5)
					赫尔穆特·施密特(1974.5—1982.10)
1982 年 10 月—2005 年 10 月	莱茵模式转向盎格鲁-撒克逊模式	社会市场经济转向自由市场经济	强调市场与自由竞争的供给管理	基民盟	赫尔穆特·科尔(1982.10—1990.10,两德统一后续任至 1998.10)
				社民党	格哈德·施罗德(1998—2005)

“新政府的经济革新方向是：不要更多的国家干预，而要更多的市场经济；不要实行集体负担，而要让个人做出成绩；不要僵硬的结构，而要更多的灵活性，更多自身的主动性和加强竞争能力。”从科尔执政时期开始，到施罗德政府，德国开展的供给侧结构性改革，是旨在拉动经济、增加就业、降低社会保险缴费率的政策改革，试图通过改革福利制度，强调个人自我负责、降低福利待遇、稳定缴费率、减轻成本和负担；同时，通过大规模减税来增强企业和个人投资的消费活力；大力改革劳动力市场政策，鼓励自我创业和积极再就业，加强职业中介机构的效能，奖勤罚懒，降低失业。

4. 日本供给侧结构性改革的信号——70 年代《特安法》、80 年代行政财政改革、90 年代金融税制改革、21 世纪初期“没有神圣地带的结构改革”

由于日本长期采取的是政府主导的市场经济模式，因此，政府对于总需求与总供给的干预是一个长期、稳定的过程。1978 年，日本制定了《特定萧条产业安定临时措施法》(特安法)，认定钢铁(平电炉)、铝精炼、造船、氨制造、纺织等 14 种产业为结构萧条产业，根据政府制定的稳定基本计划，共同将过剩设备废弃。80 年代初期，受第二次石油危机的影响，税收不足导致大幅财政赤字，日本开始推行行政财政改革。在 1981—1983 年的第二次临时行政调查会上，日本提出通过增税重建财政、削减医疗费用，实现三大国企(国铁、电电公社、专卖公社)的民营化。90 年代，金融体制改革和税收体制改革相继开展，包括桥本龙太郎制定的“金融大爆炸”改革，增加消费税、降低所得税改革。2001 年，小泉内阁开启“没有神圣地带的结构改革”，在竹中金融行政的强力推动下，都市银行合并为三大巨型银行，推进处理不良贷款问题，并进行邮政民营化的尝试。

2.3-3 供给侧结构性改革的核心目标

凯恩斯主义需求管理主张把充分就业放在优先地位，但主要经济体开展供给侧结构性改革明确把经济增长作为首要目标，充分就业则相对次要。与此同时，通过剖析主要经济体供给侧结构性改革的动机可以发现，改革还伴随着实现政府权力有效运用、维护政权稳定和统治秩序的深层次目标。

1. 经济目标——实现经济增长

主要经济体开展的供给侧结构性改革明确把实现经济增长放在优先地

位，用紧缩货币供应量的办法来严格控制通胀和解决失业问题。从长期效果来看，经济增长有利于民主，有助于减少社会冲突。当冲突出现时，经济增长可以为互惠的解决方案提供资源，使各方都有所收获。经济增长同时提供给个人、团体和政府更多的剩余资源以支持社会福利。里根时代开展的供给侧结构性改革，首要政策目标是重振美国经济，这一目标最先体现在1980年7月15日共和党全国代表大会通过的《1980年共和党纲领》中，该纲领宣称："我们在国内的最大目标是单纯的，这就是没有通货膨胀的经济发展和充分就业。"1985年中期，英国政府颁布了《就业：国家的挑战》白皮书，明确宣布放弃二战后英国一直维持和追求的充分就业的传统目标。

2. 行政目标——实现政府权力的有效运用

供给侧结构性改革中的重要手段是放松规制，促进经济更好地增长，因此需要改变政府在经济生活中的角色，基本不干涉市场作用的发挥。但放松经济规制并不意味着政府权力的绝对收缩。政府在整个经济政策上的干预，是主要经济体执政党绝不可能放松的，所有经济政策的制定和推行，都是政府"干预"的结果。"政府干涉是为了更好地不干涉"，主要经济体开展的结构性改革，就是要利用国家机器来保证资本主义的自由经营，以促进资本主义的发展。因此，在放松规制上是有选择的，并非所有领域都放松，政府在其认为有必要的地方还加强了干预，从而实现了经济自由和政府干预的有效平衡。

3. 政治目标——维护政权稳定和统治秩序

主要经济体开展的供给侧结构性改革，并不单纯是为了实现经济增长，还有更深层次的政治目的，即保持执政党政权稳定并维护统治秩序。无论是英国撒切尔代表的保守党、美国里根代表的共和党、德国施罗德代表的社民党，作为选举党，最重要的目的是上台执政，并保持政权稳定。通过开展供给侧结构性改革，对竞争党进行打击，具有重要的战略意义。特别是开展供给侧结构性改革的执政党，往往贯彻保守主义政治思想，主张维护传统，保护财产私有制和现存的社会秩序，痛恨并害怕社会主义变革，因此将工人运动、工会视为可能带来变革的载体，予以坚决反对。

2.3-4 供给侧结构性改革的主要特征

回溯主要经济体开展的供给侧结构性改革实践可以发现，改革充分体现了积极性、系统性、综合性、灵活性、递进性等五个方面的明显特征。

1. 积极性

供给侧结构性改革是对经济社会结构变革的积极回应。20 世纪 70 年代,经济全球化和技术创新的加速发展,对主要经济体的经济社会结构造成了巨大冲击,成为主要经济体推进供给侧结构性改革的外在动力。在市场日趋饱和的情况下,大规模批量生产已经难以维持盈利,为满足不断增长的个性化需要,灵活、分散、技术密集的专项化生产取代了大规模批量生产方式,进而带动了产业结构的转型和阶层结构的调整。伴随着社会阶层结构的变化,社会价值观也呈现出空前的多样性,新自由主义和新保守主义逐步交织、融合,对以往的依赖传统、依赖威权的凯恩斯主义需求管理造成了明显的冲击。因此,可以认为主要经济体开展的供给侧结构性改革,是对经济社会结构调整、变化的积极回应。

2. 系统性

长期以来,里根政府的改革往往被认为是以减税为主要特征的改革,撒切尔政府的改革往往被认为是以私有化为主要特征的改革。但从里根政府、撒切尔政府的各项改革措施看,不仅在税收、私有化等方面进行了改革,还在产业调整、创新体系、金融体系、多边贸易、劳资关系、社会保障、简政放权、政府预算等方面进行了系统性、创造性的改革,这些措施相互支撑、相互配套,才真正扫清了经济增长中的结构性和制度障碍,为经济增长奠定了良好基础。

3. 综合性

在主要经济体面临的诸多问题中,既有内部失衡或外部冲击造成的暂时困难,也有推行凯恩斯主义需求管理政策造成的长期问题,单独采用任何一种理论都无法药到病除。因此,尽管从表面上看,供给侧结构性改革所信奉的经济理论、政策主张和政策实践,有令人捉摸不定的感觉,有人认为是以供给学派理论为基础,也有人认为是以货币主义为支柱。但事实上,改革的理论内核可以看作是以"新右派"思潮为基础,既强调市场和自由竞争的供给管理,又兼有凯恩斯主义需求管理的综合体,是在多种理论和政策主张中进行抉择和综合,运用不同理论针对性解决不同问题。

4. 灵活性

主要经济体开展的供给侧结构性改革在基本纲领及其政策倾向上是相

当明确的，但在具体实施过程中，政府遇到了相当大的阻力，既有来自既得利益方的阻挠，也有党派之争，还有出现政策不良效果后的广泛担忧。主要经济体在开展改革的过程中，不断根据国内外形势的变化，努力把握发展趋势，对相应政策举措进行调整、修正和补充，甚至作出必要的退让和妥协，显示出明显的“相机抉择”特征，而一旦力量对比出现了有利变化，就着力扩大胜利成果，使制度和政策对改革发挥积极的作用。

5. 递进性

主要经济体开展的供给侧结构性改革往往是递进式的，并呈序列展开。重点领域的改革也存在先后次序，逐步推进。以撒切尔政府开展的私有化改革为例，在其连任的三届任期内表现出了明显的由点到面、由表及里的递进特征。同时，贸易领域的改革往往领先于金融体制改革，通过大量贸易流入在一定程度上削弱反对金融改革的力量。产品市场的改革、放松不同产品领域的监管也呈渐次展开态势。在 20 世纪 80 年代末期和 90 年代早期，主要经济体对民用航空领域的开放早于对电信领域的开放，而电力和燃气等领域改革则刚启动。

2.4 主要经济体供给侧结构性改革的主要策略

20 世纪 70 年代以来，主要经济体供给侧结构性改革出台的所有经济制度政策，都是以“新右派”思潮为理论基准，对凯恩斯主义有效需求管理进行了反思与调整，以经济增长为目标，重新调整政府与市场、政府与企业、政府与个人、资本与劳动、全局与结构等五大关系。

2.4-1 重新调整政府与市场的关系

主要经济体开展的供给侧结构性改革，核心内容是调整政府与市场二者的关系，通过“强市场、换角色、缩范围、调对象”等方式，充分利用市场调节，建立更加灵活的市场，促进经济繁荣和增加就业。

1. 扩大市场调节范围

主要经济体开展的供给侧结构性改革，重在强化市场对经济的调节作用，通过市场价格的涨落，将市场供求变化的信号及时传送到生产者和消费者，从而调节商品供给数量和需求数量，使供求达到平衡。认为市场自发力量可以使经济走向均衡，经济动荡则是错误的财政、金融等调控政策的结果。注重从体制上保证和促进竞争的充分性、公平性和有效性，以正当的竞争来调动商品生产者的积极性，以物竞天择和优胜劣汰的法则来迫使商品生产者根据消费者的需要调整产业结构，发展科学技术，提高管理水平，降低资源消耗，提高经济效益。

2. 重新调整政府角色

在主要经济体开展的供给侧结构性改革过程中，政府既扮演了传统的“冷静的仲裁人”的角色，更成为结构调整的积极引导者。一方面，供给侧结构性改革明确认为，对于微观经济和社会生活，政府要缩小政府调控范围，恢复市场机制，鼓励竞争，以便实现自由市场同自由的社会秩序联系在一起的目标。防止对微观经济和社会生活的过多干预，扮演好“冷静的仲裁人”的角色，并着力于补偿市场失灵产生的效率损失。另一方面，对于整体改革，主要经济体供给侧结构性改革明确认为，政府理应成为供给侧结构性改革的积极引导者，通过强大、有效的政府，保证改革的顺利推进，解脱对市场经济的束缚，维护市场秩序，使经济更有效率。

3. 缩小政府干预范围

主要经济体开展的供给侧结构性改革明确认为，由于干预加强所形成的庞大政府，只是按照政府或者党派，而不是公众的利益行事，那么经济最终会失去发展的动力。因此，必须缩小政府干预的范围，政府干预只能限定在补偿市场失败所产生的效率损失。撒切尔政府明确提出，要把“国家的边界推回去”，建立一个自由企业经济。撒切尔时期出台的政策举措都来自对小政府模式的坚定信念。里根在 1981 年 1 月的就职演说中即宣称：“在当前危机下，政府并不是解决问题的方法，政府本身才是问题所在。”其上任后，下决心要扭转政府过多干预经济和社会生活的趋势，他认为这种历史趋势会削弱国家的整体实力。

4. 调整政府干预对象

主要经济体在开展供给侧结构性改革的过程中，进一步明确了政府调控的对象，政府干预往往局限在必要时间和必要空间。一方面是必要时间，体现在只有当经济波动的幅度过大、衰退过深、仅仅依靠市场自身力量难以恢复时，政府才应慎重出手；另一方面是必要空间，要减少政府对微观经济和社会生活的调控，但对宏观经济政策的调控要针对性强化。

2.4-2 重新调整政府与企业的关系

主要经济体供给侧结构性改革的核心理念认为，强势大政府的兴起，非但解决不了市场失灵的问题，反而占用了过多资源，窒息了企业作为经济增长强劲发动机的作用，压缩了企业的发挥空间。处于政府保护下的企业逐渐退化，丧失创新的动力，或者将资源用于游说和贿赂政府，以便继续享受排斥竞争的行政保护政策。因此，主要经济体供给侧结构性改革通过“减轻负担、放松规制、激发活力”，重新调整政府与企业的关系。

1. 减轻负担

主要经济体采取综合性手段来减轻企业负担。直接方式就是通过减轻税负，为企业降低成本，从供给侧激活经济。并聚焦社会保障制度中支出最大、赤字压力不断上升的养老、医疗保险等重点领域，配套开展社会福利制度改革，降低企业的非直接工资成本，防止走回推高税率的传统路径。与此同时，还积极采取降低开业门槛、鼓励开业、降低解雇保护要求等方式减轻企业的负担。另外，还积极增加对民用技术的投入，优先发展民营技术，加强政企合作，降低企业研发的成本，协助企业提高竞争力。

2. 放松规制

主要经济体开展的供给侧结构性改革普遍认为，化解经济问题不是从需求着手，而是要从供应入手，以提高生产效率来改善本国产品的竞争力，从而扩大市场，因此必须解决的一个问题是放松规制，使企业摆脱各种束缚。主要经济体针对政府规制过于僵化、束缚生产力发展的问题，取消对竞争部门和企业过时的规制和条款，减少政府对企业的限制措施，放宽政府对企业经营的各种限制，把一些属于自然垄断的部门和服务领域，重新纳入市场竞争轨道。有资料显示，1977 年美国政府实行规制的产业在 GDP 中所占比例为 17%，1988 年这一比例降至 6.6%，平均每年以近 1 个百分点的速度放松政府对产业的规制。但应该看到，放松规制不是回到自由放任，在放松规制的同时，在金融等领域针对性地加强了规制。

3. 激发活力

在凯恩斯主义需求管理指导下，效率与公平之间的替代关系意味着公共部门的增长是以牺牲经济增长为代价的。因此，主要经济体供给侧结构性改革的重要策略之一就是推进私有化。在“新右派”思潮的驱动下，私有化拥有始终如一的目标，就是把私有化作为缩小政府干预规模和范围的主要手段，通过公有制向私有制的转变，改变政府与企业的关系，改变人们对私人企业和创业活动的消极态度，培养公民对自由市场经济的信仰和价值观，实现经济和社会的重塑。

2.4-3 重新调整政府与个人的关系

主要经济体开展的供给侧结构性改革普遍认为，个人过分依赖政府福利开支，往往不再努力学习和勤奋工作。因此，必须重新调整政府与个人的关系，强调个人的权利和责任，减轻国家过多、过重的角色负担。

1. 重视产权保护

主要经济体开展的供给侧结构性改革普遍认为，在现实中不可能所有人都成为资本家，私有财产的存在，在某种程度上限制了国家的权力集中，从而最大限度地避免了对个人自由的侵犯。市场建立在私人所有权基础上和追求自利的基础上，自利可以使全社会获益，争取在市场上获得个人好处的努力，有助于从整体上推动社会各方面的发展。因此，供给侧结构性改革将重视财产权利作为激发供给侧活力的必备要件，把私有财产与市场机制联系在一起，作为市场交换的前提和基础，并把私人产权与社会秩序联系在一起，提出私人产权是保障社会稳定的基础。

2. 反对物质平等

就主要经济体开展的供给侧结构性改革的实质来看，可以很明显地发现，无论是撒切尔政府还是里根政府，所颁布的各类政策举措，均赞成法律面前的平衡、政治平等以及机会平等，但极力反对甚至仇恨物质上的平等。在市场经济体制下一部分处于有利地位的人会变得比较富裕，但是，采取劫富济贫的办法是无法使穷人富起来的。而且，追求结果的平等必然导致令人难以接受的压制和强迫。

3. 削减社会福利

高福利开支往往导致高成本、高国债、高税收、低竞争力、出口相对下降、低盈利、高破产率、低消费、低国内投资，最终影响经济，遏制福利增长，陷入经济社会的恶性循环。特别是由于社会福利待遇具有“趋上难下”的刚性特征，高福利对经济和社会发展甚至产生严重阻碍。主要经济体开展的供给侧结构性改革的重要方面就是对战后社会福利政策进行反思和调整，普遍认为社会福利导致无效率、官僚主义以及过分的集中主义。由于建立了社会福利制度，在社会上滋生一种根深蒂固的依赖文化，破坏了家庭的纽带关系，腐蚀个人的责任感和创造力，并摧毁工作的道德规范。

2.4-4　重新调整资本与劳动的关系

劳资关系是社会关系的重要组成部分，不同国家或体制下，劳资关系有不同的称谓，如劳工关系、劳动关系、雇佣关系等。劳资观念、劳资政策的演变完全取决于社会经济发展需要，并与主流经济理念保持一致。与此同时，劳资关系的运行状况会对社会经济发展产生反作用，影响其进程。总体来看，正是由于劳资关系对主要经济体经济增长的影响越来越显著，引发的社会关注程度不断提高。因此，主要经济体开展的供给侧结构性改革重新调整了资本与劳动的关系。

1. 限定核心内容

经济利益是劳资关系最核心的内容。在资本主义社会，劳方和资方的利益取向存在根本分歧，资方总是希望提高生产效率，节约劳动成本，实现利润最大化，劳方则希望改善雇佣条件，提高工资和福利。由于经济与政治密不可分，所以劳资关系也逐渐从经济领域扩展到政治领域，除经济利益之外，政治权利和地位也成为劳资双方博弈的重要内容。受“新右派”思潮的影响，主要经济体开展的供给侧结构性改革普遍反对任何干预经济自由的力量，具体到资本与劳动的关系问题上，表现为反对政府介入谈判进程，认为谈判主体应当是劳资双方，谈判内容只应限于生产和生活条件，绝不允许染指政治，或以政治相要挟。

2. 依赖法律手段

主要经济体开展的供给侧结构性改革中，政府并不倾向于介入集体谈判，但并不意味着政府放弃对劳资关系的干预。政府对劳资关系的干预手段逐渐多样化，干预力度不断增强，特别是越来越依赖利用法律来调整劳资关系。与政府制定的政策不同，法律不仅具有长期的效力，而且具有法定的强制性和权威性。依靠完善、严厉的立法约束个体行为，成为政府维持社会秩序、实行统治的重要理念。并且政府通过劳资立法等强制手段，改变劳资双方的实力对比，进而间接影响劳资谈判结果，达到改变劳资关系的目的。

3. 限制工会权力

主要经济体开展的供给侧结构性改革普遍将资本与劳动、雇主与雇员视为一个利益共同体，认为工会没有多少存在的必要，如果成立工会，那么其“真正的”作用只能限于对雇佣条款和条件的谈判中，而不能谋求管理权。普遍将工会作为阻碍经济增长的重要因素，认为工会在劳动力市场上的垄断地位“歪曲”了劳动力的价格，使之高于市场水平，冻结了就业、投资和生产模式，阻碍根据需求做出相应的调整，结果是造成通货膨胀，并最终造成大规模失业；并且工会阻挠裁员，造成企业人浮于事，反对采用节省劳动力的新技术，阻碍了技术进步。

2.4-5 重新调整全局与结构的关系

就主要经济体开展的供给侧结构性改革的实质来看，改革策略还包括重新调整中央与地方的关系、政府内部与外部的关系以及实体与虚拟的关系。

1. 强调中央与地方权责的合理划分

主要经济体开展的供给侧结构性改革，对传统的区域政策进行了反思，依靠市场力量原则取代国家干预成为解决区域问题的一种选择。放弃了前期强调国家干预的区域政策手段，代之以鼓励和挖掘受援区域本地经济潜力，以实现受援区域自我持续发展的长远目标。将区域发展政策从以前“区域政策对国家生产和就业增长有利”转变为“减少就业机会在区域上的不平衡”，并将权力与公共服务的责任在中央与地方、基层之间重新划分。财政转移由以往的专项拨款与整笔拨款方式，转变为具有导向性的“激励拨款”，用以刺激竞争达到中央政府目标。

2. 强调行政部门的公共服务效率

主要经济体开展的供给侧结构性改革均认为，如果没有政府行政管理体制的改革，供给侧结构性改革很难推进下去。因此，针对公共部门拥有的巨大利益，必须放开公共部门的竞争，让私营部门同公营部门或公营部门之间开展竞争，从而提高政府公共管理的效率。与之相配套的是，采取“以结果为本”代替“以规则为本”的制度设计思路，充分挖掘全体公务员的潜力，提高政府绩效。

3. 强调虚拟经济对实体经济的支撑服务

主要经济体在开展供给侧结构性改革中，对以金融为代表的虚拟经济开展了改革，其目的在于强调虚拟经济对实体经济的支持力度。具体做法上包括增强央行的货币控制能力，保持物价稳定；通过阻止“脱媒”现象的发生和改善存款机构（特别是储蓄与贷款协会）的生存状况，建立一个更稳定的金融体系；放松金融规制并提倡自由化，注重建立高效率的金融体系和扩大存款机构的金融业务范围，使小额储户更平等地享受市场利率，推动存款机构的利率市场化。

3

全球视角供给侧结构性改革的政策与评价

针对20世纪70年代出现的发展瓶颈，主要经济体在“新右派”思潮影响下，相继开展供给侧结构性改革，聚焦经济和社会两个领域，出台了系统性的政策与措施，成功实现了经济增长目标。同时，改革后形成的结构性优势，为主要经济体保持全球领先地位提供了坚实的支撑。但应该看到，供给侧结构性改革在强调市场与自由竞争的同时，也产生了部分负面效果。现阶段，中国开展的供给侧结构性改革，可以辩证吸收主要经济体的成功经验，防止重蹈失败覆辙。

3.1 主要经济体供给侧结构性改革的经济政策

从20世纪70年代末开始，主要经济体针对经济出现的主要问题，从总量政策、部门政策和企业政策三个维度，密集出台相关政策措施，加快推动供给侧结构性改革。

3.1-1　主要经济体供给侧结构性改革的总量调控政策

总量调控政策主要包括财税政策和货币政策两类。

1. 财税政策

主要经济体主要从“收”“支”两个方面综合出台财税政策，包括积极推进以税制改革为核心的公共收入制度改革和以控制支出总额、提高支出效率为核心的公共支出制度改革。

一是积极推进以税制改革为核心的公共收入制度改革。以美国为典型代表，美国总统里根于 1985 年 5 月 29 日向国会提交了关于税制改革的咨文，拉开了以美国为首的西方国家大规模税制改革的序幕。此后，西方各国纷纷效仿，形成了以“低税率、宽税基、简税制、严征管”为特征的全球性税制改革浪潮，本次税改是半个世纪以来税制原则的重大调整。主要内容包括直接大幅度降低个人及企业的所得税税率，减少税率档次，降低边际税率，以及间接利用各种工具，综合降低个人与企业的整体税负。

表 3.1　主要经济体降低所得税的具体做法

国家	内　　容
美国	税制改革后，美国的个人所得税由 11%—50%的 15 档税率减少到 15%和 28%两档税率，最高边际税率由 50%降为 28%，公司所得税也由原来的 15%—46%的五档税率减少为 15%、25%、34%三档税率
英国	英国的个人所得税税率从改革前的六档，改为 25%和 40%两个税率档次
日本	对于所得税从三方面入手实行减税，减少累进级数，从过去的 5 级减为 4 级；降低最高税率，从 50%降为 37%；提高起征点，缩小了税基。对于法人税连续两年实行减税，税率从 1997 年度的 37.5%降低到了 1999 年度的 30%
德国	在个人所得税方面，在大幅增加个人基本免税额的基础上，继续增加基本免税额，从 1996 年的 12 096 马克提高到 1997 年的 13 014 马克。到 1998 年，个人所得税税率从原先的 25.9%—53%降低到 22.5%—39% 公司所得税税率，到 1998 年，对留存盈余部分，从 45%降低到 40%，分配盈余部分从 30%降低到 28%，到 1999 年，留存盈余的税率进一步下降到 35%，分配盈余的税率降低到 25% 施罗德重视企业，1998 年 10 月一上台就对税制进行了大规模改革，积极下调个人和企业所得税。四年内分三个阶段将个人所得税从 1998 年的 25.9%下调至 2002 年的 19.9%，最高税率从 2000 年起自 53%降到 48.5%，并且提高个人所得税起征点，最低应税所得由 12 386 马克（1998 年）提高到 14 100 马克（2002 年），子女免税额由每月 220 马克提高到 250 马克；企业所得税税率从 45%降至 2002 年的 35%，公司出售所持另一公司股份（持有期限在一年以上），所获利润自 2001 年 1 月 1 日起免征企业所得税；对公司所得税使用的特殊最高税率自 47%下降到 45%，累计公司利润适用的公司所得税自 45%下降到 40%

资料来源：根据相关资料整理所得。

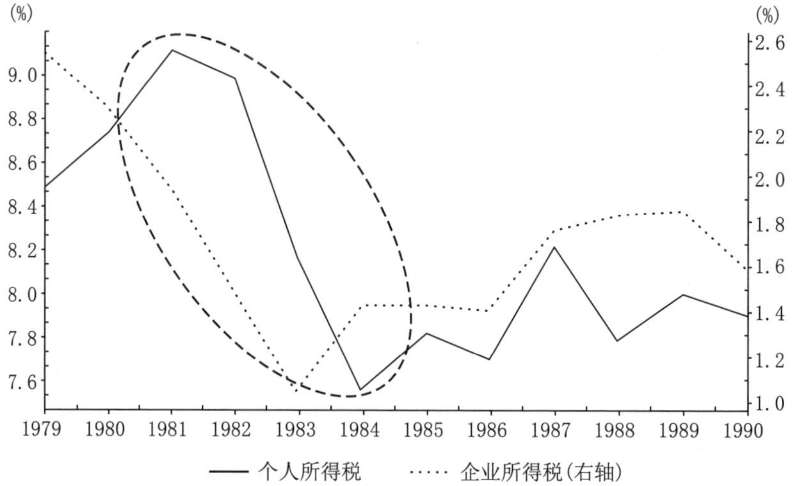

图 3.1 1979—1990 年美国企业与个人所得税占 GDP 比例

资料来源:Wind 资讯。

二是以控制支出总额、提高支出效率为核心的公共支出制度改革。20 世纪 70 年代以来,以美国为代表的西方国家对公共支出管理制度进行了改革,主要包括改革预算的基本分析方法和决策过程,实现零基预算,加强财务监督,建立单一账户,从严控制公共支出,保证了巨额财政资源在政府各部门以及各层次上合理转移、公平分配、有效使用。

表 3.2 日本与德国间接降低企业与个人税负的具体做法

国家	内　　容
日本	20 世纪 90 年代,为振兴房地产行业,日本降低乃至冻结了地价税。同时,为进一步激活资本,还取消了有价证券交易税
德国	一是取消营业资本税,扩大企业的自有资本。营业资本税是地方收入的重要来源,取消营业资本税是保护德国工业基地地位的税收政策之一。营业资本税是根据企业的运营资本征税。如果企业的经营利润很少,或者处于亏损状态,营业资本税可能危及企业的生存;征收营业资本税减少了企业自我资本积累的能力,对于资本股份制的企业来说,是对自有资本的双重征税 二是降低遗产税及赠与税的税率和提高免税额度。遗产继承和赠与虽然属于私人财产税,但是对家庭企业来说,企业财产是私人财产的一部分或主要部分,降低这方面的税收就是减轻企业主换代的税收负担,有利于家庭企业的进一步发展 三是提高特别折旧的额度。由 24 万马克提高到 40 万马克,对于正常折旧降低了折旧率。对于采用累进折旧率的企业,财政规定的最高折旧率由 30%降低到 25%。对于使用直接折旧率的厂房折旧率由 4%降为 3%

（续表）

国家	内　　容
德国	四是有利于企业的其他措施。如延长退税的期限，由原来的两年延长到 5 年，每个企业的最高退税额由 30 万马克提高到 60 万马克等 五是对企业申报盈利方法的改革。涉及企业设备和债务的评估，对于企业亏损退税的限制，对于企业发生损失退税的限制等。其目的是使企业能够客观地计算盈利，减少纳税中因为投机行为导致的税负不公。从筹资的角度看，是为了通过这些措施，弥补由于减税带来的税收收入的减少 六是改善企业雇佣工人的税收条件。对于登记工资税的支出限额由年支出 1 200 马克提高到 1 600 马克；对于支付保险费的雇员最高工资界限由年 12 000 马克提高到 18 000 马克，即以前企业雇佣一个年工资 12 000 马克的雇员就需要为其支付保险费，现在雇佣一个年工资 18 000 马克的雇员才需要为其支付保险费；简化帮工的工资扣除和社会保险费的扣除条件及手续等，都有利于改善家庭企业的外部经营条件

资料来源：根据相关资料整理所得。

表 3.3　美国公共支出制度改革的具体做法

国家	内　　容
美国	一是改革预算的基本分析方法和决策过程，实现零基预算。零基预算是指对某种计划目标的费用进行预算时，不能以上期或现期预算为基数，而是从“零”开始，按新的程序标准重新计算预算期的开支水平，这样便可以摆脱原有预算基数和不合理既成事实的束缚，公平合理地确定预算支出 二是加强财务监督。采取现金制预算，严格控制公共支出总量，稳定宏观经济；大幅度提高管理人员的灵活性和下放管理权限，使其能够在预算限定的范围内灵活合理地使用资金；建立促使管理人员更加有效使用资源的鼓励机制；每个管理人员都需要承担重要的会计责任。通过这些措施，调动了公共部门工作人员的积极性，加强了财政监管力度，从而完善了公共部门对支出的内部监督制度 三是建立单一账户，从严控制公共支出。建立单一账户是美国国库体系的一大特点，即主管部门和用款单位在银行没有自己的账户，所有政府资金（包括预算内和预算外）都存入国库在中央银行开设的单一账户，只有当主管部门和用款单位实际购买商品和劳务时，政府资金才从国库单一账户中转移到供应商的账户中

资料来源：根据相关资料整理所得。

2. 货币政策

20 世纪 80 年代，以美国为代表的主要经济在不放弃宏观控制的条件下，转移到以控制货币增长量为主要目标的运行轨道上，放松了对信贷活动的限制，鼓励竞争。一是实现中央银行控制货币基数和信用基数。1980 年

《存款机构放松管制和货币控制法》规定，美国所有接受联邦储蓄保险或符合联邦保险条件的商业银行、互助储蓄银行、储蓄银行、储蓄与放款协会和信用社都要履行统一的法定准备标准制度。这使联储控制了美国全部金融活动的货币基数和信用基数，为联储控制社会货币流通和利率创造了有利条件。与此同时，它允许所有可以为存款设置准备金的存款机构，使用贴现窗口。联储还宣布了衡量货币总额的新尺度，包括由金融创新所扩散的新型存款和其他票据。二是协调配合货币政策与财政政策，监控通货膨胀。20 世纪 80 年代开始，针对前期严重的通货膨胀，主要经济体始终把物价稳定作为重要的货币政策取向，货币政策和财政政策在短期刺激中发挥的作用下降，中央银行可以更加专注于通胀稳定的目标，保证了相对较低的通胀率。

3.1-2　主要经济体供给侧结构性改革的部门调控政策

20 世纪 70 年代以来，主要经济体聚焦虚拟部门和产业部门，加大改革的力度，鼓励竞争、提高效率。

1. 虚拟部门的改革政策

主要经济体金融管制思想逐渐出现了重大变化，从 20 世纪 30 年代的限制竞争、保障安全、保护存款人利益的早期管制思路，转变为兼顾鼓励竞争、提高效率、保护投资者和消费者利益的现代监管理念，并由此在国际上引发了消除金融监管的浪潮。以 1980 年美国出台《存款机构放松管制和货币控制法》和 1996 年日本前首相桥本龙太郎制定“金融大爆炸”(Big Bang)改革为代表，主要经济体加快推动虚拟部门改革，主要内容包括放松或取消了对虚拟部门的管制，加强竞争，使市场机制充分发挥作用，提高借贷双方资金转移效率，提高顾客的便利性，并调整监管重点，对部分领域重新加强管制。

2. 产业部门改革政策

20 世纪 80 年代以来，各国产业政策调整的趋势是促进技术开发和高新产业发展，推动衰退产业调整、淘汰，以及调整企业之间的竞争方式和市场结构。

表 3.4 美国与日本对虚拟部门鼓励竞争、放松管制的具体做法

国家	内　　容
美国	加强竞争,提高借贷双方资金转移效率。在信贷管理方面,1980 年《存款机构放松管制和货币控制法》批准在全国实行可转让提款单,为所有储蓄机构扩大了资金来源;还批准储蓄与放款协会将其资金扩大到发放消费信贷(以资产的 20%为限),并允许储蓄与放款协会发放信用卡,开办信托业务;放松或取消了各州实行的对抵押贷款以及其他类型信贷收取高利率的限制。此后,在 1982 年 10 月通过了《加恩-圣杰曼存款机构法》。该法批准各银行、储蓄放款协会和储蓄银行设立货币市场存款账户(MMDA),并批准实行超级可转让提款单(Super NOW Account),使储蓄与放款协会的权力多样化
	放宽或取消了对银行的管制。一是取消了对存款利率的限制。1980 年美国《存款机构放松管制和货币控制法》最重要的规定是,到 1986 年将分阶段取消 Q 条例对储蓄和定期存款的利率上限。到 1986 年 4 月 1 日,对储蓄存款的利率上限已经完全取消,14 000 多家商业银行和 3 500 多家储蓄机构可以自己决定对存款付多高的利率,唯一的限制是对工商企业支票存款户禁止支付利息。二是放松了对开展国际业务的限制。特别表现在减少或取消了国与国之间对金融机构活动的限制,既放宽了外国金融机构进入本国金融市场的限制,又增大了本国金融机构走向外国市场的力度。放宽或取消了外汇管制,使资金的输出输入有了较大或完全的自由
日本	鼓励混业经营,引入金融控股公司的形式,实现包括保险在内的各行业的相互交叉。通过金融控股公司的形式,金融机构可以从事交叉业务,从而出现了提供多种金融商品和金融服务的金融机构,在一定程度上起到了激活日本金融市场的作用
	推进银行业改革。灵活运用金融控股公司的形式,银行业的业务大幅度多样化,银行开始从事与证券有关的产品业务。从 1998 年 12 月开始,银行开发投资信托业务,并在柜台开始销售相关产品;开设网上银行和决算专门银行等。同时,引进了银行倒闭后的限额支付制度(1 000 万日元),让存款人根据银行经营效率的好坏来选择存款银行。银行按资本充足率来检查自己的经营,如资本充足率下降,金融监督厅将责令其迅速采取纠正的措施,限制其业务范围或暂停其金融业务
	推动证券业改革。第一,允许运用金融控股公司的形式,让证券子公司从事与现有证券公司同样的业务,以促进证券业的竞争,迫使证券企业提高经营效率和服务质量。第二,分阶段实现股票交易委托手续费的自由化。从 1998 年 4 月起,5 000 万日元以上的证券交易手续费实现了自由化,1999 年 10 月,小额交易的手续费也实现了自由化。于是,证券行业的竞争加剧,手续费下降,证券公司为了避免收益的下降,开发投资信托等产品,并利用网上交易,降低交易成本,以增加手续费收入。第三,从 1998 年 12 月起,设立证券公司从许可制改为注册制,这样有利于其他行业对证券业的参与,促进竞争。第四,从 1999 年 4 月起,废除了有价证券交易税
	推动保险业改革。日本保险业是监管很严的行业,保险公司一直享有《禁止垄断法》特别例外规定的保护。在金融自由化的背景下,1996 年 4 月起实施修改后的《保险业法》,同年 10 月,人寿保险公司和财产保险公司通过子公司方式开始相互参与。作为此次大改革的一方面,1998 年 7 月,财产保险费实现了自由化,并允许外资参与日本的保险业。这样从根本上改变了保险业的竞争环境,增加了保险公司有关保险品种、价格及服务的自主决定权,从而使其提高经营效率
	国际金融交易的改革。1998 年 4 月开始实施新的《外汇法》,该法较过去有了如下突破。第一,废除了大额资本交易的事前申报制度,资金的国内外转移完全自由化;第二,废除了外汇专业银行制度,外汇交易实现了自由化;第三,放开个人及企业在国外金融机构开户存款以及境内居民外币计价结算。由此,企业及个人的对外证券投资更容易进行,连锁店等一般企业也能从事外汇交易业务,从而大大增加了商业机会

资料来源:根据相关资料整理所得。

表 3.5　美国与日本对虚拟部门调整监管重心的具体做法

国家	内　　容
美国	调整监管的重点，对部分领域重新加强管制。由于 20 世纪 80 年代初期经济不景气，以及取消利率管制之后利率战加剧，银行的倒闭率不断上升，1981 年有 10 家，为战后正常水平，1984 年有 79 家，1985 年有 120 家，1986 年估计有 150 家，这种情况引起了管理部门的关注，在部分领域加强了管制，联邦储备委员会、货币监理官和联邦存款保险公司于 1986 年初宣布，有风险性贷款按银行资产的 9%设置法定准备金，而原来是 6%；限制把投机性高收益证券用于兼并其他企业；货币监理官和联邦存款保险公司研究对陷入困境的银行，以取得部分所有权为条件，进行资金供应以支持其继续营业的途径；监理官对联邦注册的银行加强了检查，对银行发布停业命令，对银行首脑罚款和撤销银行官员职务的事件自 1980 年以来增加了 5 倍；联邦存款保险公司和货币监理官大大加强了他们的检查和法律人员队伍，1985 年一年增加了 300 名检查员，在清算班子中增加了 1 200 名雇员，货币监理官还向每家由他管辖的大银行派去一名全日制的银行检查员，负责管理 3 500 家储蓄与放款协会的联邦住房贷款银行；1986 年实行了对储蓄机构存款增长的严格限制，并且限制了这些机构的投资种类
日本	推动金融行政的改革。为了进一步有效地对金融机构实行监管，日本对金融行政体制进行了重大调整。1998 年 6 月在总理府内新设立金融监督厅，把对金融机构的检查和监督职能从大藏省分离出来。在 1992 年的制度改革时，设立了证券交易等监视委员会，作为防止内部交易等金融舞弊的措施，但该委员会设在大藏省，且权限有限，为此，该委员会同时也被从大藏省移至金融监督厅。大藏省的改组分两个阶段进行，首先，2000 年 7 月大藏省的金融规划部门与金融监督厅合为一体，成立金融厅，作为金融再生委员会的外围局；其次，2001 年 1 月，金融再生委员会并入金融厅，作为内阁府的外围局，并将大藏省改名为财务省。

资料来源：根据相关资料整理所得。

一是产业技术政策。20 世纪 80 年代初期，随着国际形势的变化，主要经济体之间的国际竞争加剧。美国的钢铁产业、汽车产业等重要产业纷纷陷入困境。到了 80 年代中期，国际竞争的挑战甚至涉及美国占据绝对优势的高技术产业，美国认识到原有产业技术创新模式和产业技术政策已经不能适应形势发展需要。因此，美国政府开始了产业技术政策调整。进入 90 年代，日本、德国几乎同时开展了产业技术政策的调整，主要内容包括充分明确国家技术政策的地位，强化中央政府在产业技术进步中的作用，加强政府对发展科技和技术产业化的宏观调控，采用信贷、税收优惠和政府补贴等手段，鼓励和扶持技术产业化，政府出面组织协调官、产、学联合攻关，集中人力、财力和物力，加快高技术产业化，以及鼓励民间企业发挥主力军作用。

表 3.6 主要经济体产业技术政策的具体做法

国家	内　　容
美国	把联邦政府研究成果向私营企业的转移制度化，确立促进联邦政府研究成果转移、扩散和商业化的政策，充分挖掘二战后联邦政府国防导向科技投资的商业价值。1980 年《大学和小企业专利程序法》允许大多数联邦政府研究实验室将联邦专利以排他性方式授予大学和企业，以鼓励私营企业投入资源以实现联邦技术成果的商业化，促进产业技术创新。1980 年《技术创新法》明确赋予美国联邦政府在促进工商业创新方面的广泛职责，并确立了第一项积极转移联邦政府技术到民间企业的国家计划，在联邦研究实验室普遍建立了负责技术转移的机构。1986 年《联邦技术转移法》进一步明确了挖掘联邦研究开发投资商业价值的政策，授权政府各机构与企业、大学和非营利研究机构开展合作研究开发
	促进私营企业开展合作研发。消除私营企业之间合作研究的《反托拉斯法》障碍，增强企业的研究开发能力和国际竞争能力。在这一时期，美国政府重视改善企业开展研究开发的经济、税收和规章环境，1984 年《国家合作研究法》允许企业之间进行合作研究开发和合作生产
	制定和实施以增强美国长期国际竞争力为目标的政府与企业合作计划，进一步强化联邦政府在产业技术进步中的作用。1988 年《综合贸易和竞争法》授权美国商务部国家标准和技术研究院建立两项试验性国家计划，一是先进技术计划，旨在播种未来经济增长和就业机会创新种子的政府企业合作计划；二是制造业发展合作计划，主要是为美国 38 万家中小企业提供技术和管理援助
	充分明确国家技术政策的地位。把制定和实施国家技术政策作为联邦政府的正式使命，以运用技术实现改善生活质量、促进经济增长和保障国家安全的目标。1990 年 9 月，布什政府将一份题为“美国技术政策”的文件呈送国会参众两院的拨款委员会，正式提出美国国家技术政策制定的基础、目标、实施的战略和方案
日本	加强政府对发展科技和技术产业化的宏观调控。加强对技术产业化的引导和推动，1995 年重新制定的日本《科学技术政策大纲》，将信息、电子、软件、半导体、新材料、生命科学、能源、海洋科学、宇宙科学和地球环境等作为研究开发的重点。1994 年，日本政府决定成立以首相为部长的高度信息化社会推进本部，以加强信息高速公路的建设。1995 年，日本通产省又制定出《高度信息化社会的构想》，提出推进信息化社会的具体政策和全面的规划。1995 年 11 月，日本政府公布实施《科学技术基本法》，根据此法，1996 年 6 月又制定了《科学技术基本计划》，从而将发展高技术和高技术产业纳入统一规划和法制轨道，使日本的技术产业化和产业结构科学化进入了一个新阶段
	采用信贷、税收优惠和政府补贴等手段，鼓励和扶持技术产业化。日本政府规定，民间企业研究开发高技术可获得低息贷款，如果研究开发成功，则按照优惠条件还本付息；一旦失败，则按无息贷款还本。日本政府还规定，对研究开发电子、软件、生物工程和新材料等高技术产品的产业实行税收优惠和特别折旧制度，并给予政府补贴。政府还分担投资期限长、风险大的高技术研究开发费用，如在基础研究、战略技术研究方面，逐年加大投资力度
	政府出面组织协调官、产、学联合攻关，集中人力、财力和物力，加快高技术产业化。研究开发高技术项目，不仅投资大，而且风险大，需要先进的设备与设施，需要投入大量的科技人才，政府出面组织协调官、产、学共同攻关，被证明是一种高效率的研究模式，超大规模集成电路、深海探测船、H2 型火箭等都是联合研究开发的典型案例。并设立了许多半官方中介机构，如基础研究促进中心、生物技术发展研究机构、新技术事业团、新能源和产业技术开发组织等，为企业提供技术咨询和研究成果，资助民间企业发展高技术产业
	鼓励民间企业发挥主力军作用。鼓励企业加大研究开发投资力度，引导企业运用新技术改造传统产业，特别是在自动化、信息化改造方面，日本企业取得了很好的成绩，引导和鼓励企业开发利用外国科技成果

（续表）

国家	内　　容
德国	成立德国“研究、技术与创新委员会”。该委员会的任务是全面把握重大的科技领域的情况和问题，以及总体发展方向，提出将要落实为具体行动的对策。该委员会成员由科尔总理亲自任命，1995年3月，首批任命的17位成员来自政府有关部门和科技、教育、经济界以及重要的行业工会，联邦教研部长和经济部长是联邦政府的常任代表
	设立被誉为“未来部”的联邦教育科学研究技术部。1994年底，新一届联邦政府组成后，设定将原联邦研究技术部与教育科学部合并，组成一个新的联邦教育科学研究技术部（简称“联邦教研部”），由于它的重要地位和其所担负的保障未来德国国际竞争力的重大使命，在许多重要场合被称为“未来部”。实践表明，两部合并后，德国的科技教育主管部门的工作更加协调、灵活、高效，符合德国科技教育发展的要求，是一次成功的机构调整
	对政策进行调整和优化。德国科技政策的调整，主要是针对世界经济一体化和高新技术的挑战，将科技政策调整到以促进社会结构和经济结构的合理化为目标的方向上来。其手段大致有“导向”和“资助”两种。导向包括法律导向、政策导向和规划导向。资助包括合同研究项目资助、委托研究资助、科技咨询资助，重点是政府对一些耗资多、时间长的应用型基础研究项目，给予一定的间接资助，对参与合同研究的企业和研究单位给予一定的间接资助，以及专门为中小企业技术改造和更新技术给予资助

资料来源：根据相关资料整理所得。

二是产业结构政策。产业结构政策的概念首先出现在二战后的日本，战后日本经济濒临崩溃，日本政府通过制定产业结构高度发展目标，设计了产业结构高度化的途径，确定不同时期带动整个国民经济起飞的“主导产业”，并通过一系列政策确保“主导产业”崛起。进入80年代，日本、美国、德国相继出台产业结构调整政策，主要内容包括从整个国家层面高度重视产业结构调整，加快推进新兴产业发展，并着力开展衰退产业的调整、援助。

表3.7　美国与日本实施产业结构调整的国家领导机构及纲领

国家	内　　容
美国	1983年，里根总统成立了“工业竞争力总统委员会”，该委员会于一年半后提出了一个题为“全球竞争：新的现实”的报告，明确提出，美国产业结构调整的目标是提高国际竞争力，而对其他发达国家的步步紧逼，美国必须以产业结构调整为契机，重新获得国际竞争的比较优势，与追赶者拉开距离，从而能够保持并扩大美国在世界市场的份额
日本	1980年，日本科学技术厅发表科学技术白皮书，指出“科学技术立国”是“今后日本前进的方向”，90年代之后，日本提出了“创造性知识密集型”的产业政策，但由于泡沫经济崩溃，日本经济陷入了长期萧条的局面，使整个产业结构高度化的进程被大大推迟，1995年10月，日本产业结构审议会基本问题分委会提出了《面向21世纪的日本经济结构改革思路》的报告，指出以制造业为中心开展国际分工不可避免，日本应开发新的产业领域，现有产业应向高附加值产业转移，放宽规制，促进竞争，改革有关的企业制度，1998年通产省退出了“经济结构改革行动计划”，提出面对全球经济环境变化的挑战，创造新产业

资料来源：根据相关资料整理所得。

表 3.8 美国与德国推动新兴产业发展的具体做法

国家	内 容
美国	通过军事订货，为新型工业提供巨大的市场。20 世纪 80 年代以来，美国军事预算大幅度上升，其中大部分用于采购尖端武器，为新型工业提供了巨大市场。据美国电子工业协会估计，1983 年，美国国防部得到授权用于电子工业上的预算为 422 亿美元，1984 年增加到 484 亿美元。美国国防部对电子战的重视，使电子光学和微波技术军用产品市场进一步扩大。1985—1989 年，美国政府花费大量的开支购买包括红外线和激光云雾报警器等在内的尖端国防产品。美国把军事科学技术目标集中在研究发展集成电路、人工智能和自动化程序工具上，这对美国高技术工业的发展是极大的推动力
德国	对于电子、核电站、航空航天等新兴工业进行“有远见的塑形”。在整体进行财政整顿的背景下，各级政府在科研与发展上的经费投入在 1981—1985 年的年均增长率为 4.1%，超过了不到 3%的财政支出平均增速。此外，政府还大力推广汽车、纺织等产业的自动化生产技术。制造业产能利用率从 1982 年的 75%左右提高到了 1989 年的近 90%

资料来源：根据相关资料整理所得。

表 3.9 主要经济体对衰退产业调整援助的具体做法

国家	内 容
美国	通过重组兼并淘汰落后产能。面对钢铁行业逐渐丧失的领先优势，在美国政府的主导下，钢铁产业进入了为期 20 余年的兼并重组期。钢铁企业或是为了继续生存，或是为了加强自身竞争力，纷纷加入兼并重组的行列，经过不断的结构调整，美国钢铁公司、国际钢铁公司、纽柯钢铁公司、谢伟尔钢铁公司成为美国四大钢铁集团，跻身全球最大钢铁公司之列。尽管美国钢铁行业的产量低于结构调整之前，但新成立的这些钢铁巨头无论是在公司健康度方面还是在技术创新能力方面，都得到了明显的提高 规范破产法律程序。为减少产能过剩对经济的破坏性，在无可奈何地让大量企业倒闭的同时，美国政府也积极制定相关政策，采取措施，通过严格的法律程序规范破产。这些措施包括申请破产期间可搁置债务偿还程序，破产方案必须对失业员工的出路做出合理安排等。这些法律法规往往给面临破产的企业以喘息和寻求救助的机会，并降低了产能过剩对于产出和就业的冲击
日本	“特安法”时期。由于遭受过两次石油危机的打击，日本政府于 1978 年制定了《特定萧条产业安定临时措施法》《特定萧条业种离职者临时措施法》《特定萧条地区离职者临时措施法》《特定萧条地区中小企业对策临时措施法》四种法令。“特安法”主要措施有三条：安定基本计划、特定萧条产业信用基金和指示共同行为(即允许组织萧条卡特尔)。政策主要目的是报废设备和停止设备运转。由主管大臣制定安定基本计划，确定设备报废量和报废期限，由信用基金提供债务保证。根据其他三项法令，对失业工人的转业和中小企业转业给予救济和援助。根据“特离法”，对于由设备报废引起的离职者，由信息基金提供保证取得发放退职金的贷款。此外，延长离职者的雇佣保险支付期，对离职者扩大财政援助规模。同时通过“公共职业安定所”，实行介绍就业、职业训练、就职指导等。在萧条地区规定公共事业优先为这些离职者提供就业机会。此外，政府还为这些离职者额外发放求职活动费、训练津贴等。根据《中小企业法》，对政策对象的中小企业提供低息紧急贷款，并同时提供转业贷款、提高信用保险限额、退还所得税和法人税、支付企业补助金等，使当地中小企业实现就地转业和从外地引进投资

（续表）

国家	内　　容
日本	“特安法”废止“产构法”制定时期。“特安法”于 1983 年 4 月废止，并制定了《特定产业结构临时措施法》（“产构法”）。“产构法”规定，由行业主管大臣制定“结构改善基本计划”，新增加为实现事业合作、设备先进化技术开发的投资计划。新设立了“特定产业信用基金”，对上述新增加的计划内容给予信用保证。此外，增加各种财政补助和优惠税制措施。与“产构法”相适应，又制定了《关于特定萧条业种、地区关系劳动者的雇佣安定临时措施法》和《特定萧条业种关联地区对策临时措施法》。前一措施法增加了以预防失业为目标的措施，企业主如实施离职前转业培训，发给为期六个月的工资补贴，补贴率为 2/3，中小企业为 3/4。由企业主介绍转业时，对新采用企业主给予为期一年的工资补助，补助率为 1/4，中小企业为 1/3。后一措施法增加了对企业开拓新领域、新市场、新技术以及相应人才培养的财政补助和优惠贷款。补助由地区的中小企业事业协同组合提出，县知事认可。一个地区最高额为 1 000 万日元，县和中央政府各负担一半。优惠贷款由县知事认定，由中小企业金融公库提供
德国	“有秩序的适应”。对于钢铁、煤炭、造船、纺织等“收缩部门”和“停滞部门”，进行“有秩序的适应”，严格控制财政补助金，压缩生产、人员和设备 “有目的的保存”。对于农业、采煤等有战略需求的部门采取“有目的的保存”，通过调整整顿，将该部门最重要的实力保存下来

资料来源：根据相关资料整理所得。

三是产业组织政策。产业组织政策是指整顿企业活动的规则、规范与市场经济秩序，调整企业之间的竞争方式和市场结构，从而增进产业效率和成果的政策。产业组织政策又分为维护竞争政策和限制竞争政策两种。20 世纪 80 年代开始，主要经济体陆续开展的供给侧结构性改革过程中，在产业组织政策的取向上出现了分化，美国与日本选择了不同方式，美国产业组织政策的取向是逐步放松对垄断的限制，而日本进一步完善了禁止垄断的政策。

表 3.10　美国与日本产业组织政策的具体做法

国家	内　　容
美国	20 世纪 80 年代开始，美国产业组织政策的取向是逐步放松对垄断的限制。美国反垄断、反兼并、反不公正交易政策，在不同的时期，执行的松紧程度是不大相同的。里根总统时期，产业组织政策以放松反垄断、反兼并作为的重要方面。1982 年，美国政府对反垄断、反兼并条例做了大量的修改，为横向兼并、跨行业和供销环节的兼并开了绿灯。1984 年又对《克莱顿法令》做了重大修改，对兼并活动基本上采取了放任的态度。这一时期发生了美国历史上第四次企业兼并浪潮 进入 20 世纪 90 年代以后，美国产业组织政策鼓励企业兼并，参与争夺地盘的战斗。1996 年，美国波音公司以 133 亿美元兼并麦道公司，从而成为拥有 500 亿美元资产和 20 万员工，占世界民用客机 75%销售量的最大飞机制造商；1998 年，美国花旗银行与保险兼证券公司旅行者集团宣布合并，组成新的花旗集团，资产总额近 7 000 亿美元，市值达 1 660 亿美元

（续表）

国家	内　　容
日本	进入 20 世纪 80 年代，日本进一步完善了禁止垄断政策。总的来讲，20 世纪 70—80 年代间，由于日本企业适应市场竞争的能力增强，大企业规模已经发展到较高的水平，市场集中所导致的限制竞争的现象增加，以及中小规模型产业成长等因素，日本政府逐渐加强了禁止垄断政策的实施，并且通过修改、补充，完善了《禁止垄断法》。1980 年公平交易委员会开始加强对合并的管制，1980 年在修改的合并申报规划中，对合并审查对象的标准也进行了修改，修改后的标准更为严格。1983 年通产省制定的《特定产业结构改善措施法》中也规定了，当为处理设备而采取卡特尔和事业合作、事业集约化等限制竞争的措施时，必须得到公平交易委员会的同意。1993 年 5 月 19 日，日本再次对《不正当竞争防止法》做了全面的修正，修改的重点是针对商标和图案设计在注册前被仿的侵权行为，强化了对仿造畅销商品（尤其是玩具、杂货、服装、小家电等使用寿命较短的商品）和冒用名牌商标的制裁，增列了三种法律禁止的不正当竞争行为，并充实了救济手段。从此，日本《不正当竞争防治法》的内容更加周全、完善。这次修改涉及面广，主要体现在不正当竞争行为的种类、扩充信用恢复请求权、强化救济手段等方面

资料来源：根据相关资料整理所得。

3.1-3 主要经济体供给侧结构性改革的企业改革政策

企业政策主要集中在国有企业改革、中小企业改革以及企业治理改革等三个方面，努力转变改变人们对私人企业和创业活动的消极态度，积极提升企业的竞争能力，将企业打造成为供给侧结构性改革的核心力量。

1. 国有企业改革政策

英国撒切尔政府的私有化政策是领头羊，在“新右派”思潮的驱动下，按照产权转移的目标，把英国从混合经济转向市场经济，减少政府干预规模和范围，改变人们对私人企业和创业活动的消极态度，培养公民对自由市场经济的信仰和价值观，从根本上重塑英国的经济和政治结构。

一是分步推进私有化政策。20 世纪 80 年代开始，英国分步推进私有化过程，主要经历三个阶段，与撒切尔政府三个任期相契合。第一阶段为尝试性阶段（1979—1983 年），采取有限度的私有化，作为私有化的试探。第二阶段为大推进阶段（1984—1987 年），第一次涉及国有自然垄断企业和公共事业部门。第三阶段为深入发展阶段（1987—1990 年），将私有化扩展到亏损严重的国有企业，并大规模进入公用事业和自然垄断性行业，而且深入到政府机构改革和社会福利改革等方面。

表 3.11　英国与德国国企私有化的具体做法

国家	内　　容
英国	第一阶段为尝试性阶段(1979—1983 年),采取的是有限度的私有化,作为私有化政策的试探。这一阶段私有化的公司有 25 家,主要是集中在竞争性行业中"国有部门中次要的赢利的公司",其中国际阿默沙姆公司、英国铁路公司附属的绝大多数旅馆以及国有公司管理局下属的一些公司被出售。大东电报公司的股份先后在 1981 年和 1983 年分两次全部出售,还有一些出售只涉及部分产权的转移,政府一般保留不超过 50%的股份 第二阶段为私有化大推进阶段(1984—1987 年)。撒切尔政府第一任期私有化政策成功,进一步坚定了撒切尔政府推进私有化的决心。保守党在 1983 年的竞选宣言中明确许诺,要把英国电信、英国造船、英国航空、英国利兰汽车、英国钢铁的大部分、公共巴士和大部分机场等私有化。在第二任期内,撒切尔政府提出建立"大众资本主义"(Popular Capitalism)政治目标。1984 年,政府出售了英吉利海峡轮渡公司、美洲虎汽车公司和英国电讯公司。出售英国电讯公司是政府私有化第一次涉及国有的自然垄断企业和公共事业部门,大约 200 万人购买英国电讯公司的股份,标志着英国开始系统的私有化。英国电讯公司在私有化之前,先从邮政系统分离出来,并解除了其在电话服务方面的垄断地位,引入水星通信公司(Mercury)作为其移动通信领域的竞争对手,这种先自由化后私有化的模式,为此后公共事业部门私有化提供了很好的模板,以解决如何才能开放市场,引入更广泛竞争的问题 第三阶段为私有化深入发展阶段(1987—1990 年)。1987 年,撒切尔夫人第二次连任,私有化政策扩展到亏损较为严重的国有企业,并大规模进入公用事业和自然垄断性行业,而且深入到政府机构改革和社会福利改革的各个方面,如教育、保障制度、地方政府改革等。在 1988 年 10 月保守党年会上,撒切尔夫人第一次明确宣布"私有化无禁区",决心进一步将私有化推向电力、供水等自然垄断行业。电力产业私有化过程中,中央电力局被拆分,并被取消了对国家电网的垄断控制,12 家地区性输电公司则共同拥有原来的国家电网,原先中央电力局在全国范围内的垄断地位和地区电力局区域性垄断地位被打破,有效的竞争机制建立起来
德国	有关联邦资产私有化和参股政策的总体方案于 1985 年 3 月 26 日得到联邦政府的批准,在这一计划中,联邦政府将减少在 8 家大公司中的参股,如将大众汽车的股份从 20%减少到 14%,联合工业公司的股份从 100%减少到 74%,汉莎航空的股份从 79.9%减少到 55%。1982 年,联邦参股 25%以上的工业企业共 950 家,参股出资总额约 21 亿马克,占当时工业部门所有股份公司和有限股份公司总股本的约 1.6%。经过十年的私有化过程,到 1992 年,联邦参股企业的数量和总份额均下降了约一半

资料来源:根据相关资料整理所得。

二是以完善的法律体系保障私有化的有序推进。主要经济体在推进国企私有化过程中,非常重视法律程序和完整的计划,任何私有化方案都要经过立法机构批准,以法律形式予以授权方可实行。

表 3.12　英国国企私有化的操作环节

环节	内　　容
决策	首先由民间中立的研究机构、商业银行、管理顾问对即将私有化的国有企业进行可行性研究，然后向政府主管部门提出报告，说明私有化的可能性、方式以及出售的前提条件，最后由政府部门做出决定
立法	由政府以投标的方式选择一家或几家商业银行做顾问，在他们的协助下，组建强有力的管理和销售班子，向社会公众宣传和解释私有化的方案；雇佣私人部门对企业财务进行审计；准备立法；最后在有关法律和相关的行政条例获得议会和有关政府部门通过后，进入实施阶段
实施	银行与企业签订股票的出售合同，然后股票正式上市。国有企业私有化的整个过程充满“商业化”的味道，实际上和一般的私人公司股票上市没有实质上的差别
审计	由于私有化牵涉到民众的公共利益，因此议会要求英国国家审计署对私有化之前和之后进行审计，确保国营企业私有化过程的公平、公开、合理，防止国有企业在私有化过程中出现资产流失。英国审计署在F部专门设立国有资产私有化绩效审计司，负责对国有资产私有化的绩效审计

资料来源：根据相关资料整理所得。

三是采取多种方式变通推进私有化。包括出售公共部门的部分资产；针对那些亏损但条件尚未成熟无法私有化的企业以及社会福利领域，采取减少国家管制、打破垄断的方式鼓励竞争；对不涉及产权转移的领域，通过特许投标的方式，把国有企业承包给私人企业经营，把竞争机制引入那些不能或不宜开展企业间竞争的企业；由私有部门协助公共部门提供补充性劳务。

表 3.13　英国国企私有化的变通操作

手段	内　　容
部分出售	撒切尔政府首先制定的政策是将公共部门的部分资产以股份的形式卖给私营部门。出卖的方式主要有四种：第一，公开发售股票。把国家在混合企业的股份出售给私营公司，国有全资公司则先进行股份制改造，再上市出售。这是一种比较彻底的私有化方式，适用于规模比较大的国有企业。第二，将国有企业整体出售给私人企业。这主要适用于规模比较小的国有企业，如1987年英国皇家军械公司直接卖给了已经私有化的英国宇航公司。第三，由企业管理人员及本企业职工买下企业的股份。这种方式适用于一些小公司，特别是公司管理人员或雇员已直接获得公司的资产控制，企业雇员在购买时可以用公司资产作抵押向银行贷款
自由竞争	主要针对那些亏损但条件还不成熟无法私有化的企业，以及社会福利改革。对此政府采取了减少国家管制、打破垄断的方式，鼓励竞争。政府通过改革规章制度，允许和鼓励私营部门进入原来由公共部门垄断的领域，与公共部门展开竞争。或是通过出售股份或资产，以及招投标的方式，吸引资本进入公共企业，把国有企业改组成为股份公司。与此同时，政府改变过去强调国有企业履行“社会责任”的做法，转而突出国有企业的盈利意识。1980年，由议会通过了《竞争法》，强制国有企业通过关停并转，按时完成政府规定的经济指标等方法增强竞争力。议会还专门授权给垄断和兼并委员会，定期监督和调查国有企业的绩效。撒切尔政府期间，许多国有亏损企业就是先通过自由化，促使国有企业改善经营，待条件成熟后，再实现完全的私有化

（续表）

手段	内　　容
特许投标	不涉及产权的转移，通过特许投标的方式，把国有企业承包给私人企业经营，把竞争机制引入那些不能或不宜开展企业间竞争的企业，如学校的伙食、校园卫生的清扫、公园维护、垃圾收集、公路养护等均可承包给私人部分。这种做法限制了公共部门的作用，扩大了私有部门的业务
提供劳务	由私有部门协助公共部门提供补充性劳务。除了让私人办学校和医院外，还大力发展管教所和监狱、精神病院、残疾之家和养老院。由于私有部门的低廉费用，利用私有部门提供服务的范围越来越广泛

资料来源：根据相关资料整理所得。

2. 中小企业扶持政策

中小企业政策是主要经济体开展供给侧结构性改革的重要部分。20世纪80年代开始，主要经济体在推动供给侧结构性改革的过程中，将中小企业作为着力的重点，通过制定政策法规，扶持中小企业发展。特别是以日本、德国为代表，大幅度转变了中小企业政策体系，充分明确中小企业所扮演的角色，期待中小企业能够发挥主动性、灵活性和创造性功能，成为经济成长的原动力；并相继出台了构建中小企业的市场竞争环境、建立创新与创业辅导体系以及帮助中小企业稳定发展等政策措施。

表3.14　日本与德国扶持中小企业发展的具体做法

国家	内　　容
日本	建构市场竞争条件。为改善中小企业市场机能不足，强化市场竞争能力，新政策放弃了以往防止过度竞争、振兴出口以及确保竞标机会等观点，转而着眼于以下几点：(1)确保资金取得和资金供给多元化。重新检讨融资担保制度，技术、市场成长性与经营者能力等非财务性因素列入融资评估指标。改善资本市场，加强债权的流动性，检讨公司债的发行制度，利率、偿还期限等也将朝多样化发展，以满足中小企业多元化后资金需求的多样性。(2)充实与加强企业的经营资源。重新检讨中小企业的诊断式制度，培育专家辅导创投企业。调整行政机关功能，在政策执行上引入竞争原理等。(3)重视人力资源开发。重新检讨劳工移动环境、退休金与年金制度，改善福利设施及中小企业退休金互助制度，强调中小企业劳工移动成本的减轻、劳动条件的改善、活用外部人才机制的建立以及人才培育的强化等。(4)强化组织机能，分享经营资源。重新检讨中小企事业团体的高度化融资制度及中小企业团体中央会的体制等，强化策略联盟及企业之间的相互联系，促进中小企业的技术创新与制度创新。(5)确保交易合理化与公平活动的机会。重新检讨独占《禁止法》排除条款的中小企业卡特尔以及行政直接介入市场的行为等。(6)改革中小企业税制。提供税收特别措施，协助中小企业稳定经营基础以及开发新事业领域，从减轻税负的观点提供税收奖励

（续表）

国家	内　　容
日本	建构中小企业创新、创业辅导体系。为协助中小企业成为“自立型专业中小企业”，新政策从以往追求规模经济效益等为主要课题的辅导措施，转而以经营转型、创投事业、创新事业以及技术开发等课题拟定辅导策略，协助业者开创新商机与转型。(1)创投、创新辅导策略。政策上，改善创投、创新事业的投资环境，简易化与公开化相关的支援措施；制度上，改善风险投资资金的取得环境，加速开放店头市场，强化投资育成企业的功能与体制等。(2)企业转型辅导策略。扩大以引进现代化设备为中心的辅导措施，将信息化投资、研发、引进技术拓展市场、人才培育等课题都涵盖在内。(3)技术开发辅导策略。改善技术开发的基础设施，明确公立、国立研发机构以及大学等核心研发机构的功能，加强官、产、学合作，扩充预算、推动技术开发成果的事业化以及活用外部研发资源等 建构经济安全体系。随着经济全球化发展，企业面临的国际竞争压力增强，尤其是中小企业，受到的冲击普遍大于大企业。为缓和环境变迁的冲击，帮助中小企业转型或稳定发展，中小企业经济安全体系的构建成为21世纪日本中小企业政策最重要的目标之一。(1)建构紧急危机化解机制。包括在金融方面提供信用保证及低利融资等，强化经营基础以及划分与大企业间事业活动领域等。(2)建构风险相关的保险体系。中小企业因风险性高、收益性低，民间保险机构往往不愿承保，因此强调要提供行政上的保险性支援，如建构互助合作制度，包括防止破产互助、退休金制度等。(3)建构破产机制。检讨与制定破产相关的法令，包括创设中小企业可简单与迅速应用的重整手段，简化事业失败者再起的手续等
德国	鼓励开业。德国政府鼓励人们自主自强、创业开业。高等学校和其他机构正在为人们提供这方面的知识技能，鼓励毕业生独立自主地从事经济活动。全国都在提倡一种自主自助精神，学校教育和职业培训也都把它作为一个重要内容。加上政府和银行提供各种具体资助，联合会、协会、同业公会提供各种具体咨询、信息和专家服务，其结果是1990—1995年间，在全德有190万“新人”独立开业，其中西部140万人，东部则为50万人。在西部，年均约有0.8%的有劳动能力的人自己开业，其中62%从事工商业，33%从事自由职业；在所有的新开业者中，12%—13%为原来的失业者。在东部，年均约有1.2%的有劳动能力的人自己开业，其中71%从事工商业，26%从事自由职业；在所有的新开业者中，12%—13%为原来的失业者。政府不仅鼓励失业者独立开业，而且也鼓励从业者、正在接受培训者以及闲散人员独立开业。在西部的上述独立新开业者中，有55%为从业人员，有31%为正在接受培训者和闲散人员，在东部，相应数字为74%和13% 为了鼓励创业，德国政府实施了多项资助计划，例如“自有资本援助计划”；联邦和州政府“共同任务”项下的改善地区结构计划；复兴信贷银行的贷款计划；德国结算银行(Ausgleichs bank)的新开业计划；劳动促进法项下的各种援助，例如对新开业的企业招用职工予以补贴等。联邦政府的“自有资本援助计划”始于1979年，据慕尼黑经济研究所资料，1987—1992年得到资助的新开业者为46 164人，其间减去关闭者，到1992年底“存活者”大约为45 300人，最后能站稳脚跟的估计为40 600人。对中小企业“自有资本援助计划”所需的资金直接来自联邦预算，资助主要通过利息贴补和失败损失赔偿。慕尼黑经济研究所的计算表明，该项计划实施后，得到资助的新开业者的投资额大约为1987—1992年间西部地区投资总额的1.5%，由此增加的产值年均约为40亿马克，新增就业岗位每年在54 000—93 000人，国家财政年均可增收和节支(社会保险费用)30亿马克

（续表）

国家	内　　容
德国	帮助筹资。德国一直重视为中小企业服务的金融机构，为中小企业提供贷款、利息贴补和担保。一般说来，中小企业，特别是小企业，是很少问津大的私人商业银行的，较多地求助于储蓄银行、合作银行和国民银行，它们也比较了解中小企业的需要。不过它们毕竟也得按市场、盈利原则经营。因此，中小企业有时更需要政府的直接贷款。其中一个重要来源是复兴信贷银行的资金，即“马歇尔计划援助对等基金”。此外，政府往往还为上述银行向中小企业贷款提供利息贴补，幅度在2%—3%之间；还为这些银行贷款提供担保，承保损失可达60%(但实际上真正发生的损失率只有1%—2%)，1950—1980年30年间，总共大约提供了7.5万项政府担保，平均每项14.5万马克
	为了帮助中小企业筹资，德国从各方面做出努力。例如，德国政府正在考虑由一个专家小组提出的一些建议，使新建的和现有的中小企业便于进入资本市场，具体措施如下：根据有关法规，在德国的各交易所中，专门为此实行一些新的市场办法；对需要从事有价证券业务的企业，通过规定不同等级的自有资金的办法，便于它们进入证券发行市场，并使这种市场活跃起来；在交易所挂牌上市的投资公司，不承担必须回购一部分所发行股票的义务，以使它们能更好地向中小企业投资；活跃参股市场，以使资本参与公司更多地为新建中小企业和未在交易所挂牌上市的企业筹资；采取税收优惠措施，以冲淡在交易所活动中所征收的税项，并平等对待外来资金和自有资金；在财产政策方面也要考虑采取优惠措施。联邦宪法法院在一项判决中强调，允许对中小企业的财产继承以较低税率课税；在修订继承税法和赠予税法时，联邦政府将广泛考虑到中小企业的要求。对一部分中小企业业主“换代”所需资金问题，政府给予帮助
	促进创新。德国在高技术竞争中的地位在很大程度上取决于中小企业的创新意愿。因此，德国政府对高科技的中小企业采取了明显的扶持政策。1995年，联邦政府实行了一项资本参与计划，在2000年前拨款9亿马克，用来抵御高科技中小企业的创业风险。实施促进中小企业创新的计划，资金来自复兴信贷银行的资金，推动中小企业开发新产品、新工艺和为服务行业与市场营销工作提供资助
	加强培训。德国政府认为培训和再培训特别重要。为了使企业中的专业人员有晋升机会，使人们能够独立从事经济活动，联邦政府针对性地提出了一项法律草案，给全时或部分时间参与培训者以资助。有关人员若独立开业，依据此项法律，政府已经提供的借款可免予归还。与此同时，高度重视双轨制的职业培训传统，并力求充分发挥潜力，在内容上和结构上加以改进。联邦政府与工会、企业主组织等社会伙伴共同致力于创设新的职业工种。帮助能力差的年轻人掌握企业需要的技能。进一步规范职业培训的规章制度，一般培训不得超过两年，专门培训不得超过一年。在培训工作上，德国政府高度重视在政府、工会、雇主和实际执行者(职业学校和企业)之间达成共识

资料来源：根据相关资料整理所得。

3. 企业治理政策

一是提倡新的管理理念。进入20世纪80年代，在科技革命的推动和政府鼓励下，出现了企业文化理论，强调塑造企业全体员工遵循的价值观、行为准则和目标信念，人们精神方面的需要往往在很大程度上决定生产效率，因而需要采取措施满足人在安全、受尊重、自我实现等方面的精神需要，调动和激励人的积极性，采取措施建立激励机制，培养和鼓励员工的创造精神。政府则通过鼓励和提倡特定的管理理念来影响企业的劳资关系，缓和劳资双方的对立，促进企业的发展。

二是鼓励积极进取、努力创业的企业家精神。主要经济体政府普遍提倡企业家精神，积极鼓励和提倡个人奋斗，反对依赖，普遍认为积极进取、努力创业的企业家精神对企业发展至关重要，企业家精神的缺失将窒息企业发展的动力，这种状况如果不从根本上扭转，就不会有经济的好转。

三是倡导"顾客至上"的理念。"顾客至上"的理念也为主要经济体政府大力提倡，力求增强企业中每一个员工的顾客意识，使其深切感受到产品质量和服务质量与企业效益和自身收益的密切相关性，从而激发雇员工作积极性，扭转企业亏损状况。在政府的推动下，英国企业"顾客至上"的意识逐渐增强。例如，英国自来水公司在1990年8月私有化后提出的第一份年度报告中强调，"集团中的每一个人都已经参加了一项名为'顾客第一'的课程"。英国天然气公司也专门出版了《致我们的顾客》的小册子，公司总裁在卷首明确写道："为您——英国天然气公司的顾客——提供服务是我们企业最重要的任务。"

3.2 主要经济体供给侧结构性改革的社会政策

受"新右派"思潮影响，主要经济体开展供给侧结构性改革过程中，普遍认为前期福利国家政策导致需要帮助的人向国家寻求帮助，失去了自助或得到家庭和社区帮助的机会，政府干预则减少了个人自由，又给予弱势群体权力，使他们挑战传统权威。因此，主要经济体政府确立了"一位有责任的父亲"的角色定位，对社会政策进行了实质性调整，对福利制度进行了根本性的改革。

3.2-1 主要经济体供给侧结构性改革的工会改革政策

主要经济体开展供给侧结构性改革期间，工会成为重点改革对象，主要经济体政府采取了一系列限制、打击、削弱工会的强硬措施。

1. 采用立法和行政方式限制工会权力

主要经济体政府从立法角度对付工会，采用先规范、后限制的循序渐进方式，通过一连串涉及工会法案实现。英国于1980年、1982年、1988年、

1990年颁布的数个版本的《就业法》和1984年的《工会法》，从工会罢工的合法性、范围、对象、声援行动，工会领导人产生，政治基金设立，排外性雇佣制企业问题等多个方面，对工会权力进行压缩和废止，根本性地改变了工会及会员的法律地位和权力。

2. 对工会罢工行动采取强硬态度

在供给侧结构性改革初期，主要经济体内部工会权力受到限制，工会对资方和政府的不满逐步激化，仍然寻求通过罢工等方式迫使政府屈服，如美国1981年爆发的联邦航空管理人员罢工，英国1984年爆发的煤矿工人大罢工，1986年爆发的印刷工人大罢工。面对工会的强硬对抗，里根政府与撒切尔政府没有选择妥协和让步，而是在做好充分准备的基础上，强硬处置，最终使工人复工，取得与工会较量的全面胜利。

3. 采取间接手段削弱工会权力

在供给侧结构性改革初期，控制通货膨胀的目标要优先于充分就业，当失业上升时，政府不仅不再像过去那样扩大需求以降低失业，反而通过限制需求的增长来遏制通货膨胀，导致在抑制通货膨胀的同时，推动失业率升高。撒切尔政府明确宣称，高失业是经济改革必须付出的代价，其中固然含有推动英国经济增长的考量，但也隐含着削弱工会实力和影响的意图。失业人数增多，就业人员害怕失去工作，不愿意参加工会组织的罢工活动，导致工会力量被削弱。与此同时，积极推进的私有化导致大量中小企业和个体户纷纷涌现，从业人员基本上不是工会会员，推行的“大众资本主义”使广大劳工拥有了一定数量的企业股票，拥有了雇员和股东的双重身份，改变了企业从业者只顾个人利益不管企业利益的状况，把个人利益与企业命运联系在一起，降低了工会在企业中的作用。

3.2-2 主要经济体供给侧结构性改革的住房制度改革政策

20世纪80年代以来，主要经济体的政治、经济和社会都发生了巨大变化，住房供求关系及居民住房状况等随之改变。因此，住房政策和住房保障制度成为供给侧结构性改革的重要领域。

1. 住房供应环节，由政府直接干预转变为间接干预

主要经济体住房政策与强调市场与自由竞争的核心理念是一致的，主要

方针是减少中央政府在住房问题上的卷入。在20世纪60年代以前，住房短缺是政府面临的主要问题，政府在生产环节直接干预住房市场的运行，通过设立专门的机构、提供运营资金，重点解决住房供求矛盾尖锐、严重短缺的问题。进入70—80年代，住房供求基本达到平衡，政府干预也逐步转向间接干预，采取对普通住房发展商住房建设投资和私人住宅投资实行优惠贷款（长期低息贷款或贴息贷款）、贷款利息减免等办法，支持非营利性机构发展低成本、低租金住房，间接干预住房供应，通过市场为中低收入居民提供住房保障。

2. 住房持有环节，逐步推进产权私有化

主要经济体普遍认为，一个拥有住房财产的阶层，是最稳定的阶层，有利于整个社会的安定。同时，推动公房私有化，也可相应减轻政府直接干预住房市场带来的压力。因此，20世纪70年代开始，主要经济体出现了住房产权私有化的态势，纷纷减少公共住房建设，存量的公共住房也出售给住户，公共住房的管理权逐渐转移给社会公共机构管理。英国是住房政策结构调整最典型的代表。有资料显示，70年代末，英国公营住房约占住宅总量的1/2，由于公房租金太低，仅为成本租金的57%，政府每年要拨出大量资金补贴房租，给财政造成很大压力。撒切尔政府对住房保障制度进行改革，政策重点转移到鼓励和支持居民自建住房和购买住房方面，大量出售原有公房，从而加快了住房的自由化进程。在推进改革的过程中，提出“优先购买权”，即凡租住公房的住户有权优先、优惠购买其所住的公房，并依据居住年限，以相应的优惠折扣购买，最大优惠折扣可达60%。居住条件越差、居住年限越长的公房，买房折扣越大。

3. 住房需求环节，减少受益人群，转变补贴方式

20世纪80年代，是美国住房援助（补贴）政策的重要转折期，政策目标更加准确地针对低收入家庭，排除了前期能够接受补贴的中低收入家庭。有资料显示，在1981—1987年间，为住房和城市发展部援助住房计划的拨款从319亿美元降至94亿美元。补贴对象由住房供应者转向住房需求者，采取税收减免、发放房租补贴等措施。税收减免主要针对住房购买人，面向几乎所有的居民，对个人购房、提高住房自有率、刺激住房需求产生了积极作用。房租补贴面向低收入者，帮助支付能力有限的低收入家庭在市场上能够租到合适的住房。里根政府最主要的政策变化是基本停止了对住房建

筑的补贴，恢复低房租的公寓，并向困难户和低收入者提供政府租赁支付凭单（直接付款），让他们在市场上寻找住房。

表 3.15　主要经济体住房补贴形式比较

	美　国	日　本	德　国	英　国
补贴形式	建造费用＋日常维修管理补贴	建造费用＋日常维修管理补贴	利率补贴	利率补贴＋部分维修管理费用
租户付租占成本租金的比例	32%或更低	32%或更低	初租时 70%，12 年后补贴减少	35%—60%

资料来源：田东海，《住房政策：国际经验和中国现实选择》，清华大学出版社 1998 年版。

3.2-3　主要经济体供给侧结构性改革的教育制度改革政策

20 世纪 80 年代，主要经济体为了应对激烈的国际竞争，高度重视教育领域的配套改革，力图将教育打造成为知识创新、传播和应用的主要基地，以及培育创新精神和创新人才的摇篮。

1. 对教育改革的重视程度明显加大

20 世纪 80 年代以来，主要经济体出台了一系列有关教育改革的报告。1983 年 4 月，美国高质量教育委员会发表了一个具有里程碑意义的报告——《国家处于危机之中：教育改革势在必行》。这一报告以美国教育面临危机的大量材料为依据，指出教育改革势在必行。1988 年 7 月 29 日，英国以立法形式颁布了《教育改革法》，这是英国中小学教育半个世纪中最大的变革，拉开了英国历史上第一次大规模课程改革运动，彻底改变了长期以来放任主义的课程管理模式。90 年代，日本前首相中曾根提出“战后政治总决算”的口号，谋求在国际上增大发言权，教育改革在“总决算”文脉中被明确提出。

2. 实行教育经费改革

一是降低政府财政负担。逐步明确了引入竞争机制、重点配置、谁受益谁负担等原则，使得高等院校的财政构成发生了较大变化，学生缴纳的学杂费出现成倍增长的趋势，政府财政负担的比例进一步降低。20 世纪 90 年代日本国立高等院校财政收入中国家财政拨款占比已经下降到 50%左右，而学生缴纳的学杂费等学校自筹资金迅速增高，占比从 20%上升至 50%。财政拨款占大学总收入比例的下降，有效减轻了日本政府在高等教育方面的财政负担,帮助日本比较顺利地实现了高等教育的大众化及普及化。

二是提高教育经费使用效率。在基础教育领域,英国根据 1988 年出台的《教育改革法》,确立了“直接拨款到学校”的政策。根据规定,这类学校的办学经费主要由教育科学大臣通过中央拨款的方式,向学校直接提供,地方教育当局负责提供学校的基建、交通以及学生福利方面的费用。1991 年,随着直接拨款学校数目的增长,英国政府对中小学教育体制进行了新的改革,通过了 1993 年《教育(学校)法》。设立“学校基金处”,取代原来教育部对学校的直接拨款。学校基金处由 10—15 名成员组成,由国务大臣任命,其中大部分来自教育以外的工商业界。在高等教育领域,《教育改革法》规定,以新成立的大学基金会取代大学拨款委员会,1992 年,又决定以高等教育基金会代替大学基金委员会,并规定在基金会中要有“强有力的工商业界人士”。

三是着力培育私立教育的竞争能力。从 1970 年开始,日本政府开始对私立教育实行补助措施,并于 1975 年颁布了《私立学校振兴援助法》。私立教育得到飞速发展后,伴随着国家发展战略的转变以及高等教育改革的需要,私立学校教育事业费中来自政府的财政性补贴比例,从 1981 年的 28.9%逐步下降至 2000 年的 12.2%,私立院校财政收入依存于市场的程度渐渐提高。与此同时,政府对私立学校的补助逐步从一般性补助转向特定补助(专项补助),实施倾斜配置或差额配置制度。1982 年以后,为提高补助金的利用效率,日本政府改善了补助金分配办法,国家对私立学校的专项补助成为重点,对改善教育、研究条件较好的私立院校给予较多的补助金额,对经营管理存在明显不足和没有充分利用补助金的私立院校,实行 5 年停发补助金的制裁措施。补助经费着重用于提高私立院校的研究生教育质量、促进学术研究、实施信息化和国际化活动、促进大学教育改革。

3. 实行教育课程改革

课程改革作为教育改革的核心内容,是决定教育改革成败的关键,各主要经济体在教育改革过程中,都把课程改革置于核心地位。

一是基础教育课程更加注重培养学生基本素质。主要经济体明确提出科学、数学和技术教育的重要性,要求所有儿童都需要并且应该得到基本的科学、数学和技术教育,通过给学生以宽松的自由想象空间,充分发挥学生的个性特长,培养其创新意识、创造能力和生存能力,培养具有国际竞争能力的人才。

表 3.16 主要经济体基础教育课程改革的主要内容

国家	内　　容
美国	1985 年，享有盛名的美国民间科学团体——美国促进科学协会联合美国科学院、联邦教育部等 12 个机构公布了一份关于科学、数学和技术知识目标的研究报告——《2061 计划：为了全体美国人的科学》，这份报告详细地论述了全面改革美国初等和中等教育体系的设想、步骤、目标和科学依据，在当时成为美国基础教育改革的重大工程。"2061 计划"是一项面向 21 世纪、致力于科学知识普及的中小学课程改革工程，代表着美国基础教育课程和教学改革的趋势。当年恰逢哈雷彗星临近地球，改革计划又是为了使美国当代的儿童——21 世纪的主人，能适应 2061 年彗星再次临近地球那个时期科学技术和社会生活的急剧变化，所以取名为"2061 计划"(Project 2061) "2061 计划"认为，美国青少年的科技知识非常薄弱，应该在全国范围内开展一次科技扫盲；在科学、数学和技术教育上制定一个示范性、指导性的基本标准，编写新的教学大纲，希望全国的中小学、幼儿园根据大纲普及科技教育，从而使未来几代人具备科学技术的基本素质。普及科技教育不是盲目地增加学校的教学内容，中小学的教学重点应集中在最根本的科学基础知识上，并且更有效地把它教好。美国的基础教育改革重视对学生能力的培养，始终强调中小学科学教育的基本任务是向学生介绍学习科学知识的方法，以便于学生获得知识并提高理解能力；介绍一系列地科学技能和掌握这些技能的过程，重视调查实践，培养学生解决实际问题的能力；重视培养主动适应社会变化的能力和自我教育能力。形成正确的价值观是美国基础教育课程改革的又一个显著特征。"2061 计划"认为教育的最高目标是要使人们能够达到自我实现，强调科学知识的文化、伦理功能，注重科学方法、科学态度和科学价值观的培养
英国	英国《教育改革法》最主要的内容，是关于在中小学实施全国统一的国家课程，为此政府制定了《国家课程标准》作为各地学校教学的依据。《教育改革法》明确指出，全国统一课程应注重平衡性和宽广性，达到以下两点目标：(1)促进学生在精神、道德、文化、智力和体力方面的发展；(2)为学生将来成年生活中的机会、责任和经验提供准备。从具体的教学科目上看，除了仍然规定所有中小学生都要接受宗教教育外，还提出了 5—16 岁义务教育期间，所有学生都必须学习的 10 门课程，其中 3 门为核心学科(数学、语文即英语、科学)，7 门为基础学科(历史、地理、技术、音乐、美术、体育，12 岁学生还增加外语)。完整的课程还包括其他学科和领域，如家政、个体与社会教育、职业教育与指导、古典语文、经济与技术等 《教育改革法》还对义务教育阶段的考试制度进行了重大改革。增设 7 岁、11 岁、14 岁的全国统一考试，并将原来 16 岁进行的两种并存考试制度统一为"中等教育普通证书"(GCSE)，从而形成了义务教育阶段的国家考试制度。参加完最后阶段的 GCSE 考试后，学生才能获得参加大学入学考试(A-LEVEL)的资格。在阶段性考试中，英语、数学、科学为必考科目
日本	1996 年，日本中央教育审议会发表了《展望 21 世纪我国教育的应有状态》报告，指出教育要在"宽松"中注重对学生基本素质和能力——"生存能力"的培养，并就课程改革的方针、课程体系的构建、学科教育的内容等重大问题进行讨论，通过给学生以宽松的自由想象空间，充分发挥学生的个性特长，培养其创新意识、创造能力和生存能力，培养具有国际竞争能力的人才。1998 年 6 月，日本中央教育审议会发表了最终审议报告，文部省根据报告，修订了课程标准，颁布了新的《小学学习指导要领》和《初中学习指导要领》

资料来源：根据相关资料整理所得。

二是高等教育课程必须为振兴经济服务。主要经济体重新调整高等教育课程的设置，要求大学走出“象牙塔”，为振兴经济做出积极贡献。20世纪80年代，英国撒切尔政府先后出台了多项有关高等教育改革的政策报告，标志着英国政府开始干预高等教育的发展。英国高等教育改革与发展的主题就是提高教育质量和效益，加强高等教育与工商界的联系，加强课程与职业和工作之间的联系，注重能力培养。

表3.17　英国高等教育课程改革的主要内容

国家	内　　容
英国	高等教育企业精神实验。这一举措是伴随着当时的新公共管理运动而产生的。1987年，英国前就业部培训署启动了“高等教育企业精神”(Enterprise in Higher Education，简称EHE)实验。目的是鼓励那些寻求高等教育资格的人发展企业精神，使其学习与企业文化相协调，帮助他们意识到工商业的需要，指导他们如何学习、拥有一些工作经验 能力教育运动。1979年，英国皇家文科协会发布了一份《能力教育宣言》(Education for Capability Manifesto)，指出平衡的教育应该包括创造性技能的训练、承担和完成任务的能力、应付日常生活的能力、与别人合作的能力。能力教育的主要思想是：(1)培养学生在以下方面充满信心：采取有效的、合适的行动；对行动作出解释；与他人一同有效地生活和工作；不断地学习他人的经验。(2)在不熟悉和变化的环境中采取有效、合适的行动，包括判断、价值评价、应对风险的自信心以及承诺从经验中学习。(3)培养学生有信心和能力为自己连续的个人和专业的发展承担责任。(4)为学生在生活和工作环境中发挥好个人的作用做好准备 加强课程与工作经验及雇主之间的联系。许多大学通过为学生提供直接的工作环境经验来发展技能。直接的工作环境主要包括工作实习和“基于工作的学习”(work-based learning)

资料来源：根据相关资料整理所得。

3.2-4　主要经济体供给侧结构性改革的医疗制度改革政策

1. 利用市场化原则提升原有医疗体系效率

主要经济体积极探索对前期免费医疗制度进行市场化改革，将市场原则引入公共领域，提高国民保健服务的效率。1988年，在关于英国国家医疗服务体系(NHS)改革的白皮书中，撒切尔政府提出，“在NHS不开放民营的情况下，将市场运营的好处以其他方式注入，而且也不需要大幅度增加经费”，以解决财政危机，提高NHS的服务质量和效率，保障患者的权益。在医疗制度改革的白皮书的基础上，1991年，《国家卫生服务和社区护理法》正式执行，标志着新的免费医疗体制正式运行，明确引入“内部市场”，购买和提供分离，NHS托拉斯建立，供方实行竞争。

2. 改变管理机制

通过改革，卫生管理部门转换了职能，由管理者变成了购买者，通过合同方式，向公立或私立医疗机构购买服务。英国取消了原先强调集中化管理的“区域卫生局”，其职权下放到改组后的200个左右的“选区保健管理局”(DHA)，使其拥有从管理、提供医疗服务、帮助病人挑选医院到分配国家拨款等广泛的权力。其目的是增强地方当局的“责任感”，在尽可能小的范围内发展医疗服务，制定统一计划，增强服务项目，提高管理效率。同时，政府还规定，医院要获得医疗收入，必须与地方保健当局、全科医生和私人医疗机构签订合同，从而获得“受委托者”(trustee)的地位，只有获得这一资格的医院，才可自行管理医院的经费和人员调配，并获得相当于可支配医疗费用6%的盈利。

3. 引入竞争机制

引入市场竞争机制，接受补贴的医疗机构按照政府提出的任务，提出工作和支出计划，互相竞争，政府择优资助，在福利领域形成所谓的“准市场”机制。英国强调公民有权自行选择医院，选区保健管理局选定多家相互竞争的医院(包括一些私人医疗机构)供病人选择。医疗费用由地方卫生局与这些医院进行结算。这样可以克服以往某些医院病人集中，候诊时间长的弊端，病人也可以选择到条件比较优越、技术力量比较雄厚的医院就诊。面对市场竞争，国立医院不得不努力提高医疗水平，改善服务质量，以便吸引更多病人。

3.2-5 主要经济体供给侧结构性改革的救济制度改革政策

在对弱势群体的救济与补助方面，主要经济体采取了取消补助、削减开支、延迟支付、缩小受益人群、缩小补助的税收优惠等多种手段，来减少政府的福利支出。

1. 取消补助

1982年，英国政府把所有与收入有关的补助取消，如取消对病人、孕妇、残疾人及失业人员的附加补助，把有关津贴定期冻结、推迟或只部分支付。

1981—1988年，儿童津贴被冻结；1981—1983年短期补助的增长率比物价上涨率低5%，并规定，对于这种短期补助的削减，只有等到对津贴收税后才能恢复正常水平。仅此一项，每年的失业保险开支就可以节省4亿英镑，占失业救济金总额的1/10。1986年，死亡和产妇津贴也被取消。

2. 削减开支

供给侧结构性改革改变了养老金按照通货膨胀率和工资增长率调整，以高者为准的制度安排。1980年，英国财政预算案宣布，国家基本养老金只能和物价挂钩，不能和工资挂钩。根据政府判断，从长期看，英国工资增长率要比通货膨胀率高，养老金与通货膨胀挂钩，实际上降低了养老金待遇水平，以此确保社会保障开支的增加速度无法超过工资的增长速度，这实际上减少了津贴的实际价值，1980—1992年，政府因此节约了430亿英镑。里根政府期间，对日间看护、抚育照顾、计划生育等社会服务开支削减幅度大约为22%；取消社区服务管理局，给社区低收入者提供的社会服务项目与其他补助项目合并，经费大约削减39%；医疗补助项目的改革是减少联邦对州的补贴，1982年减少3%，1983年减少4%，1984年减少4.5%（州政府如果能够减少差错率和津贴增长率，则可以避免削减，各州可以要求受益者支付部分费用）。

3. 延迟支付

在失业待遇方面，英国于1984年采取延迟两周支付的办法，大约节省了800万英镑；在未成年人福利方面，则延期4周支付。

4. 缩小受益人群

据美国国会预算办公室的材料估计，里根政府对福利项目的整顿包括对抚养未成年子女家庭补助项目进行改革，如家长有职业即取消其资格，在约45—50万户既有工资收入又领抚养子女补助的家庭中，50%家庭因此丧失领取资格，另外40%家庭得到的津贴减少。食物券方面，1982年取消了因通货膨胀而进行的向上调整，推迟了之后的调整，凡收入为贫困线收入水平130%以上者，取消其领取资格，但家庭中有老人或残疾成员者除外，对分配食物券中差错率过大的州给予惩罚。

5. 缩小补助的税收优惠

改革前，德国对失业金和疾病救济金等给予免税待遇，经过税改，缩小了税收优惠的范围，改失业金、失业救济、病假补助等免税为半额征税，对养老金雇主承担部分的50%、非雇主承担部分的30%课税,取消对节假日及夜班补贴免税和因战争、服兵役或民役致残人员退休全免税的规定等。

3.3 主要经济体供给侧结构性改革的成效评价

20世纪80—90年代,主要经济体开展的供给侧结构性改革,彻底扭转了凯恩斯主义指导下的均衡发展路径,通过结构调整,扭转了经济发展缓慢的颓势,改革形成的结构优势,为主要经济体保持全球经济领先地位提供了坚实的支撑。但不可忽视的是,主要经济体开展的供给侧结构性改革强调市场与自由竞争,改革措施在促进经济发展的同时,负面影响也在逐步显露。

3.3-1 供给侧结构性改革取得"四大成效"

主要经济体开展的供给侧结构性改革,克服了凯恩斯主义需求管理的弊端,实现了总需求与总供给关系的逐步平衡。

1. 宏观经济得到调整与改善

改革开始后,经过2—3年时间,在化解前期政策后续影响后,宏观经济逐步回暖,并能在中长期保持稳定增长态势。同时,通货膨胀与失业情况也得到控制。

(1) 经济增长短期低迷、中期发力、长期分化。第一,短期内经济仍出现低迷特征(2—3年)。改革后,除货币政策效应相对明显外,其他政策的短期效应还不显著,由于受前期政策的后续影响,经济仍然延续下滑态势。一般需要经过2—3年时间,供给侧改革政策效应才能得到全面体现,经济逐步走出衰退。撒切尔政府执政前三年(1979—1982),经济仍然面临负增长。里根政府执政初期推出大幅的减税计划,实行了紧缩货币政策,以短期的紧急的措施为主。GDP增长率由1981年2.6%下降到1982年的−1.9%。第二,改革效应在中期全面显现(6—8年)。经过2—3年的短期低迷后,改革效应将得到全面体现,经济增长呈现明显加速特征,并在6—8年内持续增长,经济重新充满活力和创造力。从1982年开始,"撒切尔奇迹"显现,并保持了9

年的持续增长。1982—1989 年英国 GDP 年增长率基本达到 2%以上，其中 1987、1988 年分别达到 5.55%和 5.93%，创下 1973 年以来新高，这在当时经济普遍不景气的欧洲显得极为突出。1984 年，美国 GDP 增长率达到 1970 年以来的最高点，为 7.3%，美国经济成功走出滞胀。里根第二任期阶段(1985—1989)经济保持平稳，经济增长率保持在 3.5%—4.2%之间。第三，改革效应在长期出现分化态势(10—20 年)。从 10—20 年的长期时间跨度来检视主要经济体供给侧结构性改革的效果发现，改革效应呈现一定的分化。英、美、德等国经济仍能保持持续增长态势，显示供给侧结构性改革夯实了经济的内生增长动力，奠定了经济增长的坚实基础。以美国为代表，进入 90 年代，美国经济持续增长，并创战后最长增长纪录，特别是进入 90 年代下半期，美国经济增长速度明显加快，失业率和通货膨胀保持在较低水平，这与 80 年代美国供给侧结构性改革有明显的因果关系。但是，日本开展供给侧结构性改革后，经济虽取得了阶段性的复苏，特别是长期持续的产业技术政策，为日本形成新的竞争优势奠定了重要基础，却在 90 年代又跌入低速增长区间。主要原因在于日本在过去的成功经验里故步自封，开展的供给侧结构性改革，只是在表面上的小修小改，并未实质性破解经济社会发展中的深层次矛盾，导致经济和社会体制逐渐僵化，制度改革的新动力难以形成，导致日本进入了“失去的十年”。

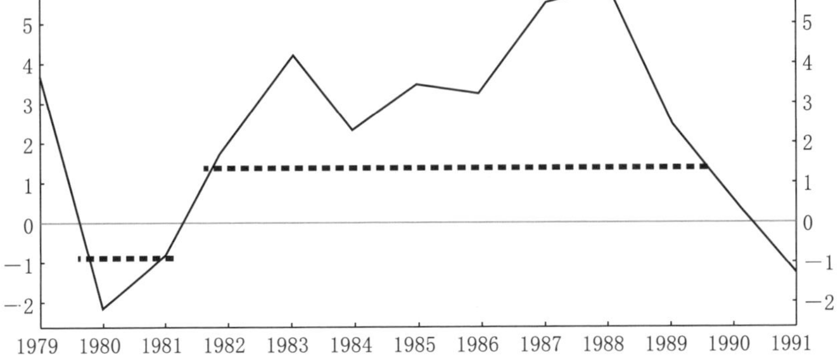

图 3.2　1979—1990 年撒切尔执政时期 GDP 增速

资料来源：Wind 资讯。

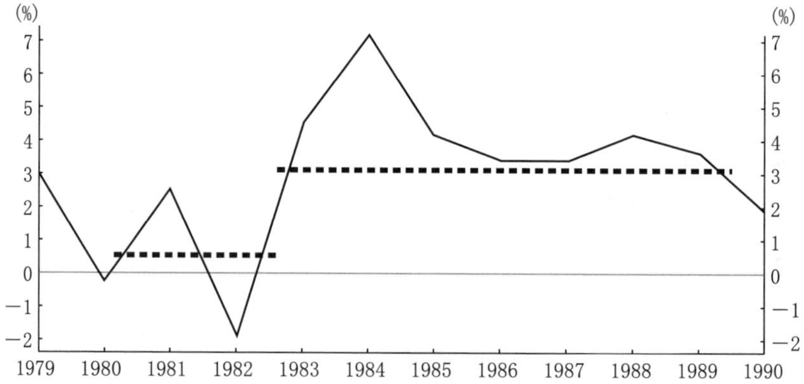

图 3.3　1981—1989 年里根执政时期 GDP 增速

资料来源:Wind 资讯。

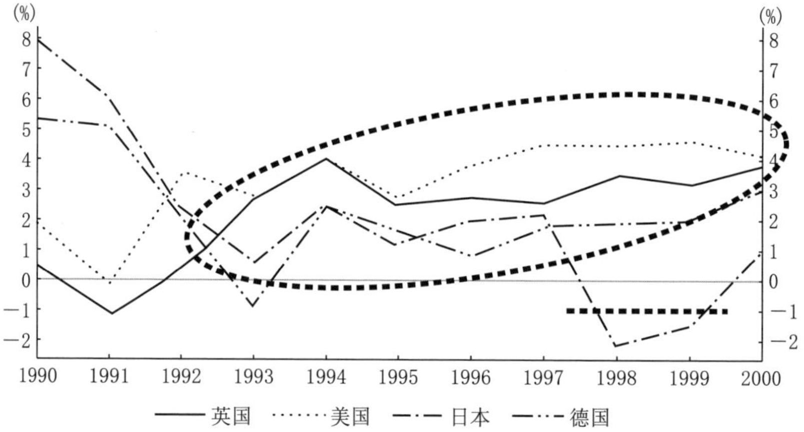

图 3.4　主要经济体供给侧改革开展后 10—20 年经济增长表现

资料来源:Wind 资讯。

二是通货膨胀得到明显抑制。供给侧结构性改革以强调市场与自由竞争的供给管理替代凯恩斯主义需求管理,政策目标以抑制通货膨胀取代了充分就业,把控制货币供应量作为核心目标,使长期困扰主要经济体的通货膨胀得到了有效的抑制。1980 年英国的通货膨胀率高达 19.7%,从 1982 年起降为 7.7%,整个 80 年代中期总体保持在较低水平。1981 年里根入主白宫时,美国正面临平均 12%的通货膨胀率,以及高达 20%的银行利率。而 8 年后里根卸任时,通货膨胀率降低到 4.4%,银行利率降至 10%以下。

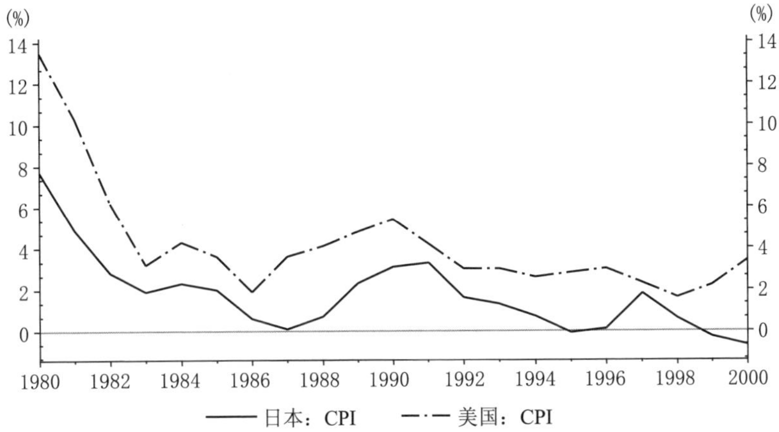

图 3.5　日本、美国改革开展后通货膨胀表现

资料来源：Wind 资讯。

三是失业率先升后降。在供给侧结构性改革初期，控制通货膨胀的目标要优先于充分就业，当失业上升时，政府不仅不再像过去那样扩大需求以降低失业，反而进一步限制需求的增长来遏制通货膨胀，这种政策在抑制通货膨胀的同时，推动改革初期的失业率增高。在产业表现上，由于主要经济体着力调整产业结构，化解钢铁等衰退产业，导致出现部分失业人口，而新兴

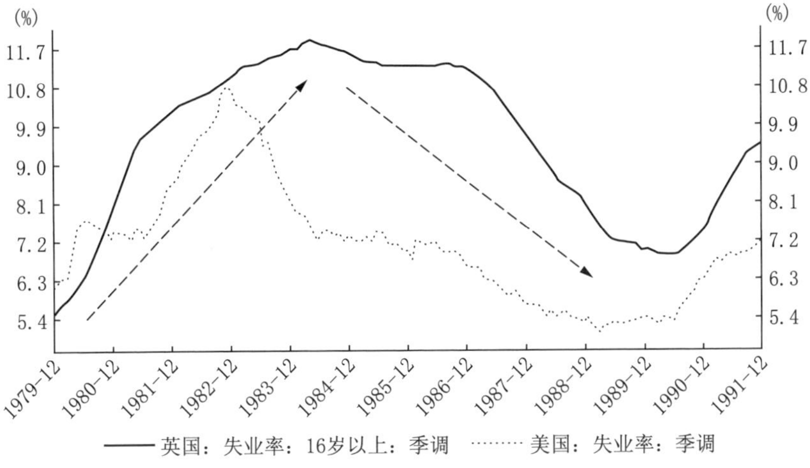

图 3.6　英国、美国改革开展后失业率表现

资料来源：Wind 资讯。

产业还未能吸纳就业人口，导致失业率有所上升。但伴随着中长期改革效应逐步显现，新就业机会得到创造，失业率逐步降低。里根政府执政一年后，失业率进入下降通道，而撒切尔政府执政期间，失业率处于高位，但总体保持稳定，经过 5 年时间，逐步进入下降通道。

2. 产业结构能级不断提升

主要经济体开展供给侧结构性改革后，不仅在中长期经济保持持续增长，产业结构也提升到了更高的层次，国际竞争力明显加强。

一是产业比例逐步优化。供给侧结构性改革直接推动了主要经济体产业结构的大调整。以美国为例，20 世纪 80 年代，第一产业比重下降明显趋缓，产值比重和就业比重分别下降了 0.5 个和 0.7 个百分点，第二产业比重下降速度较前几个 10 年明显增快，产业和就业比重分别下降了 5.5 个和 4.2 个百分点，第三产业继续以较大幅度增长，产值与就业比重分别上升 6 个和 4.9 个百分点。

二是主导产业逐步更替。经过供给侧结构性改革后，以信息技术为核心的高新技术产业迅速发展，取代了原先钢铁、造船、化学等传统产业。微电子技术、电脑及软件技术、信息传输（包括微波、光纤、卫星、网络通信等）技术、多媒体技术、数据库技术、数字压缩技术等新的信息技术的出现和融合，加之现代生物技术、纳米制造技术、人工智能技术和新能源技术等高技术的革命性进展，大大加强了信息应用传递、储存和处理等过程的能力和效率。产业更替后，新兴产业成为主角，并对传统制造业产生明显拉动作用，对主要经济体经济增长形成了巨大的支撑作用。

三是虚拟部门与实体部门融合现象逐步显现。伴随着政府规制的放松，形成了产业之间的战略性互补，各种新兴业态相继涌现。20 世纪 80 年代，在美国，金融产品自由定价，金融创新大量涌现，各类存款机构分工趋于交叉，金融市场国际化趋势加强。在日本，出现了金融服务业、信息通信业及流通业之间“战略性互补”的新格局。如超市通过各营业网点的自动取款机开始从事集银行、人寿及财产保险、证券清算等为一体的清算专业银行的业务；制造业企业（索尼、丰田、日立等）试图开发以网络银行为主的金融业务，并进入汽车及住房信贷、信用卡业务等领域。

3. 企业发展活力明显提升

20 世纪 80 年代，主要经济体先后开展的税制改革，以及在资本利得、存货估价和折旧方法等方面的优惠让企业得到了好处，企业生产成本明显降低，企业竞争地位明显改善。

一是跨国并购数量大量增加。20 世纪 80 年代后期，跨国并购出现迅速发展的局面。到 1990 年，全世界的跨国并购达到前所未有的 1 600 亿美元，约相当于 1980 年全世界企业并购(包括国内并购和跨国并购)183 亿美元的 8.7 倍。1991 年，由于世界性经济危机的影响，跨国并购一度减少为 853 亿美元，但 1992 年后即转为增加，1993 年重新达到了 1 623 亿美元。其后，跨国并购的高潮迭起，并购的纪录一再刷新，1998 年突破 6 000 亿美元，1999 年达到 8 528 亿美元，约相当于 1993 年的 5.3 倍。

二是巨型企业数量大量增加。据联合国统计，1976 年，销售额在 10 亿美元以上的最大跨国公司共有 422 家，美国占半数以上。1980 年开始，全球跨国公司从 1.1 万家增加到 1997 年的近 4.5 万家，由此推动国际直接投资额大幅度攀升和国际直接投资总存量急速膨胀。

三是高科技领军企业数量大量增加。改革期间，一批高科技企业相继崛起。以美国为例，微软、IBM 等高科技企业在科学发展潜力、基础研究设施和大型研究经验等方面均拥有领军实力，还有众多高科技企业在微电子、生物技术、新材料、新能源、海洋开发、激光、宇航等重要领域保持着领先地位。

四是中小企业数量大量增加。整个 80 年代，主要经济体企业注册迅速增加。以英国为例，新型小企业的注册数量急剧上升，从每年 15 万增加到 25 万。在 1981—1989 年间，在东南部、东安格利亚和西南部的新型创新公司的注册数量分别达到 698.3 万、70.9 万和 153.5 万，其增长率分别达到 96.1%、104.1%和 99.6%，在北方、威尔士、苏格兰和北爱尔兰等传统受援地区的增长量也分别有 62.9 万、75.9 万、109.9 万和 31.9 万，增加比例分别为 56.1%、80.8%、54.9%和 63%。

4. 劳动与资本关系逐步稳定与成熟

劳资关系是主要经济体供给侧结构性改革的重点，改革推动了劳资关系的实质性变化。

一是工会权力得到有效削减。主要经济体改变了工会及工会会员的法律地位,工会的重要性也明显下降,工会逐步失去了二战之后的绝大多数影响。同时,针对工会的改革,以保护和提高效率为名义,拆散了旧法律中对劳动力市场的保护,包括对数百万低收入者和非工会会员的保护,打破了工会对劳动力市场的垄断。以英国为例,1984 年,无论是工会会员、罢工的次数还是罢工损失的工作日,都在这一年发生了根本的变化。许多滥用工会权力的行为得到遏制,工会领导人比以前对工会会员更加负责,劳资关系中法律的作用得到了普遍的接受。

二是罢工减少。20 世纪 80 年代,主要经济体虽然发生了不少罢工,但总的趋势是罢工次数不断减少,罢工人数和损失工作日不断下降。据英国就业部就业公报显示,1979 年,罢工 2 125 次,涉及工人 460.8 万,损失工作日 2 947.7 万。到 1984 年,罢工次数下降近一半,只有 1 221 次,涉及工人 146.4 万,损失工作日 2 713.5 万(主要是由于煤矿工人罢工,而在 1983 年只损失 375.4 万工作日)。到 1991 年,罢工减少到 630 次,只有 17.6 万工人参加,损失工作日只有 76.1 万。特别是 1987—1991 年间,罢工数量比 80 年代前期下降 70%,远远低于西欧其他国家的平均水平。

三是工人工资提高。英国为典型代表,虽然在 20 世纪 80 年代大部分时期,英国仍然存在比较高的失业率,但是在职工人的工资都提高了,且增加的幅度要高于通货膨胀指数的增长。在 1979—1989 年,工资纯增加额达到 21%,现金收入则增长更快,达到 145%,而同期的消费价格指数仅增长 103%。

3.3-2 供给侧结构性改革产生的“六大问题”

不可忽视的是,主要经济体开展的供给侧结构性改革更加注重市场和自由竞争,改革措施在实现经济增长的同时,负面问题也在逐步显露,经济社会各个领域的“分化”特征日益明显,六个“扩大”现象较为明显。

1. 国际收支逆差扩大

国际收支的理想状态是收入与支出相抵,是一国经济竞争力的关键指标。以美国为典型代表,在供给侧结构性改革前,美国国际收支大体平衡——1977 年美国国际收支逆差占 GDP 比重为 0.7%。里根当选总统后,美国国际收支平衡急剧恶化。到 1987 年，美国国际收支逆差占 GDP 比重达到 3.3%，美国的经常项目赤字已经达到 1 600 亿美元。鉴于国际收支平衡严重恶化，以及随之而来的美元外流导致贸易逆差扩大，美国唯有借助大规模的外国借贷，才能避免美元汇率大幅下滑。

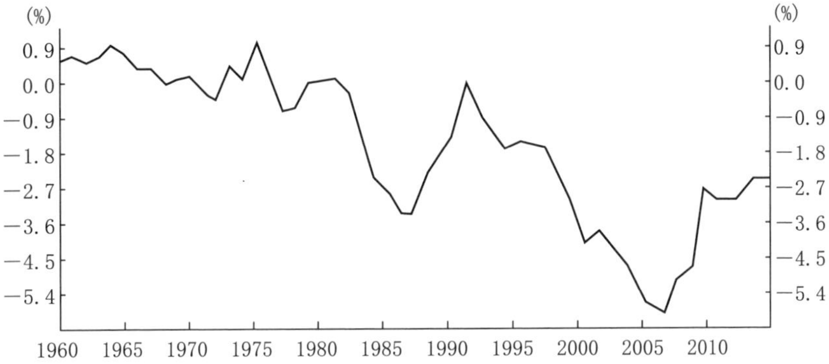

图 3.7　美国经常项目差额占 GDP 比重

资料来源：Wind 资讯。

2. 国际贸易摩擦加大

20 世纪 80 年代，日美贸易摩擦成为重大外交问题，美国开展的供给侧结构性改革，利用金融紧缩政策，虽然成功抑制住了通货膨胀，但由于减税和军事费用支出的增长，财政赤字规模扩大，持续的高利息吸引了海外投资资金流向美国，美元需求增加，美元进入升值通道。而美元升值又使得贸易赤字扩大，形成一种连锁反应机制，出现财政赤字和贸易赤字的“双赤字”现象。而此时，日本的对美贸易顺差就成为问题焦点，日本出口被看作是引起美国经常收支赤字的元凶，美国要求日本削减经常收支黑字。同时，美国不仅要求日本采取出口自愿限制，而且还批评日本的各种进口壁垒，导致美国产品很难进入，并就牛肉、橙子等农畜产品，汽车零部件，金融业，以及通信等领域的市场开放进行了交涉。

3. 公共债务规模扩大

供给侧结构性改革前，主要经济体国内非金融部门（包括中央政府、地方政府、公司企业、家庭）的债务同国民生产总值往往有一种相当稳定的关系，美国非金融部门债务大体在相当于国民生产总值的 1.36—1.38 倍之间摆动。但进入20世纪80年代后，美国的公私债务负担大大超过了国内生产的增长，国内非金融总负债占国民生产总值的比重从1980年的138%上升到1985年的169%，其中联邦政府债务的急剧增长是主要因素。德国从1991年到2002年，公共债务逐年上涨，增长了近1.1倍，达到12 531.95亿欧元，2002年累计债务总额已占到国内生产总值的60.8%，逾越了增长公约规定的60%的公共债务占国内生产总值的比例上限。2002年，德国政府财政赤字占国内生产总值的比重已经上升到3.5%，超过了欧元区财政赤字占国内生产总值3%的纪律约束标准。

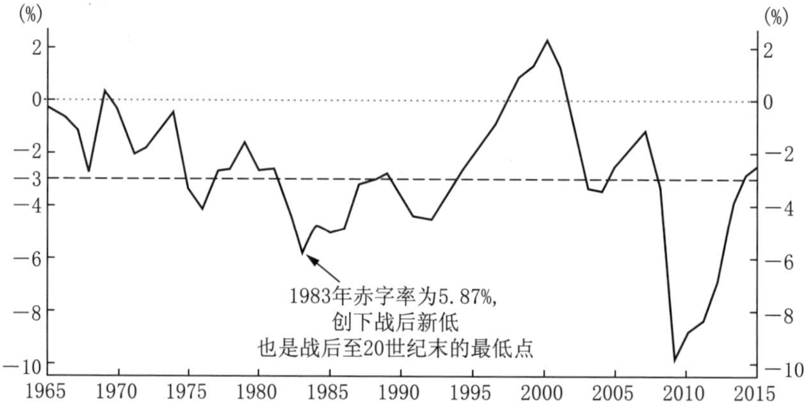

图3.8　1965—2015年美国联邦财政盈余占GDP比重

资料来源：Wind资讯。

4. *区域发展差距扩大*

主要经济体开展的供给侧结构性改革，对传统的区域政策进行了反思，依靠市场力量原则取代国家干预成为解决区域问题的一种选择。放弃了前期强调国家干预的区域政策手段，代之以鼓励和挖掘受援区域本地经济潜力，以实现受援区域自我持续发展的长远目标。在此背景下，区域发展差距明显拉大，20世纪80年代中期，在撒切尔政府去工业化政策的干预下，英格兰南部出现了繁荣的景象，但是限制工业化导致采矿业、钢铁业、船运业以及制造业等传统产业陷入严重萧条，英国北方大部分地区的经济增长不容乐观。

5. 金融市场波动扩大

主要经济体开展的供给侧结构性改革的重要领域就是金融规制的放松。随着金融规制的不断放松，金融自由化不断推进，金融混业经营的范围和规模不断扩张，各类金融创新层出不穷。然而，金融监管体制的调整往往僵化和滞后。蓬勃发展的金融创新遇到僵硬不变的监管体制，监管体制与经营体制不相匹配，就会导致金融创新失去监控，风险快速集聚，使得金融市场的波动加大，最终导致金融危机的爆发。20 世纪 80 年代美国逐渐放松了金融市场的监管，同时对股票投资实施减税政策，巨额游资涌入美国股票市场，共同推动了 1987 年美国严重股灾的发生，进而对全球的金融市场造成巨大的影响。

6. 贫富差距逐步拉大

二战后，高收入阶层和低收入阶层的差别有所缩小，劳动者和贫苦大众的生活条件有不同程度的改善，这是改良主义政策建立社会福利安全网并利用财政信贷杠杆进行收入调节的结果。但是，主要经济体开展的供给侧结构性改革，特别是大幅度削减所得税政策实践显示，在鼓励市场经济与自由竞争的同时，收入越高的阶层从税制改革中得到好处越大，使得贫富差距逐步拉大。有资料显示，1980 年里根上任时，富人群体占美国人口的 1%，其全部财富占到国内生产总值的 9%，而到了 2006 年，这 1%的富人群体拥有了多达 23%的国家财富。1979—1987 年间，英国收入为全国平均水平一半的阶层，其承担的税率从 13.9%上升到 16.1%；而 5 倍于平均水平的阶层承担的税率却从 51.5%下降到 43.1%，到了 1992 年仅为 35%。

3.4 主要经济体供给侧结构性改革的借鉴启示

主要经济体采取的供给侧结构性改革，从传统的凯恩斯主义需求管理转向强调市场与自由竞争的供给管理，是面对外部冲击和内部压力的积极回应。尽管中国当前所处时期、面临形势与主要经济体并不完全相同，但经济社会面临的结构性问题与矛盾并不亚于 20 世纪 70—80 年代的主要经济体。因此，中国开展供给侧结构性改革，既可以辩证吸收改革的成功经验，也需要防止重蹈问题覆辙。

3.4-1 思路上"三大启示"

主要经济体大刀阔斧地开展供给侧结构性改革，是在"新右派"思潮指引下，强调市场与自由竞争，都是对凯恩斯主义需求管理的大胆突破。

1. 供给侧结构性改革具有历史必然性

20世纪70年代，经济全球化和技术创新的加速发展，对主要经济体的经济社会结构造成了巨大冲击，成为主要经济体推进供给侧结构性改革的外在动力。在市场日趋饱和的情况下，大规模批量生产已经难以维持盈利，为满足不断增长的个性化需要，灵活、分散、技术密集的专项化生产取代了大规模批量生产方式，进而带动了产业结构的转型和阶层结构的调整。伴随着社会阶层结构的变化，社会价值观也呈现出空前的多样性，新自由主义和新保守主义逐步交织、融合，对以往的依赖传统、依赖威权的凯恩斯主义需求管理造成了明显的冲击。在此背景下，主要经济体开展的供给侧结构性改革，是对经济社会结构调整、变化的积极回应，有其客观的必然性。

2. 供给侧结构性改革并不是完全放弃需求管理

凯恩斯本人在《就业、利息和货币通论》中曾反复强调，他的经济理论只适用于分析短期现象，用于讨论解决短期内有效需求不足的问题。随后，在哈罗德与多马等人的工作中，凯恩斯的分析框架被扩展用来分析长期经济增长问题。而"新右派"思潮主导下的供给侧结构性改革注重长期增长，试图通过经济结构性调整，重塑内生动力，提升一个国家生活水平和社会福利。因此，凯恩斯主义需求管理与"新右派"供给管理之间并不存在"非此即彼"的矛盾，在开展供给侧结构性改革的大背景下，短期宏观管理同样重要，对于如何平滑短期经济波动，凯恩斯的分析框架仍然有效。但要防止凯恩斯主义需求管理将政府对经济景气波动的干预常态化，防止依靠凯恩斯主义需求管理的短期政策，过于强调通过扩大政府公共开支和投资来增加社会需求，而不着力解决中国经济长期增长中存在的结构性、体制性问题。

3. 供给侧结构性改革不等于完全采纳供给学派

在中国经济当前面临的问题中，既有内部失衡或外部冲击造成的暂时困难，也有推行凯恩斯主义政策造成的长期问题，单独采用任何一种理论都不可能做到药到病除。主要经济体开展的供给侧结构性改革，理论内核可以看作是以“新右派”思潮为基础，既强调市场和自由竞争的供给管理，又兼有凯恩斯主义需求管理的综合体。因此，中国开展供给侧结构性改革，要吸取供给学派的合理之处，包括针对税负过重的领域降低税负，积极推动过剩产能的出清，但与此同时，对于供给学派全面减税、降低政府干预等做法要予以仔细判断和分辨，产业政策的制定也要符合中国的基本情况和时代特征。

3.4-2　手段上“六大启示”

供给侧结构性改革的具体政策手段，要围绕强调市场经济与自由竞争，充分发挥市场的作用，提升市场的配置效率，提高市场各类主体的竞争能力。与此同时，要在推崇“效率优先”的同时，兼顾公平，防止出现“分化”现象。

1. 财税政策要激发市场活力

财税政策是主要经济体供给侧结构性改革的重要方面，在调结构上具有独特优势，能够发挥更大作用，特别是在短期内有利于提升企业和个人生产的积极性，激发市场的活力。但就中国的发展现状而言，财税政策的重点应该更加侧重体制改革。一是积极推进税制为核心的公共收入制度改革，着力实现个人与企业整体负担的综合性降低。二是探索以控制支出总额、提高支出效率为核心的公共支出制度改革。从严控制公共支出，形成政府与企业、政府与个人、中央与地方之间稳定的财政关系。

2. 货币政策必须松紧适度

一是货币政策必须松紧适度，不能只顾追求短期繁荣。要保持货币政策稳定，货币政策既要关注短期经济增长，也要注重长期协调发展，盲目追求短期繁荣而长时间实施过度宽松的货币政策，极易引发资产泡沫。二是金融行政的改革应与金融的自由化及国际化协调进行，在政府的保护下，对风险管理迟钝的金融机构容易在金融自由化的进程中展开扩大融资的竞争，结果导致泡沫经济的产生以及大量不良资产的出现。三是金融领域的监管要对经济环境变化形成适应性和有效性。金融领域的适度竞争可以提高资金的配置效率，但金融是一个特殊领域，“市场失效”的概率大于其他领域。因此，优化金融监管，提高金融监管体制对经济环境变化的适应性和有效性,应该成为整个改革的重点内容。

3. 产业政策重在提升能级

一是具体产业的停滞是经济进化过程中不可避免的部分。特定产业的停滞是健康有益的,正因为衰退部门的资源释放,才有资源涌入正处于扩张阶段的、更加健康的经济部门。但在衰退部门化解产能过程中,要以市场为导向,具体问题具体分析,谨慎制定应对政策,不可一刀切。政府可以依靠拉动内需、产业升级、产业调整、产业转移等多种手段来应对产能过剩。二是技术创新是传统产业走出困境的核心。美国半导体工业的复兴,与钢铁和汽车工业所走过的路程形成了鲜明的对比。因此,中国开展供给侧结构性改革要积极推动制造业高端化、智能化、绿色化、服务化,着力培育发展新产业,加快推动服务业优质高效发展。

4. 国企改革经验应辩证吸收

一是提高企业效率的举措可以充分借鉴。必须打破国企经营者的束缚,通过充分授权,提高国企经营效率。必须打破国企员工的"铁饭碗",令其可以期待优厚的薪酬和待遇,但是要拿出能力和干劲。二是加快完善国企改革的程序。构建完善的法律保障,构建包括决策、立法、实施、审计等环节在内的改革程序,实现国企改革的有序推进。三是探索多种方式,实现国企改革的变通推进。包括出售公共部门的部分资产,针对亏损但条件尚未成熟无法私有化的企业采取自由化竞争的方式,采取特许投标以及由私有部门协助公共部门提供补充性劳务等多种方式。

5. 福利保障既不缺失也不过度

通过观察主要经济体供给侧结构性改革可以发现,社会保障既不能缺位,也不能过度,要正确处理收入分配与经济发展的关系,分配制度改革要有助于促进经济发展。一是推进住房制度改革。现阶段改革可以采取税收减免、发放房租补贴等多种措施,加大对住房需求者的补贴力度。二是积极推进教育制度改革。优化教育投资改革,优化财政经费投入方式,积极推动市场竞争,提高教育经费的使用效率,推进基础教育和高等教育的课程改革。三是推进医疗体制改革。利用市场化原则提升原有医疗体系效率,探索改变医疗管理机制,在现有医疗体制内引入竞争机制。四是适当减少社会救助。探索采取取消补助、削减开支、延迟支付、缩小受益人群、缩小补助的税收优惠等多种手段，减少政府福利支出。

6. 防止部分矛盾问题激化

不可忽视的是，主要经济体开展的供给侧结构性改革是以放弃某些领域来换取整体的经济增长。因此，改革措施在促进经济发展的同时，国际收支、国际贸易、公共债务、区域发展、金融市场、贫富差距等方面的问题也会逐步暴露。中国在推进供给侧结构性改革过程中，要针对潜在的或可能发生的突发事件，事先制定相关的应急处置方案，防止局部问题扩大，对供给侧结构性改革的整体进程产生不利影响。

4

新常态下结构性改革的形势与风险

中国经济持续30多年高速增长后，内生因素和外部环境都已发生变化，经济发展进入新常态，增长速度从高速转向中高速，发展方式从规模速度型粗放增长转向质量效率型集约增长，结构调整从增量扩能为主转向存量与增量并存，发展动力从传统增长点转向新增长点。总体来说，中国经济发展基本面向好，但也面临着很多风险和困难，特别是结构性问题突出，供给与需求之间的矛盾突出，必须加大结构性改革力度，矫正要素配置扭曲，扩大有效供给，提高供给结构适应性和灵活性，提高全要素生产率，促进经济可持续增长。

4.1 中国经济新常态的特征与风险分析

4.1-1 中国经济新常态的特征

1. 世界经济步入新常态的特征

第一，全球治理体系深刻变革。一是国际力量对比逐步趋向平衡。发展中国家群体力量持续增强，全球治理核心更为聚焦制度规则的构建，改革全球经济治理机制、加强国际经济协调等成为共同议题，新兴大国作为全球化进程的重要参与者，承担越来越多的责任。二是全球贸易和投资新规则加速构建。美、日等 12 个国家正式签署跨太平洋伙伴关系（TPP）协议，美欧之间的跨大西洋贸易与投资伙伴关系（TTIP）协定已进行了 11 轮谈判，区域全面经济伙伴关系（RCEP）协定谈判正在加快步伐，新一轮全球化博弈已从市场之争转向深层次的国际贸易投资规则之争，在竞争政策、国有企业、环境保护、知识产权、劳工待遇、竞争力和商业促进、透明度与反腐败等方面设立新的标准，推动全球货物贸易自由化和便利化程度进一步提高，引发世界经贸格局乃至全球经济治理框架的新一轮调整。三是国际金融监管治理缓慢推进。2008 年国际金融危机以来，国际金融监管改革逐步展开，但实际上许多重要改革和监管机制难以落实。面对新一轮的全球金融动荡，国际金融和货币体系规则将加快改革，尤其是在短期资本流动监管、全球金融市场稳定机制、重要跨国金融机构监管等方面，纠正全球市场失衡和资源配置扭曲，降低系统性风险。

第二，世界经济增长长期放缓。一是世界经济在较长一段时间内保持中低速增长态势。世界经济仍处于国际金融危机后的深度调整期，高速增长阶段已告一段落，经济调整趋于长期化，新经济增长点的培育仍有待时日，总体复苏疲弱态势难有明显改观。二是分化态势将继续持续。发达经济体总体增长态势好于新兴经济体，但美、欧、日等增长率普遍低于预期增长率。新兴市场与发展中经济体整体增速下滑程度加大，且内部分化显著，除印度外的新兴经济体普遍面临衰退，尤其是依赖能源和大宗商品出口的国家陆续出现危机。三是全球贸易增速将长期保持较低水平，外需乏力成为常态。据世界贸易组织（WTO）统计，全球贸易已连续第四年增长率低于 3%，2015 年上半年世界货物贸易量同比下降 0.7%，其中发达国家出口下降 0.2%，发展中国家出口下降 1.9%。在世界经济增长速度放缓特别是新兴经济体经济调整加深的背景下，全球贸易复苏前景不容乐观。

第三，世界主要经济体改革发展出现新趋势。一是发达经济体和新兴经济体都将聚焦结构性改革。金融危机以来，发达国家率先进行大规模的结构性改革和经济调整，未来对于宽松货币政策的选择将更为谨慎，采取宏观

表 4.1　2013—2016 年世界贸易增长趋势(%)

	2013 年	2014 年	2015 年	2016 年
世界货物贸易量	2.5	2.5	2.8	3.9
出口:发达国家	2.2	2.0	3.0	3.9
发展中国家	3.8	3.1	2.4	3.8
进口:发达国家	-0.1	2.9	3.1	3.2
发展中国家	5.2	1.8	2.5	5.2

注:2015 年和 2016 年为预测值。
资料来源:WTO,《贸易快讯》,2015 年 9 月 30 日。

审慎政策控制金融风险的可能性逐步加大。而主要新兴经济体结构调整相对滞缓,为进一步提高生产率和消除生产瓶颈,结构性改革步伐将加快。二是全球科技革命和产业变革孕育新突破。主要经济体纷纷出台促进科技创新和新兴产业发展的战略,大力推动制造业与数字化融合,围绕绿色低碳、人工智能、生命科学等领域的技术创新更加密集,新兴产业在全球产业结构中将占据越来越重要的地位。同时,科技革命带来的新技术、新工艺、新理念,对传统制造业转型升级形成强大压力和动力,促使各国产业发展模式加快转变,工业化与信息化进一步融合发展。

2. 中国经济步入新常态的特征

第一,增长速度换挡。据国家统计局公布数据,2015 年中国国内生产总值(GDP)为 676 708 亿元,同比增长 6.9%,16 年来 GDP 增速首次破 7。随着经济总量的增大,经济增速下降符合经济发展的客观规律,是经济发展的阶段性现象和自然过程。未来,中国经济将在合理区间内运行调整较长一段时间,呈现 L 形的态势,未来五年经济年均增长底线为 6.5%①,经济将更趋于高质量的增长。从短期看,经济下行压力加大。目前,中国经济已出现明显的“经济增速下降、工业品价格下降、实体企业盈利下降、财政收入增幅下降”现象,市场信心不足,再加上中国经济还未真正经历出清和去杠杆,下行压力进一步增加的可能性较大。

① 根据“十三五”实现国内生产总值和城乡居民人均收入比 2010 年翻一番目标测算而得。

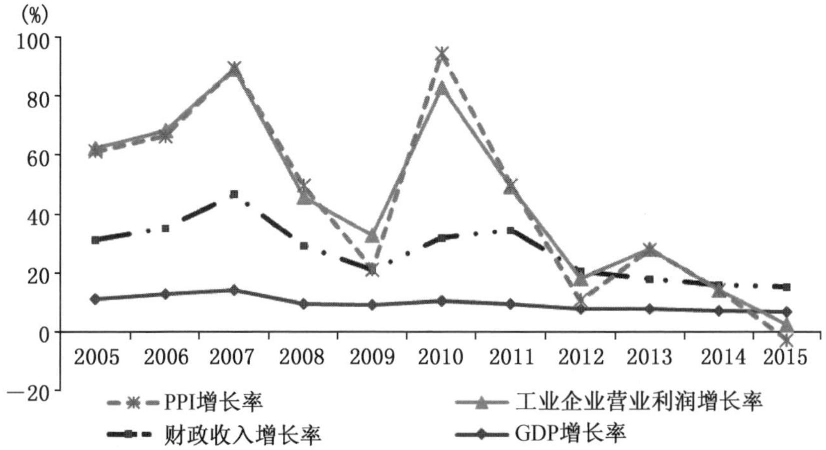

图 4.1　近十年中国 GDP、财政收入、工业企业营业利润和 PPI 增长情况

资料来源：Wind 资讯。

第二，动力机制转变。从需求结构看，由投资、出口主导向消费、投资、出口协调拉动转变。2015 年，消费对经济增长的贡献达到 66.4%，内需的拉动作用不断加大。从驱动方式看，由资源环境和劳动成本驱动向创新驱动转变，新技术、新业态、新模式对经济增长的贡献在不断加强。2015 年，高技术产业增加值比上年增长 10.2%，比规模以上工业增加值快 4.1 个百分点，第三产业内以金融、IT 服务、科技服务、租赁和商务服务为代表的现代服务

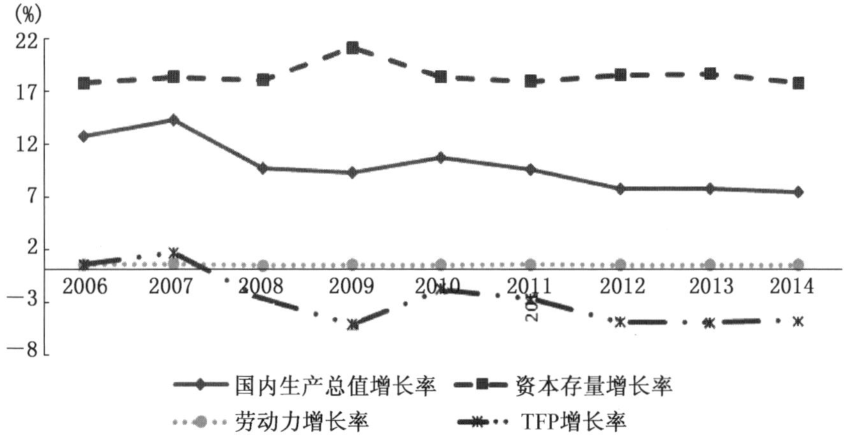

图 4.2　2006—2014 年中国资本、劳动力和技术增长情况

资料来源：Wind 资讯。

业增长较快，成为推动经济增长和结构升级的重要引擎。但总体而言，近十年来，中国资本、劳动力和技术增长率都处于下行通道(如图 4.2 所示)，经济增长新动力仍需强化。

第三，结构矛盾突出。一方面，新需求与旧供给之间矛盾突出。20 世纪 80、90 年代，中国结构性矛盾主要表现为部门性短缺，即在产业结构或投入产出关系中，有些产业部门，如能源和基础产业等严重短缺，进而制约了产业链乃至整个供应经济的运行。而现今的结构性矛盾主要表现为传统产业产能过剩与层次性的结构性短缺并存，导致有效供给不足，尤其是安全高品质的商品、中高端服务等供给不足，难以满足日益增长的发展型消费需求。另一方面，新旧结构性问题交织。目前，不仅部分老的结构性问题仍然存在，比如国民收入分配结构中政府部门比重高，个人、家庭比重低等，一些新的结构性矛盾又不断涌现，比如社会资金大量进入虚拟经济领域，实体经济资金供给不足等。

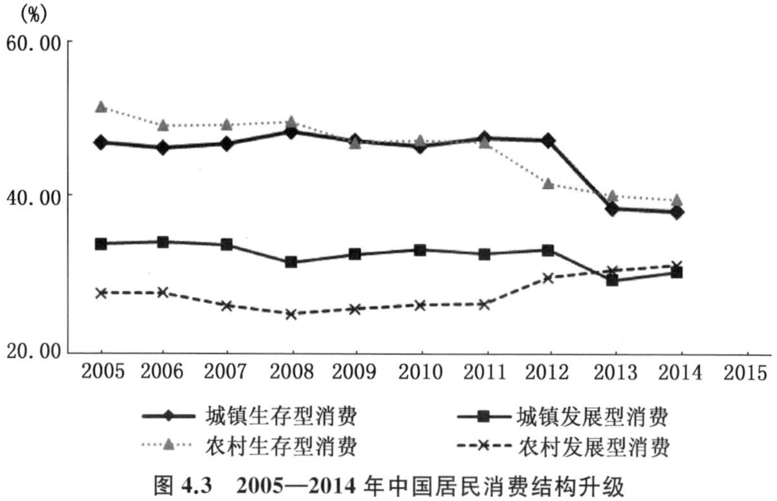

图 4.3　2005—2014 年中国居民消费结构升级

资料来源：Wind 资讯。

第四，矛盾风险累积。一方面，全球环境复杂多变，世界经济仍处于后金融危机的缓慢复苏阶段，新的金融危机风险正在累积，外部冲击可能给中国经济发展带来多重风险。另一方面，国内经济增长减速，国民资产负债表的杠杆率过高、落后产能进一步累积、资产价格泡沫膨胀等逐步显现，未来几年可能是中国经济发展面临的各方面风险不断积累甚至集中显露的时期。

4.1-2 中国经济新常态面临的风险分析

1. 外部风险分析

在地缘政治冲突风险方面。近期,中国所处的周边和国际环境中不稳定不确定因素明显增加,国际关系结构性矛盾进一步加剧,传统安全威胁和非传统安全威胁交织,地缘政治风险进入高发期,尤其是中国周边领土主权争端升温,中美新型大国关系面临新挑战等,给中国维护发展所需的战略机遇带来压力。

在全球金融动荡风险方面。一是欧洲和日本的债务风险高企。刚刚走出衰退泥潭的欧元区并未摆脱主权债务危机的阴影,边缘成员国家债务负担较为沉重,中长期内欧元区解体的风险始终存在。日本政府债务与 GDP 之比高达 243.2%,居全球首位,且经济增长极不稳定,未来再次跌入通缩困境的风险较大,主权债务发生违约的概率显著上升。二是新兴市场金融风险趋升。美联储加息前后,新兴市场面临跨境资本大幅外流的冲击,各国货币不同程度贬值。根据相关数据统计,从 2015 年底美联储宣布加息到 2016 年 1 月中下旬,俄罗斯卢布、墨西哥比索、南非兰特、巴西雷亚尔和阿根廷比索对美元汇率分别累计下跌 9.13%、7.66%、7.07%、4.29%和 3.69%,韩元、印度卢比和菲律宾比索的同期贬值幅度分别达到了 2.09%、2.01%和 1.25%。如果应对不当,新兴市场可能遭遇金融风险,甚至可能引爆一定规模的货币危机。四是全球性通货紧缩风险抬头。随着全球经济总需求下滑,主要经济体通胀水平下降,欧元区已处于通缩边缘,经济复苏停滞与通缩并存,全球经济可能面临较长时期的通缩风险。

在世界经济安全风险方面。一是"走出去"面临风险。例如,一些国家实行的特殊经济管理政策将直接影响中国企业的海外投资和工程项目,尤其是国际经贸新规则力推环保、劳工等标准升级,使中国企业"走出去"的风险和挑战增大。二是汇率波动带来风险。国际金融动荡加剧的背景下,一些国家的本币汇率可能在短期内大幅跳水,使中国企业的海外投资等严重受损。三是新型债务风险。"一带一路"、亚投行等重大战略实施过程中也面临新的风险,尤其是资金无法收回的风险,需要提前注意加强风险管控。

2. 内部风险分析

第一类，债务风险。一是政府债务快速上升且结构性风险突出。2008年以来，中国政府部门债务率快速上升，截至2014年末，政府负债占GDP比重为57.8%，已接近60%①的警戒线。更为重要的是，地方政府债务风险突出。一方面是地方政府整体负债率过高，2015年底地方政府债务余额高达16万亿元，负债率为23.6%，远远超过美国地方政府13%—16%的负债率上限，其中贵州、辽宁、云南和内蒙古四地负债超过红线②；另一方面是市县债务风险高企，截至2015年底已有100多个市本级、400多个县级的债务率超过100%，市县债务庞大已不是个别现象，需要引起高度关注。二是非金融企业杠杆率过高。截至2014年末，非金融企业负债达到94.93万亿元，占GDP比重高达149.1%，去除地方政府融资平台债务后为78.33万亿元，占GDP比重为123.1%，充分反映实体经济负担之重、风险之高。

表4.2　截至2014年末中国实体部门负债情况

	债务总额(万亿元)	占GDP比重(%)	2008—2014年增幅(%)
政府部门	36.8	57.8	17.8
居民部门	23.2	36.4	18
非金融企业	94.93	149.1	51

资料来源：Wind资讯。

第二类，金融风险。一是信用风险较大。中国商业银行不良贷款率连续16个季度上升，截至2015年9月底，商业银行不良贷款率达到1.59%。并且，不良贷款的发展正逐步由小企业向大中型企业蔓延，风险处于上升通道。二是流动性风险较大。在宽松的货币环境下，影子银行体系迅速发展，存在期限错配、流动性转换、信用转换和高杠杆等突出风险，尤其是银行体系外风险向体系内传导的风险正在上升。三是监管风险较大。互联网金融、民间借贷等领域缺乏系统监管，各类风险不断积累。截至2015年11月

① 国际社会一般将政府负债占GDP比例的60%视作“警戒线”。

② 截至2016年1月22日，贵州省和辽宁省的债务率分别达到120.2%、197.47%，超过了全国人大常委会划定的100%债务率红线，云南省和内蒙古自治区的债务率分别为111.23%、104.7%，也略超过红线。

底，全国新增 P2P 问题平台 82 家，环比增加 60.8%，其中跑路平台多达 64 家，环比激增 433%，全国问题平台数累计为 1 248 家，占全部平台三成以上。

表 4.3 2015 年部分公司债违约案例

企业名称	企业性质	主营业务	债券名称	违约时间
中科云网	民营企业	云服务平台	11 天威 MTN2	2015 年 4 月
天威集团	央　企	能　源	12 湘鄂债	2015 年 4 月
珠海中富	民营企业	塑料制品	12 中富 02	2015 年 5 月
中国二重	央　企	装备制造	12 二重集 MTN1	2015 年 9 月
中钢股份	央　企	钢　铁	10 中钢债	2015 年 10 月
天威英利	央企下属	能　源	10 英利 MTN1	2015 年 10 月
山水集团	民营企业	水　泥	15 山水 SCP001	2015 年 11 月
南京雨润	民营企业	食　品	12MTN1	2015 年 11 月
四川圣达	上市公司	能　源	12 圣大债	2015 年 12 月

资料来源：根据公开资料整理。

第三类，房地产泡沫风险。从总规模看，截至 2015 年 10 月末，中国房地产库存量为 6.9 亿平方米，在建规模 70.8 亿平方米，如果再加上一些土地转让成房地产用地的规模，大概一共有 100 亿平方米在建面积，库存压力巨大。同时，城市之间的分化进一步加剧，一线城市房产价格相对坚挺，但也存在商业地产库存较大、住宅市场虚热等结构性风险；而中西部城市和三四线城市为库存积压重灾区，住宅存销比①高达 20 个月以上（如图 4.4 所示），一些没有产业支撑、没有人流物流集聚的地区大搞房地产开发，“死城”“鬼城”现象突出，泡沫破灭的风险高企。

第四类，产能过剩风险。一方面，钢铁、建材等传统行业过剩严重的同时，风电设备、光伏等新兴产业过剩的风险也在不断加剧。目前，不少地方政府都将新兴产业列入发展规划，全国提出打造新能源基地的省份已接近 20 个，一些原本有潜力的新兴产业，由于地方重复建设导致了产能过剩。另一方面，近几年集中投资造成产能增长过快，不少行业的产能已远超消费量峰值，属于绝对性过剩和长期性过剩，对经济增长的冲击较为深远和持久。

① 存销比就是按照目前的销售速度，消化现有住宅库存所需要的月份数。

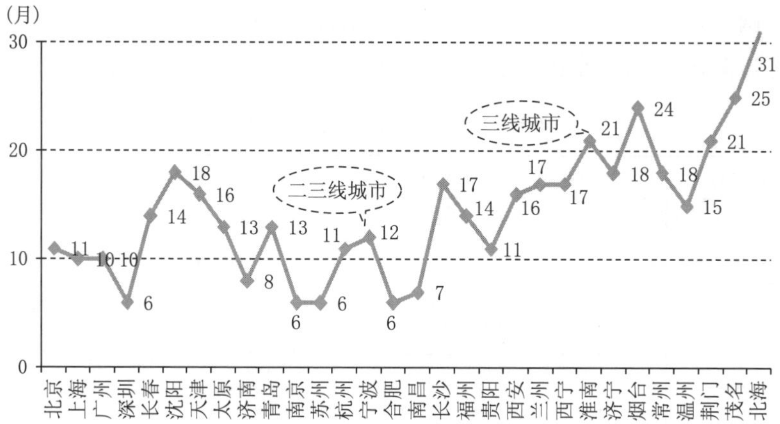

图 4.4　全国 30 个城市住宅存销比

资料来源：根据易居房地产研究院相关统计数据绘制，数据截至 2015 年 11 月。

第五类，通货紧缩风险。2015 年以来，中国 GDP 平减指数持续为负，经济整体低迷，总体价格水平有进入通缩的风险。具体来看，工业品出厂价格指数和购进价格指数连续 45 个月为负，制造业 PMI 连续 6 个月低于荣枯线，2016 年 1 月制造业 PMI 为 49.4，创 2012 年 8 月以来最低纪录，工业领域的通缩仍在加深，有可能蔓延为整体性通缩；CPI 虽有回暖，但持续回落的态势可能延续，需求不足带来的影响可能更趋明显；进口价格指数持续为负，出口价格指数也持续在 0 水平波动，输入性通缩的风险不断提高。

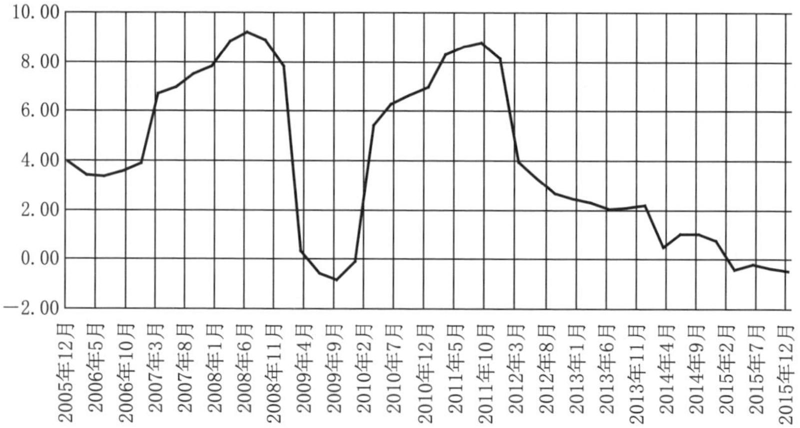

图 4.5　2005 年 12 月至 2015 年 12 月中国 CPI 平减指数

资料来源：根据《中国统计年鉴》数据整理。

3. 风险的总体评估

从风险的传导机制与爆发趋势分析，新常态下，中国面临的各种风险交织在一起，尤其是房地产泡沫风险、地方债务风险和产能过剩风险并存，并通过影子银行、地方融资平台等渠道相互传导，形成一个风险综合体，不断推高企业融资成本、侵蚀企业利润、加剧债务负担，从而降低实体经济的投资意愿，再度拖累内需增长。需要关注的是，在经济增速下行的情况下，各类风险并不是依次爆发的，而是在某一节点集中加速爆发。相比而言，目前房地产尤其是三四线城市房地产去库存的压力和难度最为显著，处置调控不当，很可能成为风险的引爆点。一旦房地产泡沫破灭，相关产业的产能过剩进一步加剧，政府收入降低，可能引爆地方政府债务风险，金融机构受波及，在多重外部风险的共同作用下，区域性或系统性金融风险可能爆发，进一步引起通货紧缩，加速经济下行，形成螺旋式下行趋势（如图 4.6）。

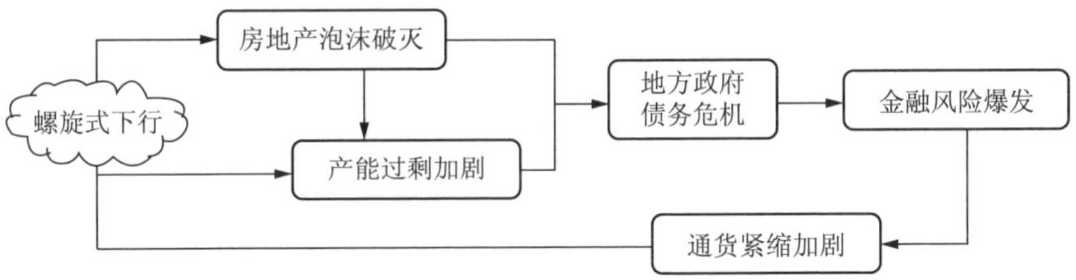

图 4.6　风险传导机制示意图

总体上看，风险仍处可控状态但需要加快化解。中国高度重视适应和引领经济新常态，优化创新宏观调控方式方法，加快部署全面深化改革重大任务，加快实施创新驱动发展战略，加快推动供给侧结构性改革，加快化解以高杠杆和泡沫化为主要特征的各类风险。可以说，中国新常态下面临的风险总体可控，但需要高度防控，尤其是把房地产泡沫、产能过剩等可能的风险爆发点的防控、化解放在突出位置；标本兼治、对症下药，建立健全风险化解体制机制的同时着力推进供给侧结构性改革；出台一揽子高效率的改革措施，力争把风险化解在源头，不让小风险演化为大风险，不让个别风险演化为综合风险，不让局部风险演化为区域性或系统性风险。

4.2 中国经济新常态结构性问题及其根源分析

改革开放30多年,缔造了中国经济飞速发展的奇迹,但在长期形成的粗放发展惯性作用下,也逐渐累积了一些体制性弊端和结构性矛盾。进入新常态的中国经济,下行压力不断增大、系统性风险隐患不断积累,可归咎于周期性因素和结构性因素的共同作用,但其根本还是结构性矛盾,包括有效供给不足与低效产能过剩并存、实体经济流动性过小与虚拟经济流动性过大并存等。这些问题相互叠加、交织,已成为适应和引领经济新常态必须破解的桎梏。

4.2-1 经济新常态下的结构性问题

1. 总需求内部结构失衡

从总需求看,由投资、出口主导的需求结构正在向消费、投资、出口协调拉动转变,消费已逐步取代投资成为拉动经济增长的第一引擎。然而从纵向来看仍然存在结构性矛盾,尤其是投资结构和出口结构存在突出问题。

首先,投资结构不合理。一是投资集中在制造、基础设施建设及房地产领域。2015年,制造业、基础设施建设及建筑房地产领域的固定资产投资额占了全社会固定资产投资额的81%以上,社会领域仅占5%,科技领域占2%,金融几乎可以忽略,投资偏重、偏低的问题凸显。二是投资集中在高消耗、低效率的领域。高资源依赖、高能源消耗型行业投资占比较高,并且低效率、低产出的投资项目较多。根据国家审计署2015年8月的跟踪审计调查①,约有23.7%的建设项目实施进度明显滞后,涉及投资2 868.62亿元人民币,在建的333个铁路项目中有99个项目年度投资计划完成率低于50%,涉及投资1 737.24亿元,其中20个项目年度投资计划完成率不足10%;29个省2015年度重大农业节水工程中央投资124.33亿元,截至7月

① 对29个省、自治区、直辖市和29个中央部门、7个中央企业落实稳增长、促改革、调结构、惠民生、防风险政策措施情况进行审计。

底仅完成7.08亿元。三是过度投资占比大。近两年,中西部地区的投资规模较大,2014年中西部地区固定资产投资占全国比重为53.3%,增长率超过17%,比东部地区高出3个百分点,过度投资现象较为突出,各类开发区遍地开花,投入产出严重偏低的工业园区比比皆是。

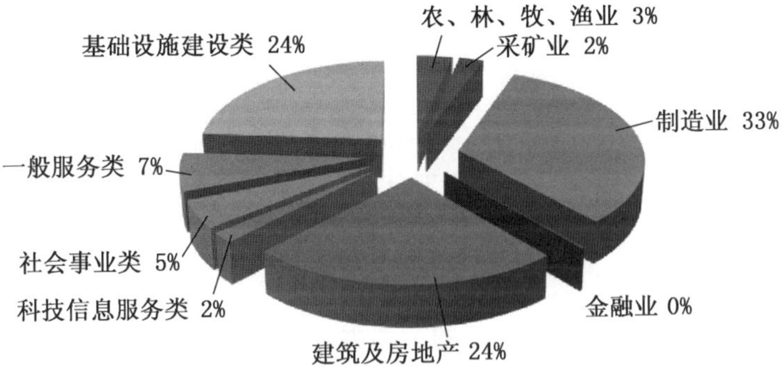

图 4.7　2015 年全国固定资产投资分类

资料来源:Wind资讯。

其次,出口结构不合理。虽然中国已雄踞世界货物贸易大国首位,但在出口商品和服务的结构、质量、效益等方面,与其他贸易大国相比仍有较大差距。一是劳动密集型产品占比仍然偏高。现阶段,中国出口商品中劳动密集型产品占比仍然较高,高技术含量的产品比重较低,具有国际影响力的自主品牌屈指可数。2015年,纺织品、服装、箱包、鞋类、玩具、家具、塑料制品等七大类劳动密集型产品出口总值占到出口20.7%,虽然同比下降1.7%,但对比来看,美国、德国的劳动密集型产品的出口占比都只有1%左右。二是低附加值的加工贸易占比高。在大部分加工贸易中,外资企业控制了产品的核心技术和销售渠道,中国企业只参与简单的加工环节,处在国际分工链条的最末端,更有一部分加工贸易产品为高耗能、高污染、资源消耗量大的产品。从数据看,中国机电和高新技术产品出口比重分别已经达到57.7%和32.6%,但很多商品核心技术掌握在外方手中,其中机电产品六成以上是外资企业生产的,五成以上是以加工贸易方式出口的;高新技术产品七成以上是外资企业生产的,六成以上是以加工贸易方式出口的。三是服务贸易集中在传统领域。中国的服务贸易起步较晚,尽管近几年服务贸易的比重稳步增长，但服务的技术含量和附加值相对较低。服务主要集中在运输、旅游、建筑、劳务出口等传统的领域，而在咨询、保险、金融、信息、邮电等技术密集和知识密集型的领域发展还比较缓慢，出口规模较小且缺乏国际竞争力，服务贸易模式还处于起步阶段。

2. 要素供给结构失衡

中国经济长期以来较为依赖资本、土地等一般要素的投入，人才、技术等高级要素投入较少。更需要引起重视的是，资本、劳动力等要素供给本身存在突出的结构性问题，制约了生产要素的有效利用和生产的增长。

第一，劳动力要素的有效供给不足。近五年来，中国劳动力市场的求人倍率始终大于1，已进入需求大于供给的劳动力短缺时代，并凸显出结构性的矛盾。一是适龄的劳动力短缺。根据中国人力资源市场信息监测中心统计数据，中国45岁以上各年龄组的劳动力岗位空缺与求职人数的比率呈下降趋势，存在劳动力过剩的现象，但25—44岁年龄组岗位空缺与求职人数的比率一直上升，缺口日益明显。在中国老龄化趋势下，基于年龄因素的劳动力供求不匹配将更为严重。二是技术型劳动力短缺。中国各技术等级技术人员的求人倍率均高于1.45，明显高于劳动力市场整体水平1.06，短缺最严重的是高级工程师、技师和高级技师。技能型劳动力短缺源于中国技术教育发展相对滞后，根据教育部统计数据，过去十年间全国技工学校数量减少了三成以上，专业技术领域的劳动力供给不足短期内难以缓解。三是低教育水平劳动力短缺和高教育水平劳动力就业难并存。中国高中、初中及以下文化程度的劳动者岗位空缺与求职人数的比率分别为1.14和1.12，而专科、本科、研究生及以上学历的岗位空缺与求职人数的比率都低于1，尤其是本科层次的该比率只有0.85，呈现出明显的劳动力过剩。这与中国产业结构仍处在价值链的中低端环节、第三产业对劳动力的就业吸纳能力不足等原因有关，同时，高教育水平劳动力的有效利用不足又反过来导致产业优化升级缓慢，形成负面循环。

第二，资本要素的有效供给不足。目前，中国经济增长减速，资本回报率下降，但实际利率却在上升，进一步使企业盈利下降，债务上升，这正是资本错配、资本供给低效导致的结果。具体来看，一是政府扶持部门资本过剩，市场部门资本成本过高。中国经济特有的“二元结构”可以分为政府扶持部门①和市场部门。2008年国际金融危机以来，以地方政府为主导的投资扩张，使得大量资金流向了政府扶持部门，特别是大型国有企业。金融资源也相应倾斜，继续错配到享受政府隐形担保的大型国有企业乃至“僵尸”企业中，政府扶持部门占有的资本资源越来越多，严重挤压市场部门的空间，使得市场部门获取资本的成本大幅增加，尤其是中小微企业融资难的问题始终得不到解决。二是实体经济流动性不足，虚拟经济流动性泛滥。从货币供应看，M2从2000年的13.46万亿元增长到2015年139.23万亿元，增长了将近10倍，流动性总量较大。但M2与M1的增速差距在拉大，说明在经济运行中用于交易和结算的货币需求减少，资金活跃度降低，大量资金并未进入实体经济领域，而是纷纷流向了股市、流向了理财产品、流向了互联网金融。例如，2014年、2015年的股票市场连创新高，正是资金流动绕道实体经济的明显表征，从而导致实体经济资金供需严重失调。

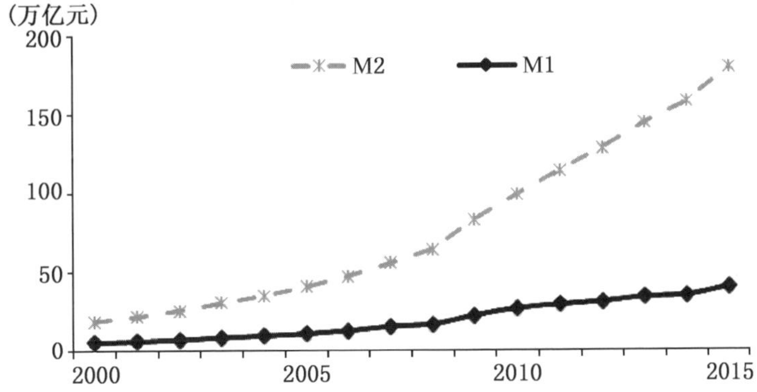

图4.8 2000—2015年中国M1、M2增长情况

资料来源：Wind资讯。

第三，技术要素的有效供给不足。总体看，中国目前科研经费投入占GDP的比重仅为1%左右，明显落后于欧美日等发达国家(瑞典为3.4%，日本为3.3%，美国为2.7%)。更为重要的是，技术的供给与需求不相适应，有效供给明显不足。一是技术资源投入与市场需求匹配不够。目前，科技资源配置的行政化色彩仍然较重，政府与市场的关系没有完全理顺，市场尚未

① 国有企业、政策性基金、原先的地方投融资平台等。

真正发挥决定性作用。最为突出的是在科研计划、项目的组织和实施过程中，许多应该由市场决定的技术研发方向、开发项目和产品、技术路线等，往往由政府直接决定，很大程度上导致了部分研发项目脱离市场和实际，难以进行市场化和产业化转化，资源投入明显浪费。二是技术转移和转化的能力不足。科技创新由源头创新到产业化，需要一大批科技服务企业和机构的参与，包括研发设计、检测认证、知识产权、创业孵化、市场推广等，共同推动原始创新产品进入市场化、产业化阶段。而科技服务业不发达是中国技术创新的突出短板，尤其是大量科技服务业务由隶属政府的科技服务事业单位、企业和机构承担，政事不分的情况依然突出。部分单位借助政府搞市场垄断，甚至搞变相的行政审批，真正的技术转移和转化能力严重不足，导致成果转化率低、技术创新能力不强。三是技术资源与投入的协同不够。中国现行的科技管理体制存在严重的多头管理、部门分割、缺乏统筹等问题，财政科技投入的分配管理涉及多个部门和单位，各个部门都设立了名目繁多的科技计划和项目，科研重复立项、科技资源配置分散和浪费的现象不容忽视，科技资源分配的公开透明度也亟待提高。

3. 产业结构不平衡

总体来看，中国第一产业比重持续下降，第二产业比重先升后降，第三产业比重持续上升，2015 年三次产业增加值比例为 9 ∶ 40.5 ∶ 50.5，符合经济发展的规律和阶段特点，但各个产业内部的矛盾较为显著，成为制约产业结构调整升级的核心问题。

从第一产业来看，现代农业发展滞后，结构性过剩和结构性短缺并存。近年来，中国粮食连年增产，供求总量基本平衡，但结构性矛盾问题十分突出，农业大而不强，农产品多而不优，最终出现粮食产量、库存量、进口量“三量齐增”①的局面。一是种类型的结构性过剩与短缺并存。目前，中国农业的生产力布局结构与市场需求还不相适应，与资源禀赋还不够匹配，导致农产品出现短缺与过剩并存的现象，如玉米出现阶段性供过于求，大豆缺口却逐年扩大，有效供给不能适应需求变化。二是品质型的结构性过剩与短缺

① 2015 年，中国粮食实现“十二连增”，粮食总产量达到 12 429 亿斤，但同时进口粮食创新高，国产粮很多只能进国库。

并存。客观而言，中国农产品与发达国家相比，在产品的外观品质、富含营养、安全卫生质量以及加工包装等诸多方面都存在明显差距，标准化生产、品牌化营销的水平还不高，高端农产品与市场需求不匹配，优质、特色农产品供给不足，而质量不高、安全不达标的产品却仍然大量存在。三是贸易型的结构性过剩与短缺并存。在中国粮食总量快速增长的同时，农产品贸易呈现出大宗产品全面净进口、贸易逆差急剧扩大、进口价格波动加大、优势产品出口增长乏力等突出特征，说明中国农业综合生产能力和有效供给能力不足、国际竞争力不强的问题已日趋严重。

从第二产业来看，制造业大而不强，产能过剩与产能不足并存。中国制造业约占整个世界制造业 1/5 的份额，是名副其实的全球制造业大国，但却远不是制造业强国，整体上仍处于全球产业链的中低端。产能过剩与产能不足并存的结构性矛盾十分突出，制造业部门、实体经济的竞争力与效益亟待提升。一是传统产能过剩，高端产能、关键技术产能不足。以钢铁行业为例，一方面是如螺纹钢等低端钢材产能过剩，另一方面却是高铁、航母所用的高端钢材还需要大量进口。又如，在中国已成为全球电子产品制造大国的同时，手机、电脑等电子产品的芯片却仍然依赖进口①，缺核少芯的问题始终没有解决。二是高耗能高污染产能过剩，绿色产能不足。目前，中国制造业依然没有摆脱高投入、高消耗、高排放这种粗放的发展模式，产能过剩的煤炭、钢铁、水泥、电解铝、平板玻璃等行业基本都属于高耗能、高污染行业。而工业绿色转型发展步伐却缓慢，重化工业产值占工业总产值的比重始终在 70%以上。三是重复性产能过剩，具有国际竞争力的产能不足。一直以来，地区间低水平的重复建设和产业结构趋同的问题始终存在，国际金融危机后，一些地方政府加大投资力度，各地产业重复投资现象更为严重，无效、低效产能过剩。与此同时，中国工业基础产能不足，部分关键基础材料、零部件等大量依赖进口，在全球产业链中扮演组装车间的角色，无法真正参与到高层次的国际竞争中去。

从第三产业来看，现代服务业发展不充分，服务消费需求增长与服务有效供给不足并存。2015 年中国服务业占 GDP 的比重已达到 50.5%，但仍明

① 高端芯片和通用芯片对外依存度超过 95%。

显低于2000年发达国家70.1%的平均水平,即使与发展水平相近的金砖国家相比①,中国服务业占比也明显偏低。近几年,中国服务业内部结构有所改善,但传统的仓储与交通运输业、批发和零售、住宿餐饮业和邮电通信业等仍是主要力量,新兴服务业增长有限,供给与需求间存在明显缺口,总体结构性滞后与总量扩张缓慢相互交织,共同制约服务业发展。一是生产性服务业供给不能满足经济转型升级的需求。长期以来,中国服务业与制造业的相互渗透和相互关联程度较低,生产部门多使用自己的会计、市场调研、物流、宣传广告等服务体系。虽然近年来服务外包不断兴起,但总体而言生产性服务业发展较为缓慢,尚处于起步阶段,专业化水平不高。尤其是与现代产业相联系的资金和技术密集型的金融保险、信息咨询、商务服务业等专业服务发展明显不足、增速缓慢,对第一产业、第二产业的支撑不够,难以满足农业、制造业结构升级以及经济由工业主导向服务业主导的转型升级发展的要求。二是生活性服务供给不能满足居民消费升级的需求。整体来看,中国服务业发展更多地停留在满足消费者基本生活需求层面,低水平的传统服务业占比较大,与居民生活息息相关的高质量的生活性服务业供给明显不足,尤其是在医疗、教育、养老等领域存在较大的供给缺口。

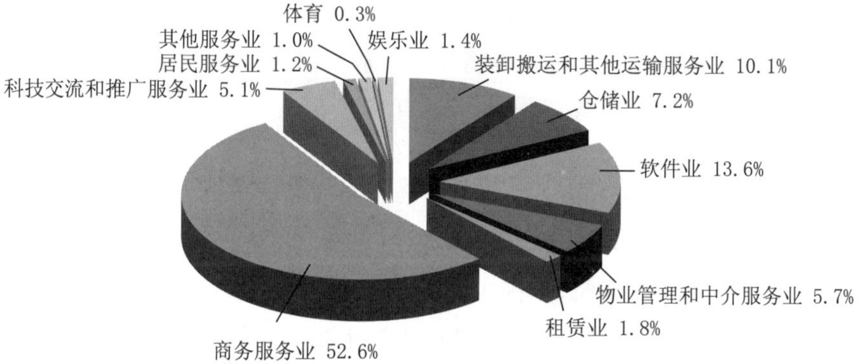

图4.9 2014年中国服务业分行业营业收入结构

资料来源:Wind资讯。

① 2013年,巴西、俄罗斯和印度的服务业占比分别为69.3%、60.3%和57%,南非2011年服务业占比已达到68.3%。

4. 市场结构效率不高

经过 30 多年的改革开放，中国市场体系建设已经得到了显著发展，但市场体系发育过程中仍然存在诸多结构性的矛盾和问题，市场主体仍需培育，市场竞争尚不充分，要素市场发展严重滞后，资源配置效率亟待提高，现代市场体系建设需要加快补短板的步伐。

从市场主体来看，国企规模大、效率低，民企效率高、质量低。中国国有企业资产总额已近 200 万亿元，在规模持续增长的同时，国企大而不强的问题却日益突出。根据 2014 年中国企业 500 强统计数据，民营企业的净利润同口径同比增长率是国有企业的 3 倍，43 家亏损企业中 42 家是国有企业，合计亏损达到 726.6 亿元，国企已成为大企业亏损的重灾区。此外，地方国企规模大、效益低的情况更为突出，地方国有企业营业收入增长高于央企，但利润增长远低于央企，说明地方国企生产经营规模在扩大，但运行效率和盈利能力明显偏低。与国企形成对比的是，民营企业虽然机制更灵活、效率更高，但总体来看民营经济发展仍有很大空间①，大部分的民营企业仍然从事技术门槛低、利润空间并不大的行业，如黑色冶金、建筑业、一般有色冶金及压延加工业等传统的重化工行业，从事服务业、高新技术产业以及战略新兴产业的民营企业比例没有出现显著增长，民营资本在电力、热力业、金融业中只占一成，在交通运输、仓储和邮政业、水利、环境和公共设施管理业中占比一成都不到，利润较高的通信、能源、铁路等行业均被国有企业垄断或者主导。

从市场产出来看，市场细分不足，产品结构不合理。国内消费连续多年保持两位数增速，2015 年社会消费品零售总额约为 30.10 万亿元，稳居世界第二，消费需求从追求量的满足转向追求质的提升，从有形物质产品更多转向服务消费，从模仿型排浪式消费转向个性化多样化消费。但与此相对应的是，国内产品供给明显不能满足需求的升级，产品结构不合理，中低端产品过剩、高质量产品短缺，产品同质化严重、创新力较弱，市场细分明显不足，尤其是针对中产阶层需求的产品细分不到位，导致新的消费需求被推向

① 2015 年，民间投资占社会总投资的比重达 65.2%，较十年前约 30%的比重有了较大提高，但相比发达国家如美国的 81.4%，仍有较大差距。

海外市场。根据相关报道，2015 年国庆黄金周 7 天，约有 40 万名中国内地游客前往日本旅游，在日本消费合计超过 50 亿元人民币，购买产品已不限于奢侈品，更多的是电饭煲、马桶盖乃至奶粉、常用药等日用品。

从市场竞争来看，行业垄断和地区垄断仍然突出。一是多个行业存在的垄断现象没有得到明显改善。改革开放 30 多年来，行业垄断问题依然严重，且经济越不发达的地区，行业垄断问题越突出，造成市场发展滞后、竞争不足。具体来看，行政性垄断领域涵盖石油采掘和炼化、军工、邮政、航空燃油供应、烟草、盐业、铁路物资采购和铁路运输等行业，放开竞争性业务，推进公共资源配置市场化的步伐较慢；经营性垄断领域涵盖商业银行、电力、电信、供水供气等，以政企分开、政资分开、特许经营、政府监管为主要内容的改革尚不到位。二是地区垄断现象依然存在。过去的区域发展格局之下，各地地方保护主义盛行，要素无法自由流动，资源无法合理配置，阻碍了全国统一市场的形成。中央部署全面深化改革后，地区性垄断成为中国相关法律法规进行规制的重点，但全国统一市场建设在起步阶段，反对地方保护和不正当竞争的各种规定和做法尚未完全落实，地方政府利用其手中的行政权力，对本地企业和外地企业实行差别待遇的现象仍然突出。例如，在新能源汽车的发展和推广中，除了购买成本、技术水平等问题，地方竞相设置的保护壁垒就是突出的制约因素，一些省市甚至规定进入本地市场的新能源汽车企业必须先在本地投资设厂才能进行销售。

5. 收入分配结构不合理

合理的国民收入分配结构是适应经济新常态的必然需求。改革开放以来，中国收入分配不平等总体上呈现上升趋势，虽然近年来全国基尼系数略有下降，但仍超越 0.4 的警戒线。据国家统计局公布的数据，中国居民收入的基尼系数 2003 年为 0.479，2008 年达到最高点 0.491，之后逐年下降，2014 年基尼系数为 0.469。而在 20 世纪 80 年代初，全国收入差距的基尼系数是 0.3 左右。基尼系数接近 0.5 是一个比较高的水平，世界上超过 0.5 的国家只有 10%左右，主要发达国家一般在 0.24 至 0.36 之间。更为重要的是收入分配的结构不合理，劳动所得过低、政府所得和企业所得过高，且居民间的、城乡收入间的收入差距使得中国经济的二元特征更加明显，直接或间接导致了目前经济运行中出现的不少突出矛盾和问题。

在初次分配环节，收入分配向非劳动要素倾斜。根据相关统计数据，劳动者报酬占国民收入的比重处于下降通道，低于50%的世界平均水平。而政府所得和企业所得占国民收入初次分配的比重相对较高，其中政府收入占比处于上升趋势。

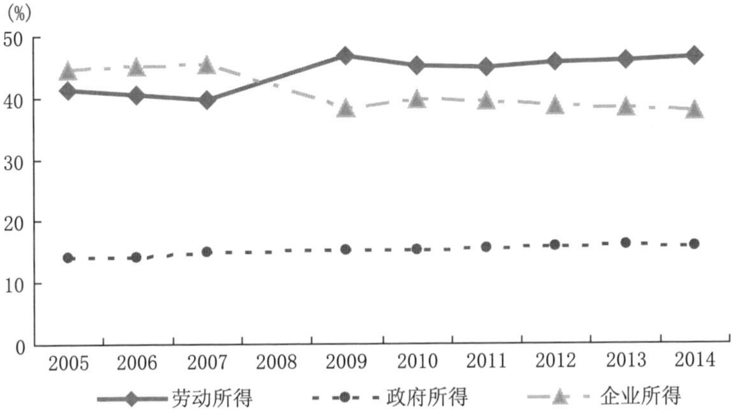

图 4.10　2005—2014 年中国 GDP 收入结构

资料来源：Wind 资讯。

在再次分配环节，收入分配向少数人和政府倾斜。由于社保、税收等收入再分配机制存在若干不合理之处，“少部分人占有绝大部分财富和大部分人拥有极少部分财富”的结构性矛盾较为突出。目前中国富翁数量已经仅次于美国，且多集中于房地产行业，但与此同时中国仍有 1.5 亿贫困人口。根据相关统计，全国平均总收入最高的 20%家庭与最低的 20%家庭的收入差距高达 20 倍以上。

4.2-2　中国经济新常态下结构性问题的根源分析

1. 长期发展方式形成矛盾积累

30 多年来，中国经济保持平衡较快增长，经济结构加速调整，但粗放型经济增长方式尚未根本改变，总体而言属于结构失衡下的高成本发展方式，从而导致一系列结构性矛盾的不断积累。

首先，世界工厂型的外需拉动方式积弊较深。中国相当多的产能是在世界经济增长黄金期面向外需所形成的。更为严重的是，企业采取透支型生产，依赖劳动力、土地和资本的要素的投入而不是技术创新，注重数量而不是质量。在这种高消耗、低效率的生产模式下，能源、资源、环境的压力日益突出，中低端产能、传统产能严重过剩，新的有效供给则严重不足，自有品牌和自有技术严重匮乏，长期处于全球产业链的中低端位置。而实体经济长期处于透支型生产方式，产业资本的投资倾向逐步减弱，在利润的驱动下，过剩的产业资本流向虚拟领域，楼市、股市的资产价格和交易量空前活跃，催生金融泡沫的同时，进一步导致了实体经济技术革新、持续发展能力的缺失。

其次，二元型的内在发展方式积弊较深。包括政府扶持部门与市场部门的二元经济、城市与农村的二元经济、东部沿海地区与中西部地区的二元经济等，都不同程度导致了市场的分割，资源、要素的流动过程中存在壁垒，市场竞争不够充分，垄断现象尚未根本改善，地方政府盲目加大投资催生过剩产能等。二元结构导致多重问题相互叠加，进一步形成结构性矛盾的演变和不断积累。

2. 体制机制方面存在突出瓶颈

新常态下中国经济正在向形态更高级、分工更复杂、结构更合理的阶段演化，现有体制机制很大程度上是在传统条件下建立起来的，在理念和方式上存在许多不适应之处。经济新常态下诸多结构性问题的背后，归根结底还是体制机制的瓶颈，如果不深化改革、完善体制机制，那么结构性问题很难得到彻底解决。最为关键的瓶颈因素有五个方面：

第一，政府职能转变尚未到位。政府与市场的关系没有理顺，政府对一些微观经济活动的过多干预仍然存在，行政审批制度改革仍然存在不少问题，包括许多应取消的审批事项仍未取消，部分审批事项存在“局部取消”或“次要取消，关键保留”的现象，部分审批事项“形式取消、实质保留”，改革后审批流程再造滞后，事中事后监管尚不到位等，市场和社会的活力有待进一步激发。政府在部分领域存在“缺位”，特别是公共产品和服务提供不足，社会管理比较薄弱，政府投资计划缺乏有效监督等。过去以 GDP 为主导的政绩考核激励制度一定程度上助长了地方政府负债支出的冲动，加速了风险的积累。

第二，市场体制机制尚不完善。反映市场供求关系、资源稀缺程度和环境损害成本的资源要素价格形成机制和环保收费机制尚未建立。市场主体质量不高，尤其是专业化、市场化和国际化程度还不够高。市场准入开放度有待提高，部分领域仍存在准入的隐性壁垒，部分准入要求已不适应发展新趋势，更为重要的是民间资本仍受到部分行业准入限制，导致很多民间资本仍然集中在楼市和股市，而不愿意投入产业升级。现代市场体系发育不够充分，各类市场的市场化程度不高，市场竞争不充分，区域合作及市场一体化程度有待提高。市场监管的有效性亟需提高，社会诚信环境亟待完善。

第三，财税制度存在突出问题。中央与地方政府间事权和支出责任划分还不够清晰，地方政府事权与财权不相匹配的矛盾日益突出，尤其是金融危机冲击下地方政府身负保增长的重任，财政支出不断扩张而财政收入并未同步，地方政府债务进一步增长。宏观税负总体较重①，税种繁多②，税种设计上存在重复征收，企业尤其是中小企业的税费负担较为沉重，企业上缴税收与利润的比率在100%以上，直接影响企业的设备升级和技术创新投入。税收结构不合理，间接税占比偏高，直接税占比过低，消费税、营业税、农业税等重点领域税制设计还需要加快完善。除税收外仍然存在大量的、难以统计的政府性收费，一些地方政府的预算外收入已经接近甚至超过了税收收入和财政预算收入，一些纳税人的非税财政负担已经接近甚至超过了税收负担。财政收入统计口径不明确，预算完整性和透明度有待提高。

第四，科技创新体制机制存在薄弱环节。中国目前经济结构转型升级中最大的短板就是技术，尤其是原创技术、核心技术，而科技创新体制机制的短板正是导致技术短板的主要根源。企业的创新主体地位尚未真正确立，创新的市场激励机制不完善，引导全社会投入科技创新的机制亟待健全。

---

① 按照世界银行的标准，低收入国家的最佳宏观税负水平为13%左右，中低收入国家的为20%左右，中高收入国家的为23%左右，高收入国家的为30%左右。2014年，中国的宽口径宏观税负大约为37%，收入还未达到高收入国家水平，但宏观税收负担已达到高收入国家的水平。

② 包括增值税、消费税、营业税、企业所得税、个人所得税、资源税、城镇土地使用税、房产税、城市维护建设税、耕地占用税、土地增值税、车辆购置税、车船税、印花税、契税、烟叶税、关税、船舶吨税、固定资产投资方向调节税等。

产学研协作方式不适应重大技术创新的需要，关键技术层面的战略协作不足，产学研协作的保障机制如对知识产权、成果转化收益等合作成果的共同投入、成果分享、风险分担的机制不健全，促进产学研结合的公共技术平台和服务体系有待健全。科研管理制度不适应创新要求，科技项目组织管理方式亟待改进，高校、科研机构的考核导向和激励存在错位，科技成果转化管理水平不高。区域及全球协同创新不足，开放创新机制有待加强。

第五，金融体制机制急需加快改革。中国 M2/GDP 比率已接近 200%，远远超过一般国家 100%—150%的水平，充分表明中国经济增长具有明显的信贷推动特征，且信贷资产的运用效率趋于下降，金融体系的运行效率和资源配置效率方面存在问题，大量资金沉淀在低效部门，导致货币流通速度下降。由于金融机构体系不够健全，国有银行成为国有企业资金的主要供给者，形成了国有企业对国有银行的刚性依赖，使大量的信贷资金在对国有企业信贷配给或补贴中漏损，配置效率较低。融资机制问题突出，直接融资与间接融资比例严重失衡，绝大部分长期资金需求是通过商业银行以间接融资渠道解决的，商业银行的资产来源又以短期资金为主，导致短存长贷引发的流动性问题，也推动金融体系风险向银行集中。银行信贷仍然是中国储蓄转化为投资的主要途径，证券业业务结构雷同且业务种类单一，保险业处于发展初级阶段，资本扩张和市场融资能力有限，仍有大量的资金沉淀在国有商业银行等金融机构，并未有效转化为生产性资金。

3. 前期强刺激政策有待消化

2008 年国际金融危机爆发以后，国家采取了一系列针对经济周期性波动的短期宏观调控政策，如积极的财政政策、稳健的货币政策和政府投资政策等，推出了高达 4 万亿元人民币的经济刺激计划，确实起到了稳定经济增长的效果。但政策的边际效应明显在递减，GDP 增速持续震荡下行，需求刺激政策所导致的一系列结构性问题日益积累和深化。

一是宏观经济政策的过度使用。国际金融危机后，政府着眼于拉动需求，从 2008 年第四季度起全面放松财政政策与货币政策，2009 年推出“4＋10”①

① 通过财政政策扩张增加 4 万亿元投资支出，通过货币政策刺激增加近 10 万亿元信贷支出。

的刺激措施，财政赤字2009年创纪录地达到9 500亿元，占GDP比重2%以上，货币供给增速达到27%以上，2010年继续保持强刺激宏观政策态势，直到2010年10月宣布退出全面扩张政策轨道。基于需求的刺激政策虽然取得了应对金融危机冲击的显著效应，但也相应付出了高昂的成本，并且需要较长一段时间来逐渐消化。包括货币存量大幅增加，M2与GDP规模比例严重超出合理范围，各种生产要素价格上升，投机性的资本泡沫膨胀，增发货币形成现实的通货膨胀潜在压力加大。

二是产业政策的过度使用。2007年初至2008年上半年，国家产业政策以节能减排和结构调整为主，2008年底至2009年底，国家产业政策主要是以保增长和产业振兴为主，出台了一揽子重点产业调整和振兴规划。政策的本意是扶持企业探寻新的比较优势和增长点，推动经济可持续性增长。但是在落实中，保增长成为压倒性的目标和价值选择，产业政策变成短期刺激需求的手段，扶持性政策失去了限制，投资者和企业蜂拥而入，甚至全然不顾比较优势，无论能否形成竞争力，也不管是否具有市场需求。结果加剧了产能过剩的矛盾，增大了低水平扩张的经济泡沫，导致产能过剩矛盾从工业消费品扩展到工业投资品，从传统产业蔓延到一些新兴产业，一些部门从产能相对过剩演变为绝对过剩，为危机冲击后的经济复苏和调整期的去过剩产能增加了困难。

三是区域扶持政策的过度使用。中西部地区经济总量相对较小，生产方式比较粗放，自我调整能力弱。为有效应对国际金融危机的冲击，国家出台了一系列着眼于中西部地区和资源枯竭型地区的区域发展战略和扶持政策，尤其是加强基础设施建设，以促进保持中西部地区经济平稳较快发展的良好势头。但在一些地区政策的过度发挥下，大量资本流向了落后产能、缺乏竞争力的企业和低生产率的部门，实体经济杠杆率不断攀升，反而抑制了长期经济增长能力。

4.3 中国与世界主要国家结构性改革差异性分析

中国提出推进供给侧结构性改革，是适应和引领经济发展新常态的重大理论和实践创新，是适应国际金融危机发生后综合国力竞争新形势的主动选择，与20世纪80年代美国里根政府和英国撒切尔政府基于西方供给经济学的改革相比，从理论、到背景、再到具体解决的问题等都有很大差别。因此，中国的供给侧结构性改革不能简单照搬国际经验，必须立足于中国发展的实际，立足于解决新常态面临的结构性问题，为国家实现中长期持续健康经济增长奠定基础、开拓空间。

4.3-1 改革的思想方法不同

1. 基于中国特色社会主义政治经济学

20世纪70年代，西方经济学界也曾热烈讨论过供给侧改革问题，出现了著名的供给学派。西方供给经济学是一系列政策主张的集合，并没有扎实的学理基础，主要着力于提供一套基于个人和企业刺激的经济分析框架。相比之下，中国供给侧结构性改革的理论来源是中国特色社会主义政治经济学，立足于中国改革发展的成功实践，更注重研究中国经济新常态下面临的新问题、新挑战，着力于解决国民经济发展过程中日益凸显的结构性矛盾，其本质是社会主义生产方式的调整和完善，是具有重大突破的中国新供给经济学理论和实践探索。

2. 注重供给侧与需求侧并重

美、英等国的供给侧改革主要立足于改进微观效率以增加有效供给，扭转了基于凯恩斯需求主义的宏观政策制定思路，很大程度上是对需求侧管理的革命。而中国的供给侧结构性改革不是否定需求侧，而是从过去侧重于需求管理转向供给管理与需求管理并重，加大供给侧改革和供给管理力度，通过供给侧、需求侧同时发力，来优化供需平衡机制，以供给创新释放需求潜力，激活发展新动力。中央经济工作会议明确在适当扩大总需求的前提下加快供给侧结构性改革并提出五大政策支柱①，就是统揽经济社会工作全局下着力促进稳增长和调结构相平衡的系统布局，适度扩大社会总需求以保持一定的经济增速，为供给侧结构性改革提供保障。

① 宏观政策要稳、产业政策要准、微观政策要活、改革政策要实、社会政策要托底。

4.3-2 改革的难度更大

1. 面临的外部环境更严峻

20世纪80年代，发达国家重度依赖中东石油，第二次原油价格冲击使得美国等意识到必须转变能源需求结构、提高能源利用效率，加上明显的通货膨胀、内需不振等因素，共同促成了供给新政。但当时的美国等具有较好的投资环境及稳定的政局，贸易逆差巨大，总体来说外部风险较小。相比之下，目前中国推进供给侧结构性改革面临极为复杂严峻的外部环境，处于一次全球性的技术、经济和制度三大拐点的叠加期：全球经济治理体系正在逐步瓦解而新的机制并未建立，存量博弈下的碎片化区域合作反而成为主流；世界经济并未真正走出危机，全球量化宽松刺激失效；上一轮技术创新带来的产业分工效率已接近顶点，国际分工产能转移与全球化红利已宣告终结，无论是政治层面还是经济层面都存在重重风险隐患。

2. 面临的内部问题更复杂

与高度发达的市场经济国家最大的不同之处就在于，中国还未真正形成成熟完善的市场经济制度体系，中国面临的绝大部分结构性矛盾是长期以来计划体制和粗放式发展所积累和形成的。相对而言，美、英等国供给侧改革主要解决的是资源要素配置效率的问题，结构性问题虽然也存在，但不是主要矛盾，如当时美国的个人所得税边际税率最高达70%，企业所得税率高达46%，抑制了市场投资和生产。而中国面临的内部问题更复杂，这些问题不仅仅是全球化周期、固定投资周期的叠加产物，更是“增长速度的换挡期、结构调整的阵痛期与前期刺激政策消化期”的叠加产物，包括地方债务危机、结构性产能过剩、房地产库存巨大等。且中国经济体量巨大，城乡二元结构明显，地区间差显著，国有经济占比过重等固有矛盾突出，使得化解新常态下的问题更具挑战，改革的着眼点不仅是短期的危机救助，更是中长期的结构调整，推进改革更需要耐心和韧性。

4.3-3 改革的空间潜力更广

1. 从全球看，加快推进产业技术升级正值良机

国际金融危机发生后，世界经济处在相对衰退期，但处在衰退阶段的世

界经济正在寻找技术突破和创新发展的机会，世界主要国家都积极推动重大技术创新。如近几年出现的互联网、页岩气技术、机器人、人工智能、3D打印、新型材料等，清晰昭示一场新的全球技术革命正在孕育，为中国实施创新驱动战略、争取弯道超车带来契机。同时，基于价值链的全球产业分工体系正在深度演变，创造出巨大的物流、信息流和资金流，为中国企业走向世界、向全球价值链上游攀升带来黄金机遇。

2. 从自身看，中国经济的韧性、回旋余地更大

经过多年努力，中国的经济实力、科技实力、国防实力、国际影响力不断登上新台阶。虽然现阶段经济发展面临不少困难和挑战，尤其是经济下行压力较大，发展方式不科学、经济结构不合理、资源环境不可持续矛盾仍然突出，但经济基本面仍然向好，新型工业化、信息化、城镇化、农业现代化在持续深入推进，中等收入者比重在提高，服务业发展势头强劲，内需空间和市场潜力都很大，经济的韧性足、回旋余地大，这些都为深入推进供给侧结构性改革提供了坚实保障。目前中国仍然处于资本积累的初期阶段，国内储蓄率仍然较高，能够为资本深化提供资金。尤其是和80年代美、英等国相比，中国拥有世界最高的居民储蓄率、较高的城镇化潜力、更大的宏观经济政策空间等，这些无疑都是推进供给侧结构性改革的良好基础。

4.4 中国推进供给侧结构性改革的难点分析

结构性改革是世界性难题，中国推进供给侧结构性改革又具有自身的特殊背景和要求，改革更艰难、更复杂，尤其在把握节奏、处理关系以及防范风险等方面难度极高，需要坚定改革的信心和决心，保持改革的定力和韧劲，科学谋划，精准发力。

4.4-1 把握好改革的节奏

一方面要抓住改革的窗口期。目前，中国经济正处于通缩向通胀演变的时间窗口，大力推动供给侧改革正当其时，应该加快推动消化过剩产能减量，实施结构调整，提高实体经济盈利能力，并化解资产泡沫，提高资本配置

效率，引导经济软着陆。另一方面也要防止改革过于冒进。中国长期以来的粗放式发展方式难以立刻扭转，产业结构、收入分配结构等已非常固化，改革不可能一夜之间破旧立新，短时间内消灭十几年间积累的过剩产能、落后产能，一味追求长期目标会导致重大隐患。必须考虑过渡时期的成本，必须考虑改革的节奏与力度，考虑改革的博弈与关系，考虑改革的承受底线与转型速度。并且，多领域同时推进改革尤其需要统筹协调，为不同层面、不同性质的改革梳理好先后顺序，设计好承接关系，才能形成有效改革。

4.4-2 处理好改革的关系

1. 处理好强化供给和扩大需求的关系

供给和需求不是非此即彼的关系，而是互为条件，相互转化。推进供给侧结构性改革的过程中，营造稳定的宏观环境至关重要。面对短期内总需求收缩很难改变的情况，既不能搞强刺激，也要防止出现周期紧缩，需要坚持积极的财政政策和稳健的货币政策，坚持有效率的投资，尤其要在目前货币政策传导不畅的情况下，既保持流动性，也保持股市和汇市的稳定，为改革营造有利的经济环境。

2. 处理好行政手段干预与市场机制运用的关系

目前，过剩产能的重灾区主要集中于地方投资行业领域，集中于地方国企和投融资平台。去产能、去库存、去杠杆直接影响地方政府的当前和未来利益，平衡产能出清、债务重组中各个地方主体的财税利益协调、股权分配、后续处理等难度较高，很有可能导致行政过度干预改革，形成新的市场扭曲。因此，推进供给侧结构性改革既需要政府发挥更好作用、加快自身职能转变，更需要发挥市场作用，以市场机制为主导，用市场化的手段推进改革。

3. 处理好发展新方式与固有旧模式的关系

创新是供给侧改革的核心之举，新观念、新技术、新组织、新业态等逐渐登上舞台，势必带来对旧技术、旧业态、旧组织的冲击，需要充分降低传统经济发展中旧惯性的转型摩擦。同时，供给侧改革带来新的分配方式，对现有利益格局进行梳理和重分，对传统既得利益的挑战将是改革最大的阻力，需要寻求最大公约数的认可和支持，尤其要在格局僵化的领域进行一场制度创新、效率优先的规则重置。

4.4-3 防范好改革的风险

1. 防止新旧增长不接

根据经济规律，结构调整势必会牺牲短期增长，造成不同行业冷热不均、分化加剧。而且，中国尚未真正进入依靠创新驱动发展的阶段，新的增长点还未成型，旧的产业现在依然是国民经济的主要承担者。过度去旧立新很可能导致新的过剩和泡沫，导致增长动力青黄不接，尤其是在经济下行期间，改革推动效率的改进见效较慢。上述因素叠加，改革进程中经济下行压力进一步加剧的风险较大。

2. 防止社会动荡

目前，不少产能过剩领域的企业都是地方的大型国企，是当地重要的就业岗位提供者，推进改革势必带来原有产业就业岗位的减少、失业率的上升。如果设计不好改革的配套政策，处理好不好失业员工的社会兜底问题，将导致社会矛盾激升，造成社会动荡。

3. 防止引发恶性通货膨胀

虽然总体看中国 CPI 相对平稳，但爆发通胀的诱因仍然存在。在产能过剩出清、虚拟泡沫消减的同时，宽松的货币也有可能过度涌入实体经济，涌入消费品领域，导致资金驱动下的商品炒作狂潮甚至新一轮通货膨胀，特别要防止引发恶性通货膨胀。

4. 防止国际产能输出造成的低端锁定

海外市场是尽快消化过剩产能的重要渠道，“一带一路”战略布局具有重要意义，但国际产能输出某种程度上会造成这类低端产能的锁定，使其变相生长，反而阻碍改革进程和产业升级。

5

新常态下供给侧结构性改革的理论与方法

在中国经济步入新常态，全面建设小康社会的大背景下，中央提出了供给侧结构性改革的战略布局，将供给侧结构性改革作为中国经济发展方式转变，重塑经济增长动力的重要突破口。相比较发达国家或地区在经济发展中提出的供给侧管理或改革，中国提出供给侧结构性改革有着不同的经济发展阶段和环境背景，因而中国供给侧结构性改革应具有中国特色的内涵特征、理论方法、实施路径和推进重点。

5.1 中国供给侧结构性改革的背景逻辑

中国供给侧结构性改革是个系统工程，它的提出具有特殊的背景环境，要准确把握供给侧结构性改革的内涵，就需要对其背景逻辑进行深入分析，要对现有的各种解读视角和观点进行全面梳理，进而明确供给侧结构性改革的内在要求及目标导向，为准确理解和推进供给侧结构性改革奠定基础。

5.1-1　供给侧结构性改革问题提出的背景

自改革开放以来，中国加快建设社会市场经济体制，着力推进要素市场、国有企业、民营经济等领域的制度改革，有效促进了中国经济快速增长和综合经济实力的提升。但是进入21世纪，特别是全球金融危机以来，中国经济增长环境充满挑战，经济发展进入了特殊时期，经济增速逐步放缓，经济增长动力不足，“三期叠加”是中国经济发展面临的突出挑战，也预示着中国经济发展内生动力机制、结构特征的变化。在此背景下，中国提出供给侧结构性改革，该命题的提出与经济发展背景环境具有较强的逻辑关联性。

1. 经济增长换挡期标志着经济发展内生动力减弱

在持续高速增长之后，中国经济增速呈现明显回落，2003—2007年中国经济年均增长11.6%，2008—2011年年均增长9.6%，2012年以后增速回落到7%左右。经济增速换挡有两方面原因：其一，由于国民经济总量规模持续增加所导致，即随着经济规模的增加，经济增长的基数不断变大，在传统劳动力、资本、技术等要素投入方式及产出水平下，即便是经济规模继续扩张，经济增长速度也会出现下降。其二，由于中国基于低端要素投入的供给方式逐渐接近“顶峰”，经济持续增长动力减弱。在经济全球化不断深化的背景下，中国对外开放程度也不断加深，尤其是加入WTO之后，中国与世界经济运行中供需联系更加紧密，中国企业积极参与全球价值链底部环节的分工，成为名副其实的“世界工场”。国际市场的开拓使得中国经济依托劳动密集型、微利化、低技术含量的生产加工制造或组装等经济活动，实现了经济规模的迅速扩大和高速成长。经过近数十年的持续制造业梯度供给，中国在全球价值链分工中的地位以及经济发展方式逐渐被“固化”。但近年来，随着人民币汇率升值、要素成本大幅度上涨、环境承载能力下降等因素的综合影响，再加上印度、非洲和其他人口密度较大的国家逐步承接低端的全球分工，以及全球消费结构升级，均使得中国低端产品产能继续增长的空间越来越小。在此背景下，中国传统基于低端要素投入的供给方式接近了“顶峰”，进入“瓶颈”状态，经济持续增长动力减弱。

可见，中国经济增长换挡的根本原因是在传统供给方式、供给水平和供给效率下，经济增长难以维系，其内生动力减弱所致。尽管中国在参与全球竞争过程中，劳动力素质有所提升，技术进步也较明显，但这些变化还只是数量级的，而非真正的质变，供给质量和水平并未实质改善，对经济增长促进作用也相对有限。

2. 结构调整阵痛期标志着经济发展结构性矛盾突出

中国在从计划经济体制向社会主义市场经济体制转变过程中，一直伴随着经济发展的结构性问题。比如在改革开放之前，中国通过实施工业产品价格与农产品价格的“剪刀差”，加快了工业经济发展，但同时也制造了农业和工业、城市与农村等发展结构失衡等问题。自“九五”计划以来，中国就提出需要改善调整产业结构，加快经济发展方式的转变。但在加快推动经济总量和综合实力提升的过程中，经济发展所面临的结构性问题不仅没有有效化解，局部反而更加严重。当前，中国经济发展面临的结构性制约突出，结构调整进入必须推进的攻坚阶段。中国经济发展的结构性问题具有不同以往的复杂性。其一，新旧结构性问题相互交织。在中国经济发展过程中，采取了增量发展带动存量发展，增量改革带动存量改革的发展路径，使得经济发展中的结构性问题呈现新旧叠加的情况。不仅部分原来老的结构性问题仍然存在，比如国民收入分配结构中政府部门的比重高，个人、家庭的比重低的结构矛盾，需求结构中消费比例偏低等；而且新的一些结构性矛盾又不断涌现，比如贸易结构中货物贸易和服务业贸易不平衡，产品结构中低端产品与中高端产品不平衡，资金配置结构中虚拟经济与实体经济不平衡等。其二，不同领域的结构性问题相互关联。中国经济发展除了面临经济领域的结构性问题外，还面临区域发展失衡、社会公共服务配置失衡等问题，这些不同领域的结构性问题相互关联，使得结构性问题的化解难度加大。在此背景下，中国经济发展所面临的结构性问题制约日益突出，要化解结构性矛盾不仅需要付出较大代价和成本，而且需要整体把握、系统考虑和有序突破。

从经济增长理论看，经济增长的本质就是各产业部门增长过程的综合结果。经济增长的过程不仅仅是产出总量的增长过程，更具有特征意义的是结构转换方面。推动经济增长的总供给结构及其内部的结构决定着国民经济增长的平衡性与协调性。因而，中国经济发展中出现且不断积累、交织的结构性问题，其根源在于在市场机制不健全的背景下，以要素供给及其收入分配为支撑的生产结构的失衡。

3. 需求刺激政策消化期标志着传统发展方式转换急迫

自改革开放以来，中国经济发展过程中一直强调需求侧政策的刺激和引导，通过需求侧管理政策以及相配套的宏观调控来促进经济规模扩张，平抑经济波动和缩短周期震荡。在需求侧管理政策的刺激下，中国经济保持数十年的高速增长，经济总量实现了快速增长，并跃升为世界第二大经济体。但由于长期强调需求侧管理，中国经济发展陷入了低水平增长境地，经济增长更多体现为“量”的膨胀，而非“质”的提升。当前，中国的传统经济发展方式面临着系列突出问题，经济持续增长动力难以维系。其一，粗放型的经济发展方式使得地区产业结构趋同，产能过剩积压。改革开放以来，中国经济发展一直强调政府引导的需求侧管理，这对促进中国从计划经济体制向市场经济体制转型，塑造经济快速增长驱动力发挥了积极作用。但由于长期实施需求侧管理，中国经济发展陷入了追求产值数量的粗放型增长方式，即经济增长主要依赖投资增加，而技术水平提升相对缓慢。比如20世纪80年代后期基础产业和基础设施的大规模兴建，90年代后期重工业的加快发展，使得中国全社会固定资产投资额一直呈直线上升趋势。改革开放30年多年，中国全社会固定资产投资需求年均实际增长13.5%左右，远超过其他新兴经济体的水平。在中央政府采取需求侧管理的同时，各地方政府又基于地方税收、区域发展等需要，进一步放大了需求侧管理的影响效应。各地纷纷集中投资建设一些周期短、见效快的一般加工业或产业链带动面广的重化工业等，这导致了各地低水平重复建设，地区产品结构、产业结构雷同现象突出，加剧了中国产能过剩压力。其二，需求侧“三驾马车”对经济增长驱动效应明显减弱。从需求侧管理看，拉动经济增长的驱动力主要是投资、消费、出口等三方面。在长期的高投入、高消耗等粗放型经济发展方式下，需求侧“三驾马车”对经济增长的驱动效应明显减弱。一方面，持续的高投入、高消耗使得投资驱动的边际效应递减。以固定资产投资额的不变价测算为例，中国每创造1亿元的GDP所需要的固定资产投资额从“六五”时期的1.8亿元，增加到“七五”时期的2.15亿元，再增加到“十五”时期的4.99亿元。另一方面，“三驾马车”在推动经济增长中存在挤出效应，弱化了整体的驱动效应。在中国经济发展中，投资的驱动作用最直接，其增长速度也最快，然而在社会总需求相对固定的情况下，过快的投资需求增长对消费需求增长具有较大排斥效应。这主要是由于在投资快速增长中收入分配产生了较大扭曲，资本要素持有者的报酬水平明显高于一般劳动者，投资高增长并未带来普遍的收入高增长，社会消费潜力难以释放。其三，需求侧政策刺激加剧了中国经济发展中部分结构性矛盾。在持续的需求侧政策刺激下，社会的资源配置出现扭曲，加剧了中国经济发展中部分结构性矛盾。比如，收入分配结构、资本配置结构、区域不平衡等。这些结构性问题的加剧将进一步制约中国经济持续增长。

可见，需求侧管理在推动中国经济发展中发挥了重要作用，但同时，持续的、大规模的需求侧政策对于中国经济增长方式转变、经济增长质量提升产生了较大制约。事实上，从新古典经济学理论看，需求侧管理只是刺激经济增长的短期政策，有助于短期内经济总量的扩张，而需求中"实际因素"的政策弹性受其背后供给方面复杂因素的影响制约；与需求侧管理相配套的财政货币政策并不能直接影响作为经济增长源泉的社会生产力、经济制度、资源状况等根本因素，而这些因素均表现在供给侧。因而，没有供给侧管理政策的配合，仅强调需求侧管理的政策往往会忽略技术和制度创新，制造一些无效供给，不仅不能带动有效供给的增长，而且还往往会加剧要素资源错配，形成制约经济增长的结构性问题，导致供给与需求不能有效匹配，进而束缚总需求的持续增长。

综合来看，中国经济发展进入了矛盾集中爆发的时期，传统经济发展方式的动力萎缩、空间受限、矛盾凸显，使得经济持续增长难以为继。造成中国经济增长现状困境的原因，主要是经济增长中的供给侧管理滞后，供给侧管理与需求侧管理未能有效协同。究其根源，在于社会主义市场经济体制建设中生产端的相关制度构建缓慢。因而，在经济发展的新常态阶段，中国要重塑经济增长动力，提升经济增长质量，就必须加快实施供给侧结构性改革。

5.1-2 相关供给侧结构性改革问题研究观点的梳理及评述

国内不少专家学者对中国供给侧结构性改革进行了研究和解读，并以此为基础提出了供给侧结构性改革的思路和路径。综合来看，对中国供给侧结构性改革的内涵解读尚未形成统一的共识，亦未形成经济学系统理论，从目前看，主要存在以下几种分析视角：

1. 供给管理的视角

专家学者从供给侧管理视角解读供给侧结构性改革内涵的文献相对较多。综合来看，其主要观点是供给侧结构性改革要着眼于微观生产端，完善供给体系，提高供给效率，提升供给质量，增强供给结构的有效性。供给侧管理视角的解读主要包含三个层面：一是瞄准产品或服务的有效供给，提出供给侧结构性改革的核心是强化劳动力、资源、土地、企业家才能、政府管理的有效投入，调整资源要素的投入方式和投入结构，实现产品或服务供给从低端走向高端，解决结构性的有效供给不足。二是瞄准生产或服务活动的供给质量效率，提出供给侧结构性改革的核心是围绕企业生产或服务微观机制的重构，提升资源配置效率，强化企业技术创新，提高投入资源要素的生产率，实现产业核心竞争力的增强，进而提高经济效率。三是瞄准激发企业经营的市场活力，提出供给侧结构性改革的核心是要降低企业的制度性交易成本，包括交易成本、各种税费、融资成本、社会保障成本等，营造企业家能够有创新、创业激情的激励机制和环境，使企业能自由地创造价值，自主地实现价值，激发微观主体创新、创业、创造的潜能，进而形成经济持续增长动力。

2. 结构调整的视角

国内不少专家学者也从结构性调整的视角解读供给侧结构性改革，其主要观点是供给侧结构性改革要着眼于总体结构改善，通过供需关系的调整，促进投入、生产、产业等的结构均衡，进而提升市场效率和持续发展能力。结构调整视角的解读主要包括三个层面：一是瞄准供需结构的优化均衡，提出供给侧结构性改革的核心是引导过剩产能“供给侧减量”，加快淘汰“僵尸”企业，有效促进供给侧达到与需求侧相适应的新水平，实现产品或服务价格企稳，恢复企业盈利能力。二是瞄准产品供给结构的改造提升，提出中国供给存在层次性的结构性短缺问题，供给侧结构性改革的核心是在适度扩大总需求的同时，改变中低端产品过剩、高端产品供给不足的结构问题，同时通过“供给侧创新”实现居民消费升级，提高供给体系质量。三是瞄准资源配置的结构性优化，指出中国资源配置存在着产业之间、区域之间、企业之间、部门行业之间的不平衡，供给侧结构性改革就是要通过创造促进资源要素流动和合理配置的机制，促进存量资源的不断优化重组，实现资源配置结构优化和效率提升。

3. 制度改革的视角

制度创新是不少专家学者在解读供给侧结构性改革内涵的最终落脚点。该视角分析的主要观点是供给侧结构性改革要着力创新行政管理体制和宏观调控方式，更加注重中长期的高质量制度供给，从供给端着手推动新一轮的制度变革创新。制度改革视角的解读主要包括五个层面：一是瞄准提升资源要素供给效率和水平的制度改革，指出供给侧结构性改革就是要构建促进资源要素合理配置、合理定价的市场制度，促进资源要素的合理流动和价值挖掘，比如推进土地制度的改革，逐步建立城乡统一的土地流转制度；实施金融制度改革，积极解除“金融抑制”，使其有效支持实体经济等。同时，供给侧结构性改革还要强化提升资源要素质量水平的制度，比如调整人口政策，推进提升劳动力供给质量的教育制度改革等。二是瞄准企业市场活力发挥的制度改革，提出供给侧结构性改革就是要充分激发企业市场活力，发挥市场微观主体的自主性，形成公平、合理的市场经济制度。比如，要推进打破市场垄断、降低市场准入限制等方面的制度改革；要营造宽松的激发企业创新创业的制度环境，建立企业家激励机制，加强产权保护；要大力推进国有企业改革和混合所有制改革。三是瞄准鼓励和激发创新的制度改革，提出要强化针对新技术企业、新产业、新业态发展的政策制度，加大促进企业研发投入的制度创新，强化提升核心技术和自主品牌的制度激励。四是瞄准公共服务供给的制度改革，提出政府是公共服务的供给主体，在推进供给侧结构性改革中，政府应该加大社会保障体制、收入分配体制等制度变革，同时加快推进政府职能转变。五是瞄准政府宏观调控方式的创新，通过财政政策、货币政策的协同配合，有效支撑和促进相关领域改革。

综合来看，现有的有关供给侧结构性改革内涵的解读文献尽管从不同视角进行了深入剖析，有些文献也兼顾了多种分析视角，但这些研究文献仍存在一些不足：一是缺乏对中国供给侧结构性改革特殊性的分析。不少研究文献注重了西方供给经济学派的思想方法、政策工具以及经验规律对中国供给侧结构性改革的指导意义，提出了一系列改革方向和重点。这些研究文献强化了对经济发展机制的关注，建立在一个基本假设前提之上，即中国具有与国外相似的经济发展阶段和经济制度环境。但实际上，中国作为在全球化程度不断深化背景下实施转型发展的新兴国家，正在加快完善具有中国特色的社会主义市场体制，中国的发展模式具有自身特点，供给侧结构性改革也存在许多特殊性，因而在推进供给侧结构性改革中需要强化西方供给经济学派理论思想、方法、工具与中国特点的有机结合。二是缺乏对中国供给侧结构性改革体系的分析。不少研究文献注重了供给侧结构性改革政策方向和工作重点的分析，提出了政策着力点以及需要重点实施改革的领域，但这使得对供给侧结构性改革的解读陷入了仅仅关注短期化和碎片化的逻辑方法，而缺乏对中长期制度体系建设和供给侧结构性改革体系架构的统筹考虑。事实上，供给侧结构性改革是一项体系化、系统性工程，同时具有短期性和中长期性的特点，它不仅需要强化短期政策调控，关注对当前问题的破解，而且也需要强化中长期的制度改革和构建，而中长期制度构建需要建立在对供给侧结构性改革体系进行全面梳理和剖析的基础之上。三是缺乏对中国供给侧结构性改革背景环境的分析。不少研究文献注重了供给侧结构性改革的推进思路、重点领域以及政策方向方面的分析，并提出了系列政策建议。这种分析范式将供给侧结构性改革的命题本身作为逻辑起点，研究中强调如何实施和推进供给侧结构性改革。虽然部分研究文献也涉及了中国供给侧结构性改革环境的分析，但主要集中于经济形势和增长态势的分析。但事实上，中国供给侧结构性改革是在中国“三期叠加”环境下，在中国进入经济增长新常态的背景下提出并强调的，环境背景变化与供给侧结构性改革具有较强的逻辑关联性。因而对于供给侧结构性改革分析应该以其提出的环境背景剖析作为逻辑起点，需要强化新常态对中国供给侧结构性改革的指引。

5.2 中国供给侧结构性改革的内涵特征

立足于中国供给侧结构性改革提出的背景逻辑，以及中央对供给侧结构性改革目的的诠释，综合经典经济学理论和国内专家学者对供给侧结构性改革内涵的分析观点，供给侧结构性改革的目标是，促进经济高效可持续增长，通过市场驱动和政府推动的有机结合，实现资源要素有效供给、质量提升和高效配置。为此，必须深化资源要素市场化供给、配置制度改革和制度保障，推进资源要素供给结构和生产配置结构优化，加强供给侧与需求侧有效协同，化解经济发展中的结构性问题，进一步解放和发展生产力，促进经济社会持续健康发展。

5.2-1 供给侧结构性改革的主要内容

从供给侧结构性改革的内涵看，供给侧结构性改革的内容可以分解为“供给侧＋结构性＋改革”等三个维度。第一，“供给侧”是指着眼于供给端和生产端的管理和制度建设，即对劳动力、资本、技术等资源要素的投入方式、投入结构，企业生产成本、生产方式等方面的管理，以及对促进资源要素有效供给、质量提升、高效配置的市场机制和制度的建设。第二，“结构性”是指结构的优化调整，即立足于资源要素有效配置和供需有效匹配，促进生产结构、产业结构、收入分配结构、区域结构等系列结构性问题化解，进一步释放错配资源的内在价值，有效提升资源要素的配置效率，实现经济社会协调发展。第三，“改革”是原有制度改革和新制度构建，即为了确保资源要素有效供给和高效配置，促进结构优化调整，对原来束缚资源要素供给、市场配置功能以及结构优化调整的制度进行改革创新，构建有助于进一步解放生产力和发展生产力的制度保障。上述三个方面构成了供给侧结构性改革内涵的架构，三方面内容是个有机统一体，相互关联，相互促进。供给侧管理和制度创新是供给侧结构性改革的出发点和立足点，通过供给侧管理和制度建设可以促进或倒逼结构调整和制度改革，明晰结构优化调整和制度改革的方向，形成结构优化调整的市场动力。结构优化调整是供给侧结构性改革的关键点，通过结构优化调整促进供给与需求有效配置，释放错配资源要素的内在价值，推动资源要素的有效供给，提升资源要素的供给质量，也为制度创新和改革指明突破点。改革是供给侧结构性改革的落脚点，通过对原有束缚解放生产力和发展生产力的制度改革和对促进社会主义市场经济导向的制度构建，保障和促进供给侧管理和结构优化调整，形成经济社会持续发展的制度环境。

5.2-2 供给侧结构性改革的核心要义

从供给侧结构性改革的内涵看,供给侧结构性改革的核心要义是全面提升资源要素供给质量水平和配置效率,进一步解放和发展生产力,促进经济持续健康发展。资源要素供给质量水平和配置效率是指在一定技术水平下各投入要素在各产出主体的分配中所产生的效率。供给侧结构性改革的内涵诠释了实现这一核心要义的主要途径。第一,通过资源要素市场机制和制度建设,促进资源要素价值发现,实现资源要素供给的高效性。第二,通过结构优化调整,实现资源要素向产出效率更高的部门或领域集聚,实现资源要素配置的合理性。第三,通过企业活力发展和供需有效协同,实现资源要素供给的有效性。第四,通过创新机制、高质量要素供给制度建设等制度保障,促进资源要素供给质量水平的提升。

5.2-3 供给侧结构性改革的驱动机制

从供给侧结构性改革的内涵看,供给侧结构性改革的驱动机制包括了市场和政府两个层面:一方面,要充分发挥市场在资源要素配置中的决定性作用,通过市场机制和制度的构建,强化资源要素的市场价格调节功能,促进资源要素有效供给和配置效率的提升。市场驱动是促进供给侧结构性改革的内生动力。另一方面,要充分发挥政府在改革驱动和宏观调控上的作用。通过宏观政策引导,促进资源要素供给结构的优化、供给质量的提升等;通过政府职能转变、管理方式创新,促进有利于资源要素有效供给和高效配置的市场机制和制度的建设。但政府推动需要通过市场驱动间接作用于资源要素供给和配置,政府推动是促进供给侧结构性改革的外部助力。

5.3 中国特色社会主义政治经济学理论体系

供给侧结构性改革问题的提出,是中国特色社会主义政治经济学的发展。从供给侧结构性改革内涵的解读来看,供给侧结构性改革不同于西方供给经济学派所提出的改革，也不同于结构主义经济学思想所提出的改革，而是基于当前中国经济发展阶段对中国改革实践的理论综合性集成创新，是中国经济在新时期的一次探索性改革和调整。在此背景下，中国供给侧结构性改革的理论基础应是中国特色社会主义政治经济学范畴。

5.3-1 中国特色社会主义政治经济学的形成与发展

中国特色社会主义政治经济学，是马克思主义政治经济学基本原理同中国经济建设实际相结合的产物。马克思主义政治经济学通过对资本主义生产方式矛盾运动规律和发展趋势的深刻分析，揭示了社会主义经济关系的基本特征；中国特色社会主义政治经济学充实了马克思主义政治经济学的理论实践，是对马克思主义政治经学的中国化。中国特色社会主义政治经济学是在中国社会主义建设过程中逐渐形成的，并随着中国社会主义建设阶段演变而不断发展。

新中国成立之后，中共把马克思主义政治经济学基本原理同社会主义改造、经济恢复发展等方面的实践结合起来，开始探索适合中国国情的社会主义经济建设道路，并在探索、反思和总结中提出了发展社会主义经济的系列独特理论观点。这些理论观点对指导中国当时的社会主义建设发挥了重要作用，也为中国特色社会主义政治经济学奠定了基础。比如，要认识社会主义经济发展的客观规律，就是要总结我们在社会主义革命和建设中成功和失败的经验，要按照客观经济规律的要求来处理经济生活中的各种问题；社会主义经济的唯一目的在于满足人民物质和文化生活的需要，而要满足这种需要，就必须不断发展社会主义经济；社会主义生产力水平决定社会主义经济必然是商品经济，生产资料公有制规定了这个商品经济具有社会主义性质；探索国民经济按比例发展的道路，提出了发展工业必须和发展农业并举，要处理好大型企业和小型企业的关系、国民经济计划中平衡与不平衡的矛盾等等。

改革开放以来，中共又把马克思主义政治经济学基本原理同改革开放的新实践结合起来，不断丰富和发展马克思主义政治经济学，创立和发展了中国特色社会主义政治经济学。1984 年 10 月《中共中央关于经济体制改革的决定》的通过标志着中国特色社会主义政治经济理论体系的建设正式拉开序幕。邓小平评价该决定是“写出了一个政治经济学的初稿，是马克思主义基本原理和中国社会主义实践相结合的政治经济学”。[①]30多年的改革开放实践，不断丰富和发展了中国特色社会主义政治经济学理论架构。比如，围绕“什么是社会主义、怎样建设社会主义”等问题提出了社会主义本质理论；围绕“生产关系一定要适应生产力性质这一客观规律”的要求，推进不适应社会生产力发展的国民经济管理制度和管理方式改革，逐渐形成了经济体制改革理论；围绕发展开放型经济、提高对外开放水平、实施“引进来”和“走出去”相结合、建立开放性经济体系等主要内容，逐渐形成了对外开放理论；围绕社会主义市场经济建设、经济体制改革、企业制度改革、收入分配改革等方面，逐步完善了社会主义市场经济理论等等。

中共十八大以来，以习近平总书记为核心的中共中央根据时代和实践的要求，围绕推进中国特色社会主义经济建设提出了一系列新的重大的战略思想和重要理论观点，这些思想或观点进一步充实和完善了中国特色社会主义政治经济学理论，并将中国特色社会主义政治经济学理论建设推向一个崭新高度。比如，坚持党的领导，发挥党总揽全局、协调各方的领导核心作用，是中国社会主义市场经济体制的一个重要特征；使市场在资源配置中发挥决定性作用和发挥政府的作用；公有制为主体、多种所有制经济共同发展的基本经济制度，是中国特色社会主义制度的重要支柱，也是社会主义市场经济体制的根基；加快构建开放型经济新体制，发展更高层次的开放型经济；要更加注重供给侧结构性改革等等。

可见，中国特色社会主义政治经济学是在中国社会主义经济建设中形成并不断完善的经济理论，是适应当代中国国情和时代特征的政治经济学，既坚持了马克思主义政治经济学的基本原理，又赋予其丰富的实践特色、时代特色，不仅指导了中国经济发展实践，而且开拓了马克思主义政治经济学的新境界，丰富了人类思想宝库。

5.3-2 中国特色社会主义政治经济学理论体系主要内容

中国特色社会主义政治经济学的理论内容随着中国社会主义经济建设

① 《邓小平文选》第三卷，人民出版社1993年版，第83页。

的实践发展不断充实和完善，并逐步体系化、整体化。当前，中国虽然仍处于社会主义初级阶段，但社会主义经济建设进入了全面建成小康社会、推进社会主义现代化建设的新时期。中国特色社会主义政治经济的理论体系不断充实，主要包括以下八方面：

1. 发展生产力理论：核心是坚持最大限度解放和发展生产力，促进经济有效率可持续发展

解放和发展生产力是社会主义的本质要求和根本任务，其核心标志就是不断提高资源配置效率，不断提高全要素生产率，不断提高全体人民的福利水平。社会主义市场经济建设就是要坚持以经济建设为中心、以科学发展为主题，推动经济全面协调可持续发展，实现经济发展与政治建设、文化建设、社会建设、生态文明建设的有机协同，在最大限度地提升劳动力、资本、技术等资源要素产出效率和水平的基础上，不断解放和发展生产力，最大限度地满足人民日益增长的物质和文化需要。

2. 经济制度理论：核心是坚持公有制为主体、多种所有制经济共同发展的基本经济制度

社会主义市场经济是以公有制为主体，多种所有制经济并存和共同发展的市场经济，而不是完全建立在私有制基础上的市场经济。因而，要毫不动摇巩固和发展公有制经济，毫不动摇鼓励、支持、引导非公有制经济发展。坚持公有制主体地位不动摇、国有经济主体地位不动摇，是要通过社会主义市场经济建设来体现，确保国有企业在推进国家现代化、保障人民共同利益中的重要地位，将发展国有资本、集体资本、非公有资本相互融合的混合所有制度经济作为基本经济制度的重要实现形式。

3. 分配制度理论：核心是坚持按劳分配为主体、多种分配方式并存的基本分配制度

按劳分配为主体、多种分配方式并存的基本分配制度是社会主义市场经济建设的基本要求。既要鼓励先进、提高效率，合理拉开收入差距，调动各方面创造财富的积极性；又要防止两极分化，维护社会公平，逐步实现共同富裕，让人民群众共享经济发展成果。在经济发展成果分配过程中要以按劳分配为主体，其他分配方式为补充，初次分配和再分配都要兼顾效率与公平，再次分配要更加注重公平。

4. 改革理论:核心是坚持以改革创新不断完善社会主义制度

改革是社会主义制度自我完善,推动社会主义市场经济发展的强大动力。按照完善和发展中国特色社会主义制度的总方向,改革生产关系和上层建筑中不适应生产力发展的一系列相互联系的环节和方面,推动生产关系、上层建筑同经济基础相适应,逐步形成比较成熟、比较定型、充满生机的经济制度。改革是在党和政府的领导下有计划、有步骤、有秩序地进行,实现社会主义制度的自我完善和发展。

5. 开放理论:核心是坚持对外开放的基本国策,以主动开放战略融入全球化

对外开放是推动中国经济改革与发展的重要机制和动力,是社会主义制度本身所固有的内在特征,社会主义要发展就必须实行对外开放。实施主动开放战略,深度挖掘中国经济发展的比较优势,统筹国内国际两个大局,利用好国际国内两个市场、两种资源,发展更高层次的开放性经济,积极参与全球治理,促进国际经济秩序朝着公平公正、合作共赢的方向发展。同时,坚持独立自主,积极防范各种风险,确保国家经济安全。

6. 发展理论:核心是坚持发展是硬道理,坚持创新、协调、绿色、开放、共享的发展理念

中国处于社会主义初级阶段以及基本矛盾,决定了必须坚持发展是第一要务,发展是硬道理。创新、协调、绿色、开放、共享等五大发展理念是中共坚持问题导向、聚焦突出问题而提出来的,反映了党对中国特色社会主义发展规律的新认识和新境界。创新是引领发展的第一要务,协调是持续健康发展的内在要求,绿色是永续发展的必要条件和人民对美好生活追求的重要体现,开放是国家繁荣发展的必由之路,共享是中国特色社会主义的本质要求。五大发展理念分别反映了对社会主义发展动力规律、战略规律、质量规律、策略规律以及目的规律的新认识。

7. 路径理论:核心是坚持走中国特色新型工业化、信息化、城镇化、农业现代化道路

在社会主义经济建设的新时期,中国要坚持以经济建设为中心这个兴国之要,加快科学发展,坚持走中国特色新型工业化、信息化、城镇化、农业现代化道路,推动信息化和工业化深度融合,工业化和城镇化良性互动,城镇

化和农业现代化相互协调，促进工业化、信息化、城镇化、农业现代化同步发展，健全城乡一体化发展体制机制，形成以工促农、以农带乡、工农互惠、城乡一体的新型工农城乡关系，让广大农民平等参与现代化进程，分享现代化成果。

8. 社会主义与市场经济结合理论：核心是坚持社会主义市场经济体制与社会主义基本制度结合在一起

社会主义市场经济体制要体现社会主义基本制度的特征要求。坚持社会主义市场经济改革方向，必须在社会主义基本制度与市场经济的结合上下功夫，把两方面优势都发挥好。使市场在资源配置中起决定性作用和更好发挥政府作用是有机统一的，不是相互否定的，要努力形成市场作用和政府作用有机统一、相互补充、相互协调、相互促进的格局。

5.4 中国特色社会主义政治经济学与供给侧改革

中国特色社会主义政治经济学是中国社会主义经济建设实践中形成和发展的。回顾中国社会经济建设的实践以及中国特色社会主义政治经济学理论发展的历程不难发现，中国社会主义市场经济体制建设中的供给侧改革实践是中国特色社会主义政治经济学的重要组成部分。在中国推进社会主义市场经济体制改革过程中，就已经开始了供给侧改革探索。

5.4-1 针对生产要素领域的供给侧改革

改革开放以来，中国不断强化了供给侧的土地、劳动力、技术创新等生产要素领域的改革。

1. 土地要素的相关改革

中国土要素领域的相关改革主要表现为以家庭联产承包责任为主的农村土地改革，以及二元制的土地制度形成和土地转让、流转改革。1979 年，中国就探索实施了农村土地承包制度，推进了农村土地制度改革，将土地家庭承包经营作为农村基本经营制度的核心，国家不断出台稳定承包关系的法律、条例或政策，在保持土地集体所有的前提下，明确承包者的使用受到法律保护，激发了农民的生产积极性。1982年，中国确定了城镇与农村的二元土地制度，城市土地归国家所有，农村和城市郊区土地归集体所有。1990年城镇国有土地允许被转让。1993年开始，中国又逐步探索土地承包可有偿转让。

2. 劳动力要素的相关改革

中国劳动力要素的相关改革主要是放松计划经济时期对劳动力的控制，充分发挥劳动力要素在资源配置中的作用，提高经济质量与市场效率，并强化劳动者权利保障。劳动力要素的相关改革主要包含劳动力培养、就业、社会保障、收入分配等内容。1979年开始，中国就对新增劳动力的流动进行松绑，形成了劳动力市场的雏形。1993年开始，中国全面推进劳动合同制，包括国有企业在内的所有经济组织普遍实行全员劳动合同制，中国劳动力市场化程度不断提高。与此同时，为了应对劳动力市场配置中的员工下岗等问题，中国逐步建立了劳动力社会保障制度，采取了促进再就业的相关政策，比如开展就业培训，建立再就业服务中心等。2002年以来，中国劳动力流动更加频繁，中国又将劳动力市场改革与就业促进政策有效结合，使得劳动力市场机制更加完善。

3. 技术要素的相关改革

改革开放以来，国家对技术创新的关注度日益提高，推动技术创新的政策措施越来越具体化和明确化，重点着力于创新基本制度环境构建，促进科学技术产业化和提升自主创新能力。1985年开始，国家将构建服务与经济建设这一核心任务的科技体制作为技术创新政策的重点，为技术创新提供良好的制度环境和社会环境。1986年，国家科委颁布的科技中长期发展规划强调了科学技术必须面向经济建设，逐步建立起系统的技术创新体系，在提高科研投入的基础上，促进科技与生产紧密结合。2006年以来，中国明确提出把提高自主创新能力作为调结构、转方式、提高竞争力的中心环节，以企业为主体、以产学研用协同为特征、促进科技与经济紧密结合的国家创新体系正在形成。

4. 资本要素的相关改革

中国对资本要素的相关改革措施主要集中在利率市场化方面。从1994年1月1日起，实行外汇收入结汇制，取消外汇分成；实行银行售汇制，消除外汇双重汇率，实行人民币牌价与外汇调剂市场价并轨，允许人民币在经常项目下有条件可兑换；建立银行间外汇市场，改进汇率形成机制，保持合理及相对稳定的人民币汇率等。

5.4-2 针对企业生产领域的供给侧改革

中国在推进生产资源要素相关改革的同时，也加快推进了企业领域的相关改革。

1. 国有企业的相关改革

国企改革经历了两个阶段：中共十四大以前，是以放权让利、承包责任制、两权分离等为主要内容的政策性调整阶段；十四大后，特别十四届三中全会通过的《决定》，标志着国企改革转入以产权制度改革为主要内容的制度创新阶段。2013 年以来，《中共中央关于全面深化改革若干重大问题的决定》提出下一步国企改革将“积极发展混合所有制经济”，强调鼓励各类资本参与国有企业混合所有制改革，并就健全企业治理机制、建立依法合规操作规则、营造良好环境和组织等做出具体安排。

2. 企业所得税的相关改革

1983 年，国营企业实施两步“利改税”改革，对国营企业全面征收所得税，并对国营大中型企业征收国营企业调节税。90 年代开始，内外资企业所得税各自统一，税制的统一和所得税负担水平的普遍降低，极大鼓舞了外商的投资热情，这项政策在调整当年就初见成效。1994 年改革企业所得税，合并国有企业所得税、集体企业所得税、私营企业所得税为统一的内资企业所得税，改变按不同所有制的企业实行不同税种和税率的状况。2011 年，中国企业所得税开始从部分地区的交通运输业和现代服务业试点“营改增”，大幅减少企业税负；2013 年 8 月“营改增”范围已推广到全国试行。

可见，中国社会主义市场经济体制建设中的供给侧改革实践，是中国特色社会主义政治经济学理论的重要组成部分，是中国从计划经济体制向社会主义市场经济体制转型阶段的改革探索，呈现增量化改革、零星化改革的特点，仅聚焦于劳动力、资本、技术等资源要素市场和资源配置的部分市场机制建设，以及相关的财税体制、企业体制和社会保障体系等领域的制度改革，改革的统筹性、系统性和全局性尚显不足。

5.5 中国新供给经济学理论逻辑和思想方法

以习近平总书记为核心的中共中央在综合分析世界经济长周期和中国发展阶段特征及其相互作用的基础上，提出了加强供给侧结构性改革的战略思路。供给侧结构性改革不同于以往中国社会主义市场经济体制建设中的供给侧改革，它更具体系性、综合性和全局性。中国供给侧结构性改革思想是在中国经济发展新常态阶段，基于中国改革发展实践的理论综合与理论创新，以此构建起中国新供给经济学的理论架构。中国新供给经济学的创新和实践是中国社会主义经济建设在新时期的一次探索性改革和调整，是中国特色社会主义政治经济学的重要组成部分。

5.5-1 供给侧结构性改革的目标是实现高效可持续增长

从供给侧结构性改革的理论基础看，供给侧结构性改革的目的是在稳定和扩大社会总需求的前提下，最大限度地解放和发展生产力，提升经济增长质量效率，增强持续增长动力。供给侧结构性改革目标包括多重任务：第一，释放经济增长潜力和活力。从经济增长理论看，经济增长一般是指生产的商品和劳动总量的增加，即社会财富的增加。释放经济增长的潜力，就是要促进劳动力、资本、制度、创新等资源要素的有效供给，使其价值得以充分发展。同时，促进资源生产要素价值转化效率的提升。释放经济增长活力需要强化对企业等市场主体发展动力的释放，通过为企业经营创业活动松绑、降低企业税负成本等方式，增强企业发展的市场竞争力和盈利能力。第二，提升经济发展质量和效益。提升经济发展质量和效益就是要促进经济发展的高效性和共享性。通过有效供给来满足人民群众日益增长的物质文化需求，满足消费升级的需要，实现供给与需求的有效匹配。第三，实现协调发展和可持续增长。通过生产结构的调整优化来提升产业发展、区域发展的协调性；通过技术创新驱动来提升经济发展的效率水平；通过转变发展方式释放经济发展成果的社会效应，更多地惠及民生；通过人与自然的协调，实现经济、社会、生态、环境的可持续发展。

5.5-2 实现高效可持续增长必须供给侧结构性改革与需求侧管理协同运用

供给侧结构性改革是渐进的过程，它不是将原有制度的推倒重来，而是在原有制度的基础上，对于一些导致严重经济问题或危机的关键性制度缺陷做重大改革，即对现有制度结构进行优化升级。同时，供给侧结构性改革强调中长期的制度构建，对原有的制度进行结构性改革，以促进经济持续健康发展。因此，供给侧结构性改革的中长期性决定了供给侧结构性改革还需要与需求侧管理有效协同。一方面，发挥需求侧管理稳定和扩大总需求的作用，特别是短期内对经济回暖、就业稳定、社会民生等方面的积极作用，为供给侧结构性改革营造良好战略机遇期。另一方面，发挥需求侧管理对供给侧结构性改革的带动作用。比如，通过完善消费环境，加快消费市场、消费体制改革，促进消费升级，使得新消费需求得以有效释放，从而拉动供给创新，使得新需求与新供给有效匹配；通过投融资体制改革，提升投资效率，补齐社会短板，进而刺激和营造较大的产品或服务供给空间。

5.5-3 供给侧结构性改革内生变量（要素新供给）是持续增长的内在动力，其机制是寻求要素资源效率最大化

供给侧结构性改革的内生变量，是指直接推动解放和发展生产力的变量，是实现要素新供给。供给侧结构性改革要通过强化全要素生产率，实现资源配置效率的提升，实现要素资源效率最优化。

1. 促进全要素生产率提升

全要素生产率提升是提升劳动力、资本、技术等生产资源要素产出效率。劳动力、技术、资本等生产要素生产率的提升是推动供给侧结构性改革的动力源，和根本出发点，也是解放生产力和发展生产力的基础。其主要途径包括：通过完善要素市场机制和形成要素市场功能，加快各种要素的市场开放，形成统一的市场机制；建立依法、规范、透明的管理制度等，进而提高劳动力参与率，提高储蓄率，改善劳动力和资本配置结构，促进技术进步，有效激活资源要素增长潜力；实施创新驱动发展战略，促进劳动力、资本、技术等供给质量的提升，推动产业从中低端向中高端迈进等。

2. 促进资源配置效率提升

资源配置效率提升是通过促进资源要素在不同生产领域合理流动、科学配置，提升资源要素的产出效率。这是供给侧结构性改革发挥市场对资源配置决定性作用的重要体现，也是充分挖掘资源利用效率，释放经济发展活力，保持经济持续发展后劲的源泉。其主要途径包括：促进生产结构的调整，强化不同产业结构内部资源要素的释放以及重新配置，实现资源要素价值的再发掘，比如倒逼产能过剩行业的优胜劣汰；促进企业市场主体功能的发挥，实现企业经营的自主化，降低制度交易成本，使企业进出流动更加便利、更加高效，比如市场进出门槛的降低等。

5.5-4 供给侧结构性改革外生变量（制度、结构、政策新供给）是持续增长的外在动力，其机制是寻求经济运行效率最大化

供给侧结构性改革的外生变量，是指保障和促进解放和发展生产力的制度安排、结构安排和政策安排。供给侧结构性改革需要实现制度新供给、结构新供给、政策新供给，保障资源要素有效供给和市场优化配置，进而实现经济运行效率的持续提升。

1. 制度新供给

供给侧结构性改革的稳步推进要强化政府职能转变，推进行政管理体制改革，打破束缚市场功能发挥或是导致结构扭曲的体制机制，强化对供给侧结构性改革及相关制度安排的落实。主要体现三方面：第一，完善资源要素有效供给的市场制度，即促进资源要素自由流动、合理定价、公平交易、权益保护等方面的市场制度。第二，完善资源要素有效配置的市场制度，即强化企业在资源要素配置中的主体地位，增强企业竞争活力，释放企业创新动力等方面的市场制度。第三，打破原来的制约资源要素市场化供给和配置的制度藩篱，完善市场经济制度建设的支撑，强化管理方式和理念的创新。比如，推进劳动力要素市场建设的户籍制度、社会保障制度等领域改革；推进土地要素市场建设的土地制度改革等。

2. 结构新供给

结构性改革是以破解阻碍经济转型升级的结构性、体制性矛盾为导向的改革，是推动经济转型升级的关键所在。结构优化调整是供给侧结构性改革

的重要内容,也是为供给侧结构性改革创造空间。中国在长期发展中形成了投资与消费的结构性矛盾、经济增长动力的结构性矛盾、服务业发展滞后的结构性矛盾、实体经济发展所面临的结构性矛盾等,这些结构性矛盾存在的原因有三:第一,由于资源要素市场割裂,导致资源要素市场价格机制失灵,进而使得资源要素错配;第二,由于中国转变发展方式进程缓慢,导致资源要素处于低层次水平配置,资源要素供给质量难以有效提升;第三,由于产业发展不均衡,导致不同产业领域内生产力配置失衡,使得资源要素供给难以获得有效需求带动。结构供给是着眼于化解当前经济社会发展中存在的诸多结构性矛盾,通过结构优化调整进一步释放错配的资源要素,释放资源要素的价值,加大资源要素供给的需求拉动力,进而促进资源要素的有效供给和配置效率的提升。

3. 政策新供给

为了保障供给侧结构性改革对短期问题的化解以及中长期结构优化调整和制度构建,需要形成整体协调、实施有序、相互促进的政策体系,要从宏观层面、中观层面、微观层面以及社会层面等为供给侧结构性改革提供政策支持。第一,宏观层面要通过科学的财政政策和货币政策的制定,促进社会总供给与总需求的基本稳定,为供给侧结构性改革提供宽松环境。第二,中观层面要强化对产业发展、结构调整等方面的引导,促进增量与存量之间的有机转换。第三,微观层面要强化企业市场主体地位,要降低企业生产经营成本和市场交易成本,鼓励企业创新,激励企业创造新供给。第四,社会层面要强化政府公共服务供给的主体地位,增强在民生保障、公共服务平台建设、市场规则架构等方面的支撑。第五,作出防范风险的政策安排,针对供给侧结构性改革短期内面临的突出矛盾和重点问题,要强化政策供给,化解改革所面临的风险和挑战。

5.5-5 供给侧结构性改革要以新发展理念为导向,发挥市场的决定性作用和更好发展政府的作用

创新、协调、绿色、开放、共享等五大发展理念,是中共对社会主义发展规律的重新认识。中国社会主义经济建设需要正确认识、准确把握和切实顺应这些发展规律。实现高效可持续增长,其根本途径是要提高要素资源

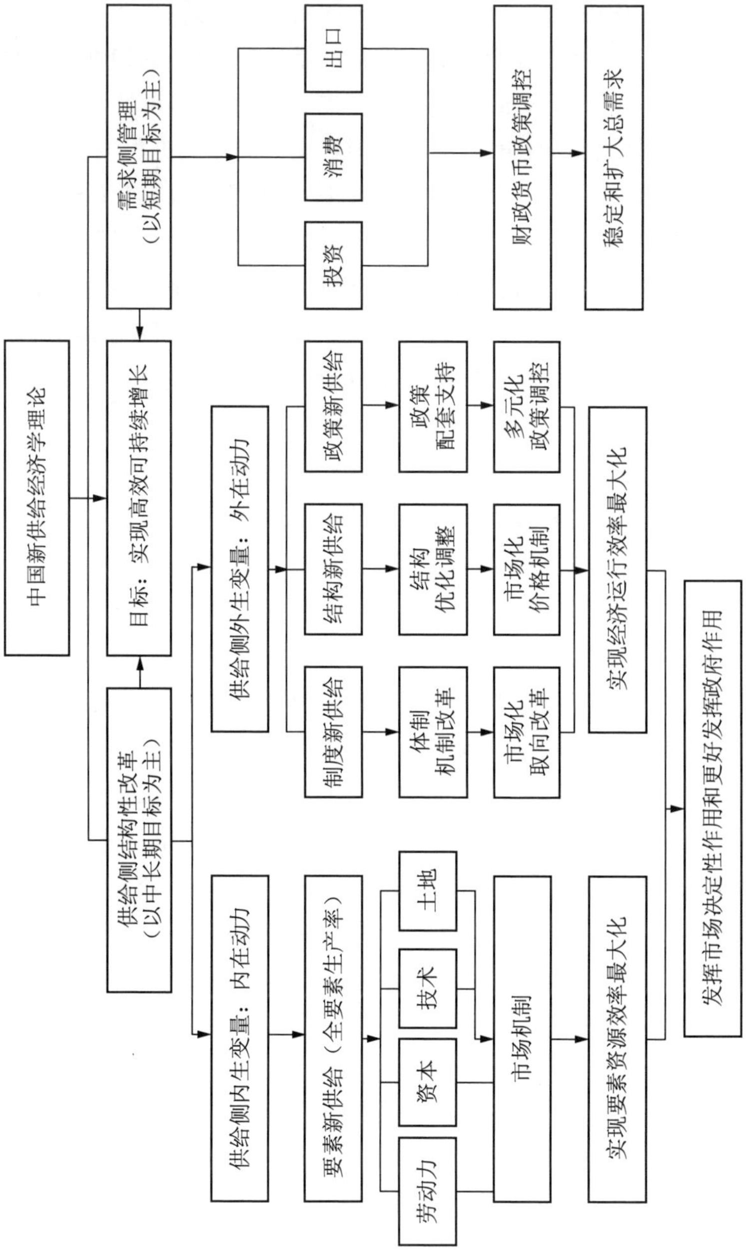

图 5.1　中国新供给经济学理论逻辑和思想方法

注：需求侧“三驾马车”：投资、消费、出口；供给侧“四要素”：劳动力、资本、技术、土地。

效率和经济运行效率,同时防范各种风险。这就必须发挥市场的决定性作用和更好发挥政府的作用。

供给侧结构性改革需要化解的问题相互交织、关联,较为复杂,更需要强化五大发展理念的规律指引。第一,从创新理念来看,供给侧结构性改革无论是制度变革,还是结构优化以及要素升级,其核心是创新。要把推动经济发展由主要依靠增加物质资源消耗转到主要依靠科技进步和要素效率提高上来。第二,从协调理念来看,供给侧结构性改革是一项系统工程,要协调好财税改革、国企改革、金融改革、户籍改革等各项改革的关系,协调好扩大总需求与去产能、去库存、去杠杆、降成本、补短板的关系等。第三,从绿色理念来看,推行低碳循环和减量化的经济发展方式,有利于矫正生态环境资源的扭曲配置,提高资本、劳动等要素的配置效率,消化过剩产能,形成供给与需求的良性循环。第四,从开放理念来看,以开放理念为引领的供给侧结构性改革,将构建改革发展新格局,健全同国际贸易、投资规则相适应的体制机制,形成中国经济与世界经济深度融合互利共赢的供给制度体系。第五,从共享理念来看,供给侧结构性改革将更加注重制度供给公平,健全分配制度和社会保障制度,强化共享机制,促进社会民众分享经济社会发展的物质成果。

5.6 中国供给侧结构性改革的战略路径

基于中国供给侧结构性改革的理论逻辑和思想方法,供给侧结构性改革是一个系统工程,需要在有效把握供给侧结构性改革可能面临的风险挑战的基础上,统筹考虑,重点突破,有序推进,选择合适的战略路径。

5.6-1 供给侧结构性改革的方法

在推进供给侧结构性改革过程中,要正确处理三大关系,这是中国实施供给侧结构性改革的重要基础。

1. 要处理好发展、改革和稳定的关系

供给侧结构性改革的目标导向,是化解经济发展中面临的诸多问题,增强经济发展动力和活力，因而供给侧结构性改革不能为了改革而改革，而应将经济发展作为第一要务，将能够解放和发展生产力作为评判改革措施和成效的重要标准。同时，供给侧结构性改革必然会带来结构性调整，也随之带来资源要素价值的重新估值和流动，会带来失业、企业重组等一系列问题，从而给经济社会稳定带来一定冲击。因此供给侧结构性改革必须以相应的社会保障制度建设为支撑，把稳定放在重要地位，强化政策托底功能，保持经济社会的稳定，为供给侧结构性改革营造稳定的经济社会环境。

2. 要处理好政府作用和市场作用的关系

供给侧结构性改革作为中国特色社会主义政治经济的重要组成部分，必须进一步强化市场机制建设，充分发挥市场在资源要素有效供给、质量提升和高效配置中的决定性作用，与此同时，供给侧结构性改革也需要强化政府在制度改革、宏观调控中的支撑和保障作用，促进市场机制的运行效率不断提升。同时发展政府推动和市场驱动的作用不仅是中国特色社会主义政治经济学的内在特征，也是有序推进供给侧结构性改革的客观需要。因而需要处理好政府推动与市场驱动的关系，政府推动不能直接代替市场配置，而是要按照市场经济规律和市场化改革的方向来规范政府权力，强化政府职能转变和行政管理方式变革，政府改革推动或调控政策应通过作用于要素、企业等市场主体，实现政府的间接引导功能和市场驱动的直接推动功能有机结合。

3. 要处理好短期政策调控和中长期制度创新的关系

供给侧结构性改革是强调中长期制度创新的过程，但实施供给侧改革不是将原有制度推倒重来，而是对原有制度的新陈代谢，在对原有的导致严重经济问题或危机的关键性制度缺陷做重大改革的基础上，有步骤地推进相关制度建设和完善，逐渐形成有利于释放经济发展动力和活力，促进经济持续增长的制度安排和制度体系。因而，供给侧结构性改革是一个渐进的过程，它既需要强调短期内以问题为导向的政策引导，为改革提供政策供给保障，并为中长期的供给侧结构性改革赢得时间，铺平道路；同时，又要强调以制度创新为导向的中长期制度构建，形成具有中国特色的社会市场经济制度体系。短期政策和中长期改革相辅相成，短期的政策引导要融入中长期制度构建的基本要求，中长期制度构建要结合短期政策引导实践的效果。

5.6-2　中国供给侧结构性改革的战略路径

立足于供给侧结构性改革的内涵，按照供给侧结构性改革的理论逻辑和思想方法，中国供给侧结构性改革需要从实现资源要素配置效率最大化和经济运行效率最大化等维度全面推进。

1. 以要素新供给来提升全要素生产率，实现从要素驱动向创新驱动转变

劳动力、资本、技术等生产资源要素生产率的提升，是推动供给侧结构性改革的动力源。供给侧结构性改革就需要着力提升生产资源要素供给效率和供给质量，充分发挥创新在生产资源生产率水平提升中的作用。其一，推进人口红利向人才红利转变，全面提升中国人力资本优势。通过构建统一的劳动力市场，降低劳动力自由流动成本，促进劳动力在城乡、企业、高校、科研机构之间有序流动，挖掘劳动力供给潜力。将控制人口增长战略向优化提升人口素质、提高人口质量战略转变，强化教育培育、稳步提升劳动者素质。其二，要激发创新动力和创新活力，促进技术要素的创新供给。要大力推动“双创”，激发微观经济主体创新创业活动；要构建激发科技创新的制度环境和激励机制，加快培育创新文化，形成有利于创新的社会氛围。其三，要加快实施金融领域改革，提升资本利用效率。加快构建与实体经济相匹配的多层次金融体系、多样化组织体系、立体化服务体系，有效整合各种金融资源。加快推进金融市场化改革，降低资本成本。其四，稳步推进土地改革，建立合理高效的土地流转制度。

2. 以制度新供给来深化市场经济体制改革，实现从政府规制向市场配置转变

要实现资源要素的有效供给、质量提升和高效配置就需要充分发挥市场在资源配置中的决定性作用，要强化政府职能转变。深化行政体制改革，减少政府管理对市场机制的干预和制约。其一，要深化市场机制改革，构建有利于市场功能激发的新体制，着力清除市场壁垒，形成有利于创新发展的市场环境，有利于企业自主经营公平竞争的市场机制，有利于商品和要素自由流动平等交换的现代市场体系制度等。其二，要加快政府职能转变，优化政府机构设置职能配置工作流程，提高政府效能，激发市场活力和社会创造力。其三，要推进国有企业改革，发展混合所有制经济。完善国有资产管理

体制，鼓励非公有资本参与国企改革，完善现代企业制度，推进产权保护法治化，以规范经营决策公平参与竞争增强企业活力。其四，要完善开放制度环境，促进市场机制与国际接轨，通过开放来倒逼市场机制改革，通过开放制度改革来拓展产品的国际市场空间。

3. 以结构新供给来促进产业结构为重点的经济结构调整，实现从粗放式发展向集约化发展转变

以生产力配置为核心的产业结构，在一定程度上影响着要素供给结构、区域发展结构、能源利用结构等诸方面。因而，供给侧结构性改革要强化产业结构调整，通过产业结构优化调整培育新的经济发展动能，扩大有效供给和中高端供给，同时推进存量调整，淘汰、减少无效供给和低端供给，改造提升传统比较优势。其一，加快新兴产业的培育发展。通过推进垄断领域改革、破除服务经济发展的体制机制束缚，通过技术创新、商业模式创新等来加快战略新兴产业成长。其二，推进传统产业的技术改造升级，促进产品创新，使传统产品满足消费升级的趋势。其三，有序推动产业在区域之间合理布局，促进城乡结构和区域结构的优化。比如，结合主体功能区规划，有序引导产业在不同区域的合理布局。其四，促进产业生产方式的转变，实现产业的低碳化、绿色化、清洁化发展，发展循环经济和绿色经济。

4. 以政策新供给来化解发展中的突出矛盾和重点问题，为供给侧结构性改革营造发展环境

供给侧结构性改革是一个中长期过程，但短期经济发展中面临的突出矛盾和重点问题，使供给侧结构性改革面临较大的风险和挑战，也在一定程度上束缚了供给侧结构性改革的实施。因而，需要着力化解短期经济发展中出现的问题或矛盾，为供给侧结构性改革的实施拓展空间、营造环境。比如，要着力化解产能过剩，推进企业兼并重组，释放错配的生产要素资源；要有效化解房地产库存，实现房地产业健康发展，降低房地产业波动对经济发展的冲击；要有效化解金融风险，有效化解地方政府债务、银行坏账、企业高负债等风险，防止系统性风险发生。

5. 加强供给侧改革与需求侧管理的有效协同和综合运用，为供给侧结构性改革赢得战略机遇

供给侧结构性改革不仅仅要解决供给不足的问题，更重要的是要解决供

需错配的问题。因而，供给侧结构性改革需要“供需两侧”同时发力有效协同。通过有效的需求侧管理，实现经济增长的适度扩张，确保经济运行、就业环境的总体稳定，为供给侧结构性改革营造宽松的经济环境，营造良好的战略机遇期。同时，通过完善消费环境，加快消费市场、消费体制改革，促进消费升级，使得新消费需求有效释放，从而拉动供给创新，使得新需求与新供给有效匹配。通过投融资体制改革，提升投资效率，刺激和营造更大的产品或服务供给空间。通过外贸结构的优化升级，带动新供给产品的生产和投资。总体而言，必须加强供给侧改革与需求管理的有效协同，从而有效保障和促进供给侧结构性改革不断深入。

6

供给侧结构性改革与内生变量(要素新供给)

供给侧结构性改革,就是要用改革的办法矫正供需结构错配和要素配置扭曲,解决有效供给不适应市场需求变化问题,使供需在更高水平实现新的平衡;就是要发挥市场配置资源的决定性作用,盘活过剩产能沉淀的劳动力、资本、土地等生产要素,让生产要素从低效率领域转移到高效率领域,从已经过剩的产业转移到有市场需求的产业,进而实现资源优化再配置,提高全要素生产率,实现经济的长期持续增长。

6.1 全要素生产率与经济增长

对经济增长动力源泉的分析是宏观经济学研究的核心问题。中国自改革开放以来经历了一个高速增长阶段,年均增长 9.9%,经济总量在 2010 年达到 40 万亿元,超过日本成为全球第二大经济体。目前,中国经济发展进入新常态,增长速度出现换挡,这是长期支撑中国经济高速增长传统动力减弱的表现。从世界经济史来看,高速经济增长是特定发展阶段的一种赶超现象。例如,2014 年在世界经济平均 2.5%的增长率下,低收入国家增速达到 6.3%,中等偏下收入国家 5.8%,中等偏上收入国家 4.5%,而高收入国家只有 1.7%。处在较低发展阶段的国家,由于存在技术和生产率的差距,经济增长具有后发优势,可以主要依靠资本、土地和劳动力的投入实现,这也是中国长期以来的主要增长动力;而对处在更高经济发展阶段上的国家来说,经济增长则必须依靠全要素生产率的提高。所以,进入新的发展阶段,要认识到依靠传统要素投入实现的增长动力已难以为继,必须通过提高全要素生产率及其对经济增长的贡献度来实现下一阶段中国经济的持续高速增长。

6.1-1　全要素生产率的估算

全要素生产率作为分析经济增长源泉的重要工具,也是政府制定长期可持续增长政策的重要依据。首先,估算全要素生产率有助于进行经济增长源泉分析,即分析各种因素(投入要素增长、技术进步和能力实现等)对经济增长的贡献,识别经济是投入型增长还是效率型增长,确定经济增长的可持续性。其次,估算全要素生产率是制定和评价长期可持续增长政策的基础。具体来说,通过全要素生产率增长对经济增长贡献与要素投入贡献的比较,就可以确定经济政策是应以增加总需求为主还是应以调整经济结构、促进技术进步为主。

1. *测度方法*

自从索洛提出全要素生产率概念以来,对全要素生产率的测度经历不断发展和扩充。克鲁格曼对东亚增长奇迹的质疑以及 1997 年东南亚经济危机的爆发,掀起了国内学者对全要素生产率和经济可持续增长的研究热潮。目前,对全要素生产率的测算主要有两大类方法:参数方法和非参数方法。参数方法包括索洛残差法、隐性变量法和前沿生产函数法。我们选取索洛残差法进行估算。具体估算中,采用柯布道格拉斯生产函数:$Y_t = AK_t^{\alpha}L_t^{\beta}$,其中 Y_t 为现实产出,L_t 为劳动投入,K_t 为资本存量,α 和 β 分别为平均资本产出份额和平均劳动力产出份额。两边同时取自然对数可得:

$$\ln(Y_t) = \ln(A) + \alpha\ln(K_t) + \beta\ln(L_t) + \varepsilon_t \tag{6.1}$$

ε 为误差项，通常假设规模收益不变，即：$\alpha+\beta=1$，有下列回归方程：

$$\ln(Y_t/L_t)=\ln(A)+\alpha\ln(K_t/L_t)+\varepsilon_t \tag{6.2}$$

通过 OLS 可以估计出平均资本产出份额 α 和平均劳动力产出份额 β，代入即可得到全要素生产率的增长率。

2. 变量选择

(1) 资本存量。资本存量数据采用永续盘存法计算得到，即：

$$K_t=(1-\delta)K_{t-1}+I_t \tag{6.3}$$

采用永续盘存法进行计算时需要确定四个关键变量：基期资本存量，选取 1978 年的资本存量作为期初；固定资本投资，数据来自《中国统计年鉴》的全社会固定资本投资；价格指数，采用固定资产价格指数，1978 年价格作为基年价格；折旧率采用郭庆旺等(2005)的计算方法得出。

(2) 劳动力。劳动力数据来源于《中国统计年鉴》，选择总就业人数来衡量劳动力要素投入。

由图 6.1 可以看出，改革开放以来，要素投入中资本存量的增长速度较快，从 2000 年到 2010 年一直保持较高增速，这与中国的投资驱动型增长战略相符合。劳动力要素的增速较为稳定，这主要是从数量角度测度的原因。

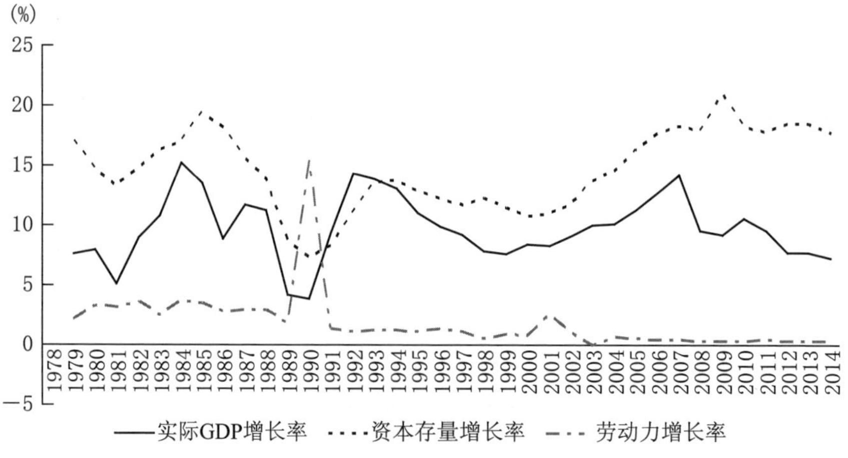

图 6.1　1978—2014 年中国要素投入与实际产出增长率

3. 结果分析

通过上述方法,测算出中国 1978 年以来全要素生产率的增长速度,并与郭庆旺、贾俊雪(2005)等的研究结果进行对比,如图 6.2。可以看出,估算结果与其他学者结果的拟合度较好。从不同阶段全要素生产率的增长率趋势还可以得出以下几点结论:

(1) 1993 年以前,中国全要素生产率增长率总体呈现出涨跌互现的波动情形,波动幅度比较剧烈且较为频繁。究其原因,1993 年以前正是中国经济体制和市场条件发生剧烈频繁变化的时期,这必然导致全要素生产率增长发生剧烈频繁变化。如改革开放初期(1979—1984 年),家庭联产承包责任制与国营企业放权让利等制度变迁,使生产力得到极大解放从而促进全要素生产率快速增长。而随着改革开放步伐加快,一些制度上的深层次矛盾逐渐显现,从而制约了全要素生产率增长。

(2) 1993 年以来,中国全要素生产率增长率总体呈现出逐年下降的趋势,直到 2000 年这种下降趋势才得以缓解,随后呈现出逐年攀升的势头。究其原因,1993 年以来,随着宏观经济逐步降温并于 1998 年出现通货紧缩,中国经济出现生产能力全面过剩情形,国有企业减员和资本过度深化进一

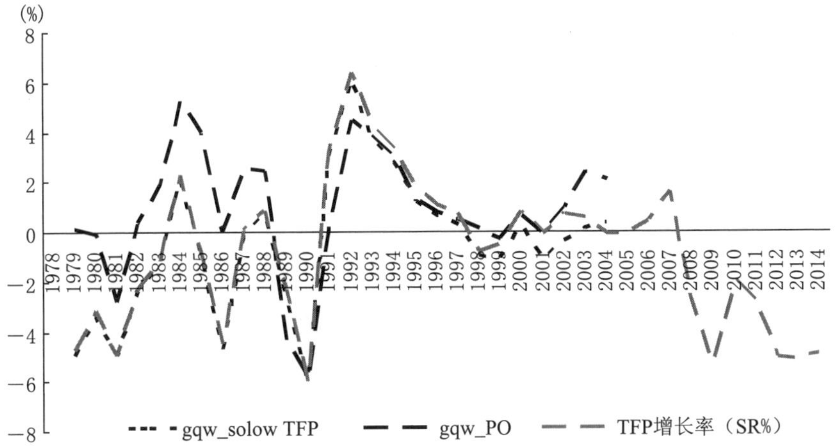

图 6.2　1978—2014 年中国全要素生产率增长率

注:gqw-solow TFP 和 gqw-PO TFP 分别表示郭庆旺等(2005)用索洛余值法和潜在产出法测算出的全要素生产率增长率的趋势。

步加剧了劳动力的低水平利用，加之长期低水平的公共教育支出与科学研究支出以及一些社会矛盾的进一步加剧，这些因素都不可避免地导致全要素生产率增长率持续下降。而2000年以来，随着积极财政政策的实施，尤其是基础设施建设与公共教育支出经济效应的逐步显现，宏观经济逐渐好转，全要素生产率增长率也随之出现逐年攀升的势头。

(3) 2007年以来，中国全要素生产率增长率呈现下降趋势，这与金融危机对实体经济的冲击密切相关。原有的增长平衡被打破，新的平衡尚未建立，且体制机制间的矛盾日益加大，造成了全要素生产率增速的下降。由此可见，影响中国全要素生产率增长变化的主要因素在于中国经济体制变革与宏观经济政策的变化。

6.1-2 全要素生产率与经济增长源泉分析

1. 全要素生产率对经济增长的贡献

通过上文的计算结果，可以进一步估算出要素投入和全要素生产率对经济增长的贡献。1979—2014年间全要素生产率对经济增长的平均贡献率较低，仅为9.87%，而要素投入增长的平均贡献率高达90.13%。这一方面表明，中国经济增长主要依赖要素投入，是一种较典型的投入型增长方式；另一方面也表明，中国今后全要素生产率增长对经济增长的贡献空间还很大。

同时，改革开放以来的全要素生产率变化呈现一种“低位波动”特征，两种投入要素资本和劳动对中国全要素生产率的作用是不同的，劳动生产率是推动全要素生产率上升的主要力量，资本生产率却显著地抑制了全要素生产率进一步上升，说明在中国经济发展充分发挥了自身劳动力资源比较优势的同时，资本生产率却有待提高。在中国劳动力资源优势逐渐消失的大背景下，如何提高和巩固资本生产率，是中国面临的一个巨大挑战；同时也要认识到，中国的资本生产率仍然具有很大的提升空间，只要今后可以稳步提高资本生产率，那么在未来几十年维持经济高效率的增长是完全可能的。

2. 全要素生产率的分解

全要素生产率作为扣除了资本投入和劳动投入贡献后，其他所有能够实现经济增长的因素贡献总和，对其进行分解能够更好得出影响经济增长的主要因素。这些因素包括：技术进步、资源配置效率、市场结构、开放水平等，可以将其归纳为两个方面——技术进步因素、体制机制完善因素。

在技术进步方面，主要包括知识、教育、技术培训、规模经济、组织管理等方面的改善。在影响要素配置效率的体制机制方面，主要指政府与市场关系的理顺、非国有经济的发展、经济对外开放程度的提高和市场培育等。就全要素生产率增长构成而言，1979—2014年间的技术进步率为0.954％，对经济增长的平均贡献率为10.13％；由体制机制原因推动的能力实现改善为－0.063％，反而阻碍了经济增长，贡献率为－0.26％。可以看出，中国全要素生产率增长及其对经济增长贡献较低的原因，一方面在于技术进步率偏低，另一方面更在于体制机制因素导致的资源配置不尽合理，导致生产能力利用水平偏低。所以，在供给侧结构性改革的推进过程中，要着力解决影响要素配置效率提高的体制机制障碍，推动全要素生产率的提高，实现经济的长期增长。

6.1-3　制约要素配置效率的主要问题

提高全要素生产率通常有两种途径，一是通过技术进步实现生产效率的提高，另一是通过生产要素的重新组合实现配置效率的提高，主要表现为在生产要素投入之外，通过技术进步、体制优化、组织管理改善等无形要素推动经济增长的作用。从微观层面上讲，企业采用了新技术、新工艺，开拓了新市场，开发了新产品，改善了管理，体制改革激发了人的积极性，都可以提高全要素生产率。从宏观层面上讲，通过资源重新配置，比如劳动力从生产率较低的农业部门转向生产率较高的非农部门，就可以提高全要素生产率。

1．要素市场改革的历史演变

传统的计划经济体制，从根本上否认劳动力、土地、资本等生产要素的商品属性，并将这些要素纳入严格的计划管理。那时的共识是，生产要素公有制是社会主义经济制度的根本特征之一，生产要素私有制则属于是资本主义经济制度的根本特征之一。

进入20世纪90年代，中国居民消费品基本实现了市场化，生产要素市场化开始提上日程。但是，承认劳动力是商品，是不是否定了劳动者的主人翁地位？承认土地、资本等生产要素是商品，是不是否定了生产资料的公有制？这些争论一度成为生产要素市场化的桎梏。1993年召开的党的十四届三中全会，在构建社会主义市场经济体制框架时，明确肯定了土地、劳动力、资本等生产要素的商品属性。这一重大决断成为解放生产力的关键步骤。

但时至今日，中国要素市场改革仍然滞后，已影响到经济发展全局。最近几年，中国经济增速放缓，大部分研究者习惯性地从需求层面，即从投资、消费、净出口去分析原因、寻找对策。如果换个角度，从供给层面去分析，就会发现主要生产要素领域计划与市场并存的“双轨制”仍十分严重，要素价格不但不能灵活反映供求关系和资源稀缺程度，而且出现普遍上涨的趋势，造成资源配置效率降低，寻租活动猖獗，抑制了生产要素的活力，在很大程度上降低了中国经济的国际竞争力——这正是中国经济增速放缓的深层原因所在。

2. 要素供给改革面临的主要问题

一是劳动力。中国户籍制度阻碍了劳动力跨地区、跨行业、跨部门的流动。政府对不同户籍提供的教育、医疗、社保、价格补贴等公共物品是不平等的。一些城市通过出台歧视外来务工人员的规定，加强对本地方劳动力市场的保护。同样的劳动力付出同样的劳动，在不同地区、不同部门、不同所有制企业有着不同的价格。这些制度安排，都降低了劳动力要素配置的效率。近年来，随着某些法规的实施，劳动力成本大幅上升。中国的社保费率（“五险一金”）已超过40％，也就是说假如一个职工税前工资是1万元，企业要为他至少支出1.4万元。此外，还有最低工资定期增长等规定。保护劳动者的合法权益是必要的，但必须考虑经济发展阶段和企业的实际承受能力。目前中国的劳动力成本上升，不是随着劳动生产率提高而形成的自然上涨。

二是资本。国有企业对国有银行仍存在刚性依赖，民间借贷成本远远高于国家银行的贷款利率。不同所有制企业获取信贷资本的难易程度不同，导致了资本价格严重扭曲。中国金融体系还存在大量抑制资本市场和金融市场的管制措施，如利率管制、信贷规模控制、限制民营企业创办银行、股票发行行政审批、个股涨跌停板限制等等。对资本市场不恰当的管制，同样扭曲了资本价格。中国作为外汇储备和国内储蓄最高的国家，利率却是世界上比较高的。

三是技术。在科技创新方面,尚未形成科技成果转化为现实生产力的有效机制;促进民间投资、非公经济发展的政策出了很多,但仍然存在“玻璃门”“弹簧门”“旋转门”,抑制了企业家的创新精神和民营经济、中小企业的发展势头。科技创新的动力不足、机制不活、能力不强。

四是土地。1989 年全国“两会”上通过的《宪法》修正案,将土地的所有权与经营权分开,使土地使用权具有商品属性。2007 年通过的《物权法》,又明确了土地用益物权。但是,中国土地并没有实现完全的市场化。政府仍完全控制土地一级市场,并对房地产开发用地、商业用地、工业用地执行不同的价格。招商引资中低价出让土地,房地产开发时又竞相抬高地价。在建设用地供应上,从 2004 年至今,国家加大了计划管理的力度。虽然每年供地计划数量不小,但由于计划供地与市场实际需求不匹配,连续多年完不成供地计划,再次验证了“计划管理造成短缺”这一经济规律。而越是短缺,越会造成部分地价上涨,进而推动房地产价格上涨。土地作为生产要素,其价格已严重扭曲。

由此观之,几乎所有能够带动经济增长的生产要素,都存在严重的体制约束瓶颈,并且主要集中在市场化改革不到位这一点上。这些问题的出现,从根本上说还是由于政府在行政管理中,没有分清与市场活动的界限。国家对微观经济活动干预过多,出现了宏观管理“微观化”和“以批代管”的现象。加上一些部门职责交叉、机构设置不合理、行政效率不高,极大地抑制了各类生产要素对经济增长的贡献。

3. 供给侧结构性改革与要素配置效率的提高

加快生产要素领域的市场化改革,有利于大幅度减少政府对资源的直接配置,会推动资源配置遵循市场规律,实现效益和效率的最大化。同时,生产要素领域的充分竞争总体上有利于降低要素成本,提高要素供给能力,进而提高各产业的国际竞争力。

在劳动力市场,要进一步挖掘劳动力要素的供给潜力。通过适度提高生育水平,出台弹性退休政策和逐步完善移民政策改善人口结构,提高劳动参与率。深化教育体制改革,支持企业培养创新型人才,建立健全创新知识产权制度来优化人力资本投资,提高劳动供给质量。通过加强制度创新,建立平等的劳动力市场法规体系和运作机制;完善农村社会保障机制,建立城乡合理的社会保障体系;完善劳动力市场中介组织,建立城乡统一的就业促进体系;统筹协调城乡教育培训资源,建立城乡一体化人力资源开发体系;完善劳动力市场管理,营造良好的劳动力市场运行秩序和环境,加快构建城乡一体化的劳动力要素市场。要健全劳动力要素报酬决定机制,进一步优化工资分配体系及结构,促进形成科学劳资关系,保护劳动者合法权益。

在资本市场,要进一步提高资本要素配置效率。首先,通过加快推进利率市场化,完善汇率市场化形成机制,协同推进渐进式的资本项目开放,基本形成市场价格基准。其次,要建立完善多层次股权市场体系,发展和规范多层次债券市场,多渠道推动股权融资发展,发挥期货市场的价格发现和风险管理功能,鼓励金融创新,丰富金融市场层次和产品,最终形成更加完善的多层次资本市场。再次,积极运用新型投融资模式,运用结构金融创新来盘活存量固定资产,提高企业部门投资回报率,创新中长期资本供给机制。最后,要进一步提高金融服务实体经济效率。营造良好的货币金融环境,加大资本市场、保险市场支持实体经济力度,加强金融风险防范。

6.2 要素配置效率与劳动力、资本、技术要素供给

以要素新供给来提升全要素生产率,实现从要素驱动向创新驱动转变。劳动力、资本、技术等生产资源要素生产率的提升,是推动供给侧结构性改革的动力源。供给侧结构性改革就需要着力提升生产资源要素供给效率和供给质量,充分发挥创新在生产资源生产率水平提升中的作用。

6.2-1 人口红利与劳动力要素供给潜力

中国在过去 30 多年间的高速经济增长很大程度上得益于廉价劳动力的充分供给,较高的劳动人口比例释放了巨大的人口红利,推动了经济的高速增长。然而,新常态下中国人口的总量与结构都发生了变化,支持中国 30 多年高速增长的人口红利逐渐消失,人口要素的禀赋结构发生了变化。一方面,长期实行的人口政策不仅导致中国劳动参与率下降,劳动年龄人口份额

比重不断下降,劳动力配置效率降低,还因出生率的下降使潜在劳动力数量的增长受到制约。另一方面,中国社会保障制度不完善,特别是教育与养老保险方面,增加了家庭的抚养和教育成本,限制了人力资本的投资。同时,教育资源的分布差异以及人才培养结构的影响,导致中国人口要素的素质差距较大,不能满足中国产业结构升级对人才的需求。制度因素造成的劳动力市场分割则进一步加剧了各产业部门间的劳动力要素供需不匹配,出现结构性短缺。因此,需要进一步挖掘劳动力要素的供给潜力,消除中国经济增长面临的劳动力要素供需矛盾。

1. 改革开放以来中国人口和人力资本的变化

1978 年改革开放之初,中国的人口转型已基本完成,死亡率与出生率基本保持在较低的水平。在计划生育政策下,妇女的初婚平均年龄在 20 世纪中从 19.7 岁上升到 22.8 岁,总和生育率从 1970 年每名妇女平均生育 5.7 个孩子下降到 1979 年的 2.8 个孩子。在计划生育政策严格执行的背景下,中国的人口从 1978 年的 9.6 亿上升到 2014 年的约 13.7 亿,年均增长率保持在 0.98%,且人口增长率在 1986 年之后一直处于稳定下降状态。

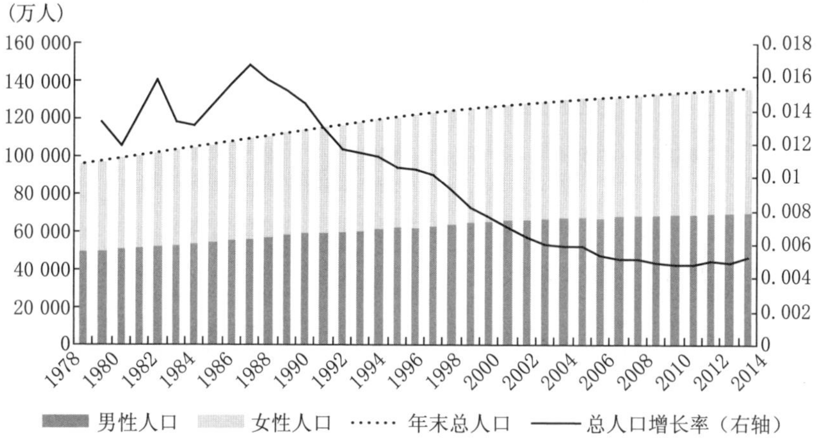

图 6.3　1978—2014 年中国总人口的变化情况

资料来源:《中国人口统计年鉴》。

伴随着中国改革开放以来工业化和城镇化的稳步推进,大量劳动人口从农业部门转移到了非农业部门,从农民转变为产业工人。从总就业人口的变化情况看，从1978年到1990年，就业人口增长出现了波动式的增长，与这段时期乡镇企业和民营经济的蓬勃发展相关。1991年后，总就业人口的增长速度出现了下降，与80年代的平均增速3%相比，增速下降到了0.5%左右。这一趋势与1980年开始施行计划生育政策后总人口的增长情况相吻合。从各产业的就业人员数量看，第一产业就业人员保持稳定的下降趋势，占比从1978年的70%下降到2014年的30%；第二产业从业人员占比从1978年的17%上升到2014年的约30%，且基本稳定在30%左右；第三产业从业人员变化较大，占比从1978年不到12%上升到2014年超过40%，意味着从农业部门转移的劳动力进入到服务业部门的占比较大。

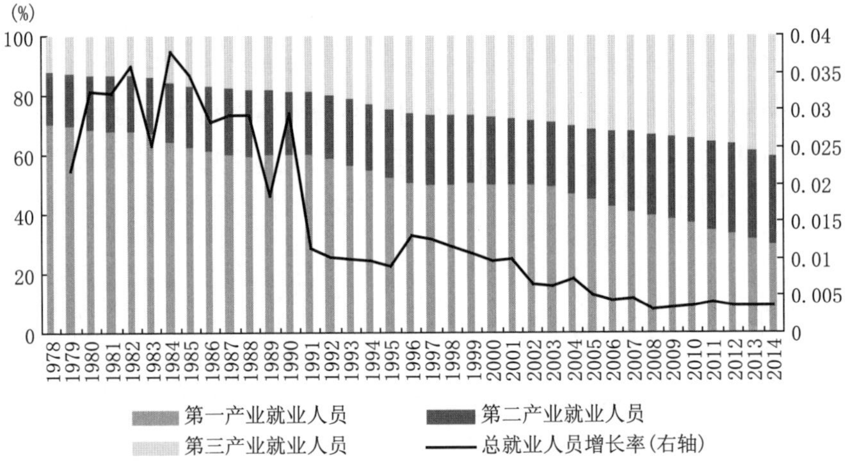

图6.4　1978—2014年中国就业人员的变化情况

资料来源：《中国人口统计年鉴》。

从人力资本的角度来看，改革开放以来中国人口的受教育情况也发生了一定变化。改革开放之初，未上过小学的人口占六岁以上总人口数的比例超过70%，到2012年这一数值下降到了2%。这一方面与经济社会发展水平相关，另一方面也得益于中国普及义务教育和科教兴国战略的有力实施。当前，全国接受过高中及以上教育的人口占比约占总人口数量的50%，这些人力资本将会为未来中国经济和社会转型提供强大的人口质量红利支撑。

表 6.1　2012 年中国各地区人口受教育情况(%)

地　区	未上过学	小学	初中	高中	大专及以上
全　国	2.09	15.27	34.47	24.84	23.33
北　京	1.06	7.76	25.71	21.90	43.56
天　津	2.23	12.39	31.89	26.56	26.92
河　北	2.29	18.05	39.84	22.76	17.07
山　西	1.25	13.35	32.72	31.72	20.96
内蒙古	1.64	14.08	36.26	26.54	21.48
辽　宁	1.20	11.44	36.55	20.00	30.80
吉　林	1.19	10.13	37.19	32.38	19.08
黑龙江	1.27	12.21	40.42	26.31	19.78
上　海	2.05	10.77	37.16	22.60	27.43
江　苏	3.17	15.81	32.72	23.18	25.12
浙　江	2.67	17.74	31.59	20.20	27.80
安　徽	2.86	14.25	29.02	22.23	31.64
福　建	3.01	22.25	38.08	23.84	12.81
江　西	1.87	15.49	30.16	28.13	24.38
山　东	2.64	16.30	33.35	24.36	23.36
河　南	1.45	14.50	32.20	27.64	24.20
湖　北	2.42	12.17	28.46	31.63	25.31
湖　南	2.81	18.71	32.58	27.79	18.09
广　东	1.30	14.84	41.40	25.74	16.72
广　西	1.43	18.48	36.61	23.28	20.19
海　南	1.51	12.90	30.07	32.05	23.41
重　庆	2.02	19.50	33.69	24.83	19.96
四　川	2.15	20.31	33.29	24.50	19.76
贵　州	2.61	19.78	34.70	21.84	21.05
云　南	3.21	22.40	35.60	21.39	17.40
西　藏	14.38	35.12	19.06	12.71	19.06
陕　西	2.47	11.73	35.51	30.22	20.06
甘　肃	3.33	17.64	32.00	27.46	19.55
青　海	3.41	20.47	34.65	20.12	21.26
宁　夏	2.83	21.68	37.28	17.63	20.46
新　疆	1.30	21.37	29.91	22.85	24.58

资料来源:《中国人口和就业统计年鉴 2012》。

2. 人口政策与提高劳动参与率

随着中国经济快速转型发展和30多年严格生育政策的实施，中国人口已进入以加速老龄化和超低生育率为首要特征的新常态。当前及今后一段时期，中国将面临劳动力年龄结构转变、少子化和老龄化并存、数量型人口红利消失等问题，需要预判发展趋势，从政策层面引导人口结构的优化，通过政策鼓励劳动参与率的提高来增加人口和劳动力要素的有效供给。

党的十八届五中全会提出，"促进人口均衡发展，坚持计划生育的基本国策，完善人口发展战略，全面实施一对夫妇可生育两个孩子政策"。这一政策将成为未来劳动力要素改革的基础，在进一步释放生育潜力的同时，通过增加劳动力供给缓解人口老龄化压力，补充数量型人口红利。同时，进一步完善相关政策措施，创新计划生育服务管理，做好政策衔接，加强出生人口监测和风险防控。为降低家庭内部的生育成本，保护年轻家庭的生育积极性，中央和各级地方政府可以采取减税、社会福利、就业支持等方式鼓励生育。通过生育给付、养育津贴、托费补贴、教育津贴、税收减免等方式为父母提供经济支持，以增强家庭抚养孩子的经济能力。通过提供带薪产假、带薪育儿假、弹性工作时间和空间等，减少父母特别是母亲在工作和家务劳动时间安排方面的冲突，增强生育意愿。通过增加各类学前教育及义务教育阶段的服务供给提供入托入学方面的便利，减轻家庭培养子女的经济负担。优化生育关怀、福利等公共服务保障体系，给家庭生育减负，营造生育二孩的社会氛围和政策环境。

中国目前实行统一的年龄退休制度，"一刀切"的做法不但造成了人力资本的严重浪费，使潜在人力资源没有充分发挥效力就退出了劳动力市场，同时也增加了养老金的支付压力。所以，制定具有中国特色的弹性退休制度对缓解人口老龄化带来的劳动力要素供给不足具有重要意义。加快出台渐进式延迟退休年龄政策。根据中国人口老龄化趋势和劳动力状况，把握政策出台节奏。以"小步徐趋、渐进到位"的方式，逐步将退休年龄延长到规定的法定退休年龄。采用法定工作年限和生理年龄相结合的方式划定法定退休年龄，在充分利用劳动力资源的基础上实现公平和效率的统一。制定促进老年劳动力就业的配套政策，利用减免税收、行政奖励、简化审批等手段促进老年劳动力就业，充分发挥社会公益组织作用援助老年劳动力就业。

通过严格审批过程、规范特殊行业特殊工种退休年龄规定、构建相应的激励和约束机制等方式促进渐进式延迟退休政策的实施。制定灵活的养老金奖惩制度。规范退休后继续劳动者的养老金管理,养老金奖惩制度的具体操作办法可以结合中国实际情况并借鉴其他国家和地区的经验,每推后一年退休,给予相对于养老金较多的收入补偿。如果没有达到退休年龄而提前退休,给予比养老金少的收入补偿。

3. 教育改革与优化人力资本投资

在人口红利逐渐消退的情况下,中国长期经济增长要依靠人力资本红利,实现从人口红利向人力资本红利的转变。重点要解决当前经济增长中人力资本的错配现象,使经济结构与人力资本结构在质量上相互适应,在数量上互成比例关系。一方面,与产业升级相配套,针对人力资本、研究开发等知识资本的需求日渐增大的现实要求加大人力资本投入,优化教育结构,加大教育投入,使教育与经济发展结合起来,加快创新型人才的培养。另一方面,为实现劳动力供给结构的升级,以适应中国产业结构转型升级与经济结构调整的需要,需要进行大规模的劳动力培训和素质提高工作。同时,要完善集聚创新人才的制度,在人力资本红利形成过程中,完善创新人才的引进、选拔和使用制度,为人力资本红利的形成创造制度条件。

要深化教育体制改革。通过加大教育投入,扩大教育资源总量,优化教育资源分配,提升优化教育制度,强调以就业为导向、以产业升级需求为导向,改革人才培养机制,重视中等职业专业和技工学校的扶持投入,提高劳动力的素质,加快人力资本的积累,为经济增长创造更多的“人才红利”和“知识红利”,将传统数量型人口红利转变为质量型人力资本红利。通过教育体制的创新,培养高素质人才,使教育创新和技术创新相结合。加快高等教育供给侧改革。建立管理体制和布局结构基本合理、办学形式多样、学科门类齐全、规模效益好、教育质量高、适应社会主义市场经济体制和现代化建设需要的高等教育体系。建立动态调整机制,不断优化高等教育结构,优化学科专业、类型、层次结构,促进多学科交叉和融合,重点扩大应用型、复合型、技能型人才培养规模,适应国家和区域经济社会发展需要。推进职业教育人才培养改革。职业教育也应该紧密适应国家经济发展要求,加大专业改革力度,从专业结构优化、专业设置管理等方面,大力推进职业教育人才培养的供给侧改革，为国家经济发展提供匹配和优质的人力资源。通过调整专业设置应对产业行业要求，优化专业结构适应产业升级与新兴职业需求。根据区域产业结构的调整变化，相应地规划、优化专业布局，优化学生的知识、能力、素质结构，促进人才供给链与经济产业链的无缝对接。打通专业壁垒培养一专多能复合型人才，改革专业设置机制，开放动态的专业建设体系。高职教育的供给侧改革，要在市场需求的导向下，把专业建设和结构优化作为提高人才培养质量的改革基础和改革重点，从"需求端"和"供给侧"两方面协调"共振"，促进市场需求和人才供给的良性互动。

此外，要通过构建城乡一体化的劳动力要素市场消除城乡间劳动力要素流动壁垒。进一步调整户口迁移政策，全面放开建制镇和小城市落户限制，有序放开中等城市落户限制，合理确定大城市落户条件，严格控制特大城市人口规模，有效解决户口迁移中的重点问题。创新人口管理，建立城乡统一的户口登记制度，建立居住证制度，健全人口信息管理制度。稳步推进城镇基本公共服务常住人口全覆盖，把进城落户农民完全纳入城镇住房和社会保障体系，在农村参加的养老保险和医疗保险规范接入城镇社保体系。建立财政转移支付同农业转移人口市民化挂钩机制。

6.2-2 货币资本市场改革与资本要素配置效率

改革开放以来，由于相对低廉的要素成本和分权带来的政府间竞争效应，中国经济发展呈现出高储蓄、高投资的结构性特征，由此带来的是中国经济增长的资本红利。

1. 改革开放以来中国资本要素的供给效率

1978 年中国的投资率仅为 38.2%，2015 年中国投资率接近 50%。投资率的不断上升表明过去的经济增长主要得益于低劳动力成本、高储蓄、高投资、高资本的形成。但随着全球经济危机和供给冲击的影响，中国的资本红利出现了新变化：一是依靠较低的劳动力成本、融资成本和土地成本形成的"投资成本洼地"效应正在逐步减弱，高投资所依赖的低要素价格将得到扭转；二是政府间竞争带来的高投资出现了政绩工程、重复建设等低效率问题，这种状况必将在进一步的改革中得到改变。因此，以高投资为特征的增长模式已经变得不可持续，中国经济增长的资本红利正在逐步消退。

同时,要素市场特别是金融市场的市场化水平还不高,国有资金垄断及国有金融服务于国有企业的问题并未得到有效解决,资本配置的政府管制色彩浓厚且资本流动也受制于行政指令,资本流动存在障碍,地区或产业间资本拥挤和稀缺并存现象表明要素错配问题严重。因金融业资本管制和政府行政指令及服务于国有企业的属性并未根本改变,民营企业和新兴产业的资本需求无法得到有效满足,不同性质经济个体和产业间的资本流动出现障碍,导致资本价格扭曲及错配现象,造成全要素生产率下降。

通过比较资本的边际产出与其价格的高低可以来测定资本要素的扭曲程度。扭曲度=资本的边际产出/资本价格。具体计算公式如下:

$$Distort = \frac{MP_K}{w_K} \tag{6.4}$$

当 $Distort$ 大于 1 时,说明资本要素的价格被低估,此时资本要素价格被负向扭曲;当 $Distort$ 小于 1 时,说明资本要素的价格被高估,此时资本要素价格被正向扭曲;当 $Distort$ 等于 1 时,说明资本要素价格未被扭曲。通过计算 $Distort$ 数值,可以得出中国资本要素价格的扭曲程度。采用柯布道格拉斯生产函数:$Y_t = AK_t^{\alpha}L_t^{\beta}$,其中 Y_t 为现实产出,L_t 为劳动投入,K_t 为资本存量,α 和 β 分别为平均资本产出份额和平均劳动力产出份额。对生产函数进行估计可以计算出资本要素的边际产出 MP_K。资本价格 w_K 用该年度 6 个月到 1 年期企业贷款基准利率的平均值替代,可以计算出中国资本要素的扭曲情况。从表 6.2 可以看出,中国资本要素价格存在着负向扭曲,即资本的价格相对于边际产出偏低。1990—2010 年间,这种负向扭曲程度在不断加深,在 1999 年扭曲程度达到了近十年的高端。1999 年后资本的扭曲程度在逐年下降,由 1999 年 20.18 倍下降到 2003 年的 14.19 倍。但是在 2004 年后,资本要素的扭曲程度进一步恶化,2010 年中国资本要素的扭曲程度达到 47.24 倍。

资本要素价格扭曲一方面是由于不彻底的渐进式改革所产生的制度障碍和路径依赖,导致资本要素市场改革滞后于产品市场改革,行政权力仍然主导着生产要素的价格形成。另一方面,产权制度不明晰也阻碍资本要素市场化改革进程。所以,需要通过纠正资本要素的配置扭曲进一步发挥要素作用,弥补全要素生产率的损失。宏观引导增量资本投资的产业流向,降

表 6.2　1990—2010 年中国资本要素扭曲情况

年　份	Y/L	K/L	MP	$Distort$
1990	0.29	1.35	0.83	8.14
1991	0.33	1.45	0.88	10.18
1992	0.42	1.55	1	11.59
1993	0.59	1.68	1.24	12.24
1994	0.86	1.83	1.6	15.79
1995	1.01	2.01	1.64	14.97
1996	1.08	2.2	1.53	14.56
1997	1.13	2.38	1.41	16.27
1998	1.15	2.57	1.27	17.95
1999	1.2	2.77	1.18	20.18
2000	1.34	2.98	1.17	20.01
2001	1.47	3.2	1.13	19.39
2002	1.57	3.76	0.92	17.3
2003	1.79	4.46	0.77	14.19
2004	2.14	5.34	0.65	22.88
2005	2.39	6.32	0.5	23.24
2006	2.73	7.43	0.39	26.5
2007	3.4	8.81	0.3	30.31
2008	3.99	10.49	0.18	28.84
2009	4.14	13.2	0.03	42.57
2010	4.65	14.28	0.31	47.24

注：计算方法参照白重恩、钱震杰：《中国工业部门要素分配份额决定因素研究》，《经济研究》2008 年第 7 期。

资料来源：《中国统计年鉴》；《中国金融年鉴》。

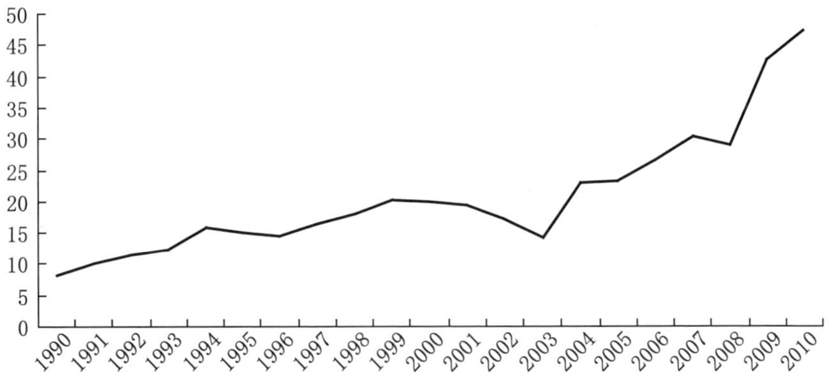

图 6.5　1990—2010 年中国资本要素价格扭曲程度

低资本错配水平。通过产业政策、新增投资项目核准和审批制度、建成项目管理方案等引导有限的增量资本流向最需要的稀缺行业，降低资本错配程度。重新优化配置存量资本，提高存量资本的服务效率。完善资本要素定价机制与消除资本流动障碍，提升资本配置效率。逐渐弱化政府的行政定价职能，使资本配置功能向市场转移，真正让市场决定生产要素的价格，使得要素价格与要素生产率相一致，降低资本价格扭曲，促进资本自由流动，提升资本配置效率。深化金融业的市场化改革，充分发挥其资金配置功能。加快利率市场化改革，积极推动民营资本进入金融业，改变金融业的垄断格局，解决中小企业和新兴产业融资困境，提高资本的利用效率。

2. 资本要素价格扭曲的修正

纠正资本要素价格的扭曲，需要推进金融要素市场化改革，形成市场价格基准。完成利率和汇率的市场化，形成市场化的金融价格基准，为金融组织和金融市场的运作提供良好的价格信号，引导金融资源有效配置，为央行的宏观调控提供准确的信息和有效手段。

第一，要加快推进利率市场化。利率作为金融市场的要素价格，要让利率有效地配置资源，就得让市场在利率价格机制形成过程中起决定作用，因此利率市场化也就成了当前中国金融改革最为重要的任务。一方面要放开银行存款利率上限管制。存款利率上限管制已经成为当前中国利率市场化改革最大障碍，放开银行存款利率管制对于提高资本要素配置效率至关重要。尽早确定存款保险制度立法，放开央行对商业银行存款直接的风险定价或让存款利率浮动区间有更大的弹性，要让商业银行真正成为承担风险的主体、让居民及企业有更多多元化的金融行为选择渠道。另一方面，要重建国内基准利率的新体系。让央行直接对商业银行风险定价的法定存贷款基准利率向间接影响金融市场资产价格的法定基准利率转型，让间接的法定基准利率向市场基准利率转型。改革基准利率的设计模式，来保证基准利率能够更准确、真实地反映当前经济状况及市场利率价格水平，减少及消除影响价格扭曲和利益冲突的因素。建立起科学、系统、全面地适应国内市场基准利率体系。

第二，要完善汇率市场化形成机制。在综合平衡中推进人民币汇率形成机制改革。推进汇率形成机制改革，使汇率更具弹性，是新常态下中国统筹国内国际两个大局，协调内部外部两个平衡，利用国内国际两种资源，稳增长、调结构的重要举措。推进汇率形成机制改革，既要注意经济发展战略和经常账户基本平衡的关系，也要注意美国经济和政策形势以及国际资本流动对中国经济和货币政策的影响。按照主动性、可控性和渐进性原则，完善人民币汇率形成机制，坚持以市场供求为基础，参考一篮子货币进行调节，增强人民币汇率弹性，人民币汇率有贬有升，双向浮动，保持人民币汇率在合理均衡水平上的基本稳定，从而增强宏观调控的科学性、主动性和有效性。形成本土离岸人民币金融中心和人民币回流机制。推行金融市场以及产品创新，在自贸区发挥离岸市场功能，形成本土人民币金融中心，增强人民币国际化循环能力。推广上海自贸试验区金融机制成功经验，推进全国自贸区的发展建设，充分发挥自贸区的金融机制和功能，壮大区内人民币相关业务的规模。

第三，要协同推进渐进式的资本项目开放。资本市场的开放、利率市场化和汇率完全浮动是近年来中国金融体制改革和资本市场对外开放的核心内容，也是人民币国际化的关键要素和基础，正确把握资本项目开放的速度、顺序和进程对推进人民币国际化具有重要的战略意义。资本项目开放与利率、汇率改革需要协调推进，资本项目的开放离不开利率市场化和汇率有管理的浮动，需要二者形成良性互动关系。协同推进资本项目开放与利率市场化和汇率自由化改革，首先要提高金融政策国内和国际协调，其次要营建优良的国内经济金融环境，再次要调整经济结构、优化对外贸易结构，转变低端价值链和加工贸易的生产方式，逐步转向出口中间产品和高附加值终端产品以及进口具有延伸产品链价值产品的贸易。

3. 多层次资本市场的构建

中国直接融资虽经多年发展，金融结构仍以银行间接融资为主。在间接融资为主且银行业本身竞争并不充分的金融结构中，企业和居民投融资渠道狭窄，面对银行时缺乏谈判能力，这种情况下单纯放弃贷款利率和存款利率管制并不能带来效率。应发展多层次资本市场，提高直接融资比重，完善金融体系结构，满足多元化的投融资需求，更好地为实体经济、特别是小微企业服务。

第一，要建立完善多层次股权市场体系。发展多层次股权市场，缓解企业杠杆率高的问题。应壮大主板、中小企业板市场，改革创业板市场，加快完善全国中小企业股份转让系统，在清理整顿的基础上将区域性股权市场纳入多层次资本市场体系，从而加快多层次股权市场建设。推进股票发行注册制改革，建立和完善以信息披露为中心的股票发行制度。构建符合中国实际并有利于投资者保护的退市制度，逐步形成公司进退有序、市场转板顺畅的良性循环机制。分立发行市场和交易市场，实行股票发行的注册制。分离沪深交易所的交易规则。通过改变沪深股市同一交易规则来改变单一的 A 股市场格局。分离沪深股市的交易规则，通过交易规则中上市规则、信息披露规则、交易规则和退市规则等的差别化，使之成为不同层次的股票交易市场。建立以证券公司网络系统为平台、以经纪人为核心的新的股票交易市场。

第二，积极发展和规范多层次债券市场。在经济发展进入新常态阶段，供给侧结构性改革从资本要素角度对发展债券市场提出了新的要求。长期以来，中国经济金融存在多种扭曲问题，固有的银行融资体系占绝对主导地位的结构难以改变，相应导致了银行体系风险不断累积，银行盘活资产和补充资本面临越来越大的压力，商业银行转型面临重重阻力，支持城镇化建设的市场融资机制短缺和防范地方债务风险问题突出，中小企业融资难、融资贵等问题长期得不到有效解决。要解决好这一系列深层难题，应该充分利用债券市场在近年来的良好发展势头和所发挥的重要功能，通过改革完善债券市场来大力推进金融改革的深化，调整好经济金融结构，防范化解相关风险。遵从市场趋势，创新发展功能完善的多层次债券市场。发展市政债券，解决城镇化融资问题。积极利用债券市场为城镇化建设融资，防范地方政府债务风险和金融风险。通过逐步推进市政债券的发行，来建立规范透明的市场化投融资机制，降低地方财政风险和金融风险，完善地方政府债务风险管理等相关制度。统筹人民币国际化和债券市场开放，助力“一带一路”重大战略。可以允许更多境内机构在境外发行债券，特别是简便手续到人民币离岸市场发行债券，吸引国际投资者投资以人民币计价的金融工具，丰富机构投资者的层次，加强各离岸市场、货币当局、监管部门、金融机构间的合作，降低人民币市场参与者的交易和管理成本，有效提升人民币的国际吸引力与市场信心。

第三，鼓励多渠道推动股权融资发展。据当前中国的实际情况，并借鉴国外的经验，通过股权投资（PE）基金、政府引导基金、保险资金和社保资金等多种途径推动中国的股权融资发展。规范发展股权投资。在众多股权投资方式中，股权投资基金的市场化程度最高，是推进股权投资的重要组织方式。基金管理者通常以被投资企业的成长潜力和效率作为投资选择原则，将资金投入最有发展潜力的产业和运作效率最高的企业。通过完善相关法律政策，完善市场体系，建立股权退出的多元化机制，明确股权投资基金的产业政策目标和发展规划，引导和优化资本要素配置。设立政府引导基金。建立经济效益与社会效益相结合的考核体系。协调目标差异，提供风险保障。定位好政府职责，加强监督管理，预防委托代理风险。建立公开透明的信息披露制度，避免道德风险，防范寻租行为。

第四，发挥期货市场的价格发现和风险管理功能。商品期货方面，继续推出大宗资源性产品期货品种，发展商品期权、商品指数、碳排放权等交易工具。金融期货方面，配合利率市场化和人民币汇率形成机制改革，适应资本市场风险管理需要，平稳有序发展金融衍生产品。逐步丰富股指期货、股指期权和股票期权品种。发展国债期货，健全反映市场供求关系的国债收益率曲线。

第五，要积极鼓励金融创新，丰富金融市场层次和产品。中国经济在新常态下持续增长，需要建立一个“统一开放、竞争有序”从而更加开放包容的竞争性金融体系，以支持实体经济发展和培育新的增长动力。需要进一步开放金融体系，在适度监管的情况下鼓励金融业综合经营以及互联网金融等创新活动。应该在完善负面清单管理、加强监管的前提下，加快中小金融机构的发展，建立多种所有制，建立多种业态和大中小型机构并存的金融体系。鼓励互联网金融、小额信贷组织等创新性金融业态的发展。随着互联网发展，以 P2P 融资平台、第三方支付和“众筹”股权融资为代表的互联网金融各种业态迅猛发展，包括小额贷款公司、NGO 微型金融以及资金互助社在内的小额信贷组织也发展较快，这些创新性金融组织和业务在改善小微企业等弱势群体金融服务方面发挥了一定作用。应在分类监管、适度监管、协同监管和创新监管原则下，引导这些新型金融业态健康发展。此外，还应发展多种形式的消费金融、绿色金融。

6.2-3　国家创新系统构建与技术要素供给

技术进步能够有力推动一国经济增长和产业结构变迁这一事实,已被多数发达国家的经济成长过程所验证;中国完成工业化来追赶发达国家这个长期目标,也同样离不开技术创新的支持。目前,中国还处在工业化中后期阶段,一方面,前一轮资本和劳动力要素的密集投入,使其边际成本快速抬升而陷入供给瓶颈;另一方面,30 年来"市场换技术"使中国的产业技术在引进消化吸收基础上获得长足进步,但众多核心技术领域依然落后于世界前沿水平,"被动创新锁定"和"技术路径选择失误"仍是我们在技术追赶中不可回避的两大风险。中国能否成功跨过"中等收入陷阱",最终还要落脚于创新能力提升和产业技术升级上。所以,技术进步作为全要素生产率最核心的组成部分,在推进中国供给侧结构性改革过程中占据着尤为突出的位置。

1. 改革开放以来技术要素的供给变化

1978 年改革开放以来,伴随着教育普及、高校和企业研发投入的增长以及技术转移速度的加快,中国技术要素对经济增长的贡献在持续提高。1998—2003 年间,科技进步对 GDP 的贡献率为 39.7%;2007—2012 年间,这一数值增长到了 52.2%,10 年间科技进步对产出的贡献增长了 1.3 倍。

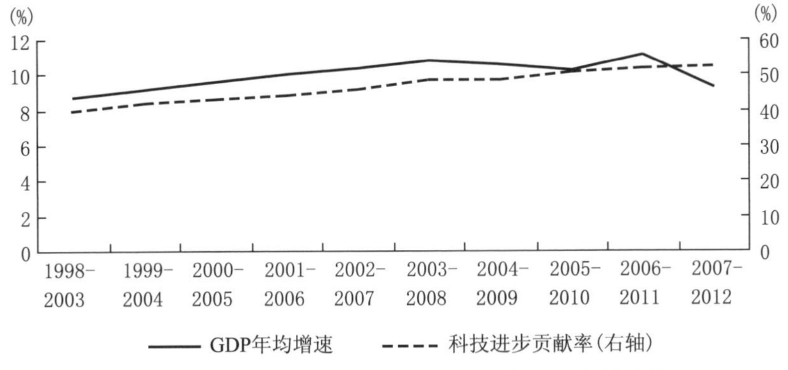

图 6.6　1998—2012 年科技进步对产出贡献率的变化

资料来源:《中国科技统计年鉴》。

技术要素供给与技术要素市场的建立密不可分,技术要素市场是重要的生产要素市场之一,是中国社会主义市场经济体系中的重要组成部分,也是国家创新体系的重要元素和科技中介服务体系的重要内容。中国技术要素市场和技术要素价格形成机制的发展经历了四个阶段:第一阶段是萌芽时期(20世纪70年代末至80年代初),出现了技术交易的雏形;第二阶段是兴起时期(20世纪80年代中后期至90年代初),明确了“技术市场是中国社会主义商品市场的重要组成部分”;第三阶段是初步形成时期(20世纪90年代中后期至中国加入WTO),2000年10月第二届深圳高交会标志着中国技术要素市场的初步形成;第四阶段是初级发展时期(中国加入WTO后至今),技术贸易的运行机制正在逐步适应市场经济发展的要求。从技术要素市场的发展来看,1995年之后技术市场成交额稳步上升,增速基本保持在10%—30%之间波动,成交量从1995年的268亿元上升到2014年8 577亿元,增长了约30倍。

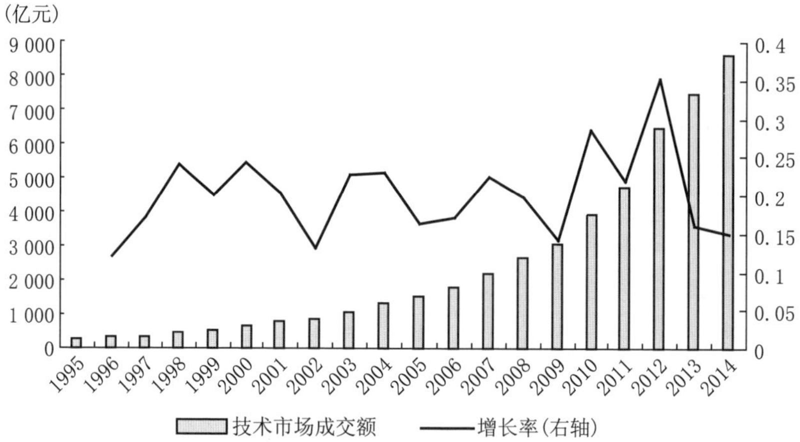

图6.7 1995—2014年中国技术市场成交额变动情况

资料来源:《中国科技统计年鉴》。

从科技投入方面看,中国研究与试验发展(R&D)经费投入从1952年的0.56亿元增加到2015年14 220亿元,年均增速在2000年后平均达到21%。与其他地区和国家对比来看,中国的研发投入占GDP的比重从1998年的0.65上升到2012年的1.98,提高了2倍。但与美国、日本、德国、法国等主要发达国家相比还存在一定差距。

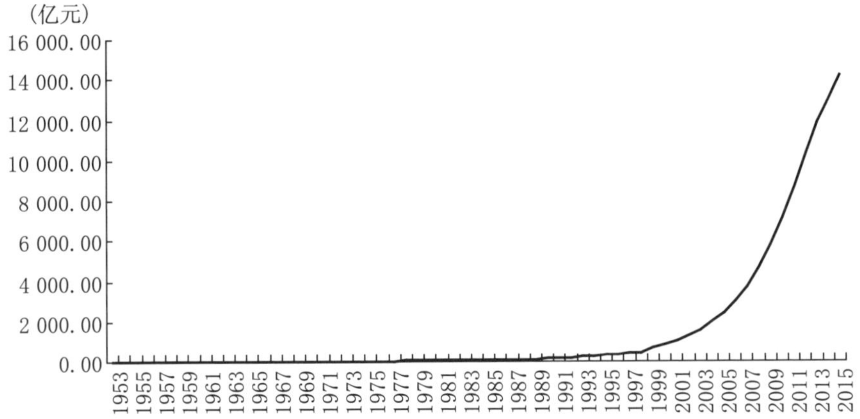

图 6.8　1953—2015 年中国 R&D 投入情况

资料来源:Wind 资讯。

表 6.3　中国与主要国家 R&D 经费及占国内生产总值的比重

国家	1998	1999	2000	2001	2002	2003	2004	2005	2006	2007	2008	2009	2010	2011	2012
中国	0.65	0.76	0.9	0.95	1.07	1.13	1.23	1.32	1.39	1.4	1.47	1.7	1.76	1.84	1.98
美国	2.62	2.66	2.74	2.76	2.66	2.66	2.59	2.62	2.64	2.7	2.84	2.9	2.83	2.77	2.79
日本	3	3.02	3.04	3.12	3.17	3.2	3.17	3.32	3.41	3.46	3.47	3.36	3.26	3.39	3.35
英国	1.79	1.86	1.85	1.82	1.82	1.78	1.71	1.76	1.75	1.78	1.79	1.86	1.76	1.78	1.73
法国	2.14	2.16	2.15	2.2	2.23	2.17	2.15	2.1	2.11	2.08	2.12	2.26	2.25	2.25	2.29
德国	2.27	2.4	2.45	2.46	2.49	2.52	2.49	2.48	2.54	2.53	2.69	2.82	2.82	2.88	2.98

资料来源:《中国科技统计年鉴》。

2. 短期中强化技术要素供给效率

从供给端改革技术要素的生产方式,关键在于提高技术要素的供给效率,就绕不开技术生产的大环境因素。良好的创新环境能够激发创新主体持久的创新动力,保障新兴技术有效供给。此外,面对新常态下中国经济周期性总体走弱的形势,在促进技术要素供给结构性改革的药方中,牢牢把握技术革命的趋势,在代表未来发展方向的重点领域实现技术突破,则是解决当前生产供给困局最有效的药剂之一。

全面深入推进"双创"活动。一方面,要深入结合结构性改革"去产能"的重要任务,引导传统工业行业适应快节奏、重创新的现代化生产氛围,激励传统领域利用创新技术改进焕发新活力，激发更多一线的产业技术人员加入到创新创业中去。另一方面，要立足知识创新服务经济生产的原则，在知识密集区和产业密集区按照不同需求布局不同层次、类型的创新载体；鼓励更多企业主体和社会资本，以市场化方式参与到众创空间、孵化器等创新创业载体的建设中来。

加快科研体制改革创新。突破传统组织管理条框，引导科研人员深度参与需求方研发设计，保障知识经济和产业经济有机融合；推动国有科研院所转型试点，建设联系产业、服务经济为主导的新型研究机构；加快科研机构分类管理，发挥不同研究类型科研人员的积极性。采用灵活管理的科研资金制度，保障科研人员发展需求。

全面优化国家科技政策。全面梳理创新政策篮子，避免政策交叉重叠和潜在冲突，树立规范、统一和便于操作的国家宏观创新政策束，指导国家创新体系健康有序发展。改变创新政策刺激方式，精准提升技术要素供给质量，积极推广试点创新政策改“补”为“投”，强化政府创新政策在战略创新重点上支持力度，发挥好国资风向标作用。强化科技政策对科技服务业供给主体的帮扶，并以提升全系统的供给水平为政策目标，避免出现创新短板现象。

改进科研环境，让科学家安心科研。一方面，要全面推进高校、科研院所的“去行政化”。建立一套科学规范的同行学术评议机制，切实降低行政对学术评价的干扰，为科研人员开展学术研究和技术攻关留下较为纯粹的科研环境。另一方面，提高社会服务供给水平，提供宽容失败的基础保障，免除科研人员“后顾之忧”，是有效降低全社会“非科研损耗”的重要手段。

以《中国制造 2025》为蓝本，寻求工业技术大突破。《中国制造 2025》已经明确了新一代信息技术产业、高档数控机床和机器人等十个未来制造业发展的重点领域，寻求在若干领域形成颠覆式的技术创新突破，关键在于形成与西方先进制造的不对称优势。借力新兴工业技术对产能过剩行业重塑和再消化。对钢铁、能源、化工等体量巨大产业，重在利用现代技术革命来消化产能、重塑产业；深度融合制造业产品在产业链结构上向高端高附加值发展的趋势，提供具有革命性升级的工业生产技术，推动传统制造业升级换代。

关注多学科通用技术的生产供给,促进交叉学科技术互相渗透。深入推进共性技术研发的基础在于利用国家力量推进具有重大战略价值的技术传播共享;广泛地搭建通用技术共享平台,推动基础技术开源,促进平台上技术集成;深化开放式创新合作,促进产业技术领域新突破。

3. 长期中形成高效的国家创新系统

结合现阶段的供给侧改革,中国应在全面落实《创新驱动发展战略纲要》和《"十三五"科技创新规划》基础上,更加专注构建灵活高效、富有中国特色的国家创新系统,通过平衡的市场手段和政策引导,促进技术要素高效、合理配置。

深化国家知识创新工程。继续发挥中国科学院等国立科研机构的火车头效应,加强知识创新国家队在基础性、战略性、前瞻性重大科技问题上的集中攻关,起到基础科学研究火车头和领头羊作用。加快不同层次科学中心建设,形成知识创新规模效应;尽快建设一批综合性和专业性的科学中心,作为重大科学工程和国际一流研究团队的承载器,在若干基础科学领域形成知识创新的规模效应。

突出人才培养的三个平衡。平衡高端人才引进和本土科技人才培育。只有建立起先进的人才培育体系,培养出一大批本土创新技术人才,才能长久地、源源不断地为技术创新服务。平衡大师塑造和青年骨干培养。要在中远期科技战略中体现青年科技骨干的"痛点",着力培养具备国际顶尖水平的科研骨干。平衡研发激励和"蓝领创新"。重视激发一线产业工人的创新积极性,加强在工艺制造、外观设计、精细加工等方面的末端技术供给,改变国产制造粗糙、简陋的弊病,更好地对接现代市场需求。

提升技术的工程应用化水平。一方面,要加快共性工程技术平台建设,提供工程应用小试、中试阶段的基础保障。另一方面,积极发挥国家科技计划的指针作用,鼓励社会资本、金融资本参与技术孵化。探索成果产业化科技金融专项规划,给进入科技金融领域的社会资本予以特殊宽容的约束,增加社会资本进入技术供给领域的积极性,有效降低知识转化过程中的不确定风险成本。

积极维护企业在创新市场中的主体地位。提高企业通过市场手段配置创新资源要素的能力,并将其作为全面推进国家创新体系建设的突破口。

从数量、规模和质量上完善以企业为主体的各类技术交易市场。体现政府托底的同时，促进市场机制成为创新资源配置的决定性因素。

构筑“产学研”一体化的创新生态系统。技术供给改革要注重理顺国家创新体系中的“三螺旋”结构，鼓励产业部门和知识部门之间扩大交集面；消除创新人才流动障碍，强化“隐性知识”供给；发展技术服务中介机构，提供符合当前需求的专利服务供给，弥补国家创新系统缺失的环节。积极发展各类营利性和非营利性中介服务组织，扩大中介服务市场范围，拓展营利性中介服务机构和非营利性第三方技术评价组织的生存空间，保障中介服务质量。

6.3 土地要素集约化与土地要素供给

土地改革是中国启动经济转型、推动新型城镇化，开启新一轮制度红利的中心环节和关键挑战。建设统一开放、竞争有序的市场体系，使市场在资源配置中起决定性作用的基石之一就是建立城乡统一的建设用地市场，最终实现农村集体经营性用地与国有土地同等入市、同权同价，促进土地要素在城乡间、产业间的有效流转，促进新型城镇化过程中土地供应效率的提高。

6.3-1 农村土地制度改革与城乡土地市场一体化

党的十八届三中会基于市场在资源配置中起决定性作用的基调，对农村土地制度提出了三个方面的重大改革领域：一是在坚持和完善最严格的耕地保护制度前提下，赋予农民对承包地占有、使用、收益、流转及承包经营权抵押、担保权，允许农民以承包经营权入股发展农业产业化经营。二是在符合规划和用途管制前提下，允许农村集体经营性建设用地出让、租赁、入股，实行与国有土地同等入市、同权同价，并同时缩小征地范围，规范征地程序，完善对被征地农民合理、规范、多元保障机制，完善土地租赁、转让、抵押二级市场，建立兼顾国家、集体、个人的土地增值收益分配机制，合理提高个人收益比例。三是充分保障农户宅基地用益物权，改革完善农村宅基地制度，选择若干试点，慎重稳妥推进农民住房财产权抵押、担保、转让，探索农民增加财产性收入渠道。可见,农村土地制度的三大改革重点领域,涵盖了农用地、农村集体建设用地和农民宅地,改革的重要方向是在稳定农村集体土地所有权不变的情况下,充分保障农民对土地的用益物权——占有权、使用权和收益权,彻底打破原有制度对农村集体土地流转的多种限制,旨在从根本上激发农村社会活力,促进农村内生性增长,增加农民土地收益,缩小城乡工农差距。

1. 土地承包经营权流转市场

目前,中国已经有很多地方试点土地流转,在各级政府的积极适度引导下,农村土地流转发展显著。相关统计资料显示,截至2013年底,全国承包耕地流转面积3.4亿亩,是2008年底的3.1倍,流转比例达到26%,比2008年底提高17.1个百分点。经营面积在50亩以上的专业大户超过287万户,家庭农场超过87万个。从近年来中国农村土地流转的情况看,在一些发展比较好、相对成熟的地方,农村土地流转取得了一定的成效,呈现出土地流转走向规模化、流转机制市场化、流转方式多样化及流转效益高效化的特点。同时从实际情况看,全国农村土地流转还存在一些问题。一是土地流转程序不规范,比如换证服务工作不到位、无序流转现象较普遍、流转合同不规范等。二是流转服务体系不健全,缺乏健全的价格形成机制,管理服务体系不完善,缺乏金融信贷支持等。三是流转政策落实有偏差,出现农地非粮化、非农化现象,违背农民意愿、强制流转现象时有发生。四是劳动力的转移不稳定,剩余劳动力就业安置问题没有被妥善解决。五是农业科技人才缺乏,土地流转还面临人才不足的问题。

面对以上问题,要深入分析原因,加快培育农村土地承包经营权流转市场。第一,要健全中间组织,夯实土地承包经营权交易信息平台。土地稀缺性、专用性和不可移动性等特征往往导致土地流转双方主体地位极不平衡、信息极不对称,亟需建立土地承包经营权流转中介组织,制定相关规章制度,明确其合法地位、权利与责任,让农用地流转中介机构为农用地流转提供必需的信息咨询、法律咨询、价格评估、委托交易、融投资媒介等服务。第二,要优化农业环境,拉动土地经营权需求。通过制定优惠的土地流转规模经营政策,不断完善农业技术推广网、农业水利设施网、农业信息服务网、农村公共教育网等农业公共服务网络建设,优化农业经营环境,培育土地经营权流转市场。更重要的是，健全农产品市场体系，调适农业和农产品相应补偿政策，构建一个合理的价格形成机制，从根本上激励农民保护耕地、经营农业的积极性。第三，要加强政府监管，促进农村土地流转规范有序。在促进土地承包经营权规范流转过程中，需要政府以“守夜人”的身份确保流转双方平等协商、流转程序齐全公正、流转合同合法规范，保障农户土地权益，有序引导和规范土地流转市场。

2. 农村集体经营性建设用地入市

中国农村集体建设用地政策的变迁，经历了从禁止集体建设用地流转到严格限制、有条件地允许，以及从规范流转到建立城乡统一的建设用地市场两个阶段。

第一阶段，从不认可、限制到有条件的转让。1992 年 11 月《国务院关于发展房地产业若干问题的通知》规定，集体所有土地必须先行征用转为国有土地后才能出让。也就是说，国家并不认可农村集体经营性建设用地的流转。1998 年 8 月《土地管理法》修订时规定，农民集体所有的土地使用权不得出让、转让或者出租用于非农业建设；但是，符合土地利用规划并依法取得建设用地的企业，因破产、兼并等情形致使土地使用权依法发生转移的除外。2004 年 10 月《国务院关于深化改革严格土地管理的决定》规定，在符合规划的前提下，村庄、集镇、建制镇中的农民集体所有建设用地的使用权可以依法流转。2005 年 10 月《关于规范城镇建设用地增加与农村建设用地减少相挂钩试点工作的意见》提出“增减挂钩”政策。

第二阶段，从规范流转到建立统一的土地市场。2008 年 10 月《中共中央关于推进农村改革发展若干重大问题的决定》，提出了集体土地和国有土地“同地、同价、同权”，建立城乡统一的建设用地市场等改革目标。2009 年 8 月《关于促进农业稳定发展农民持续增收推动城乡统筹发展的若干意见》提出，加快农村土地确权登记，规范集体建设用地流转，逐步建立城乡统一的建设用地市场。2012 年 12 月《中共中央国务院关于加快发展现代农业进一步增强农村发展活力的若干意见》规定，严格规范城乡建设用地增减挂钩试点和集体经营性建设用地流转，农村集体非经营性建设用地不得进入市场。2013 年 11 月《中共中央关于全面深化改革若干重大问题的决定》指出，在符合规划和用途管制前提下，允许农村集体经营性建设用地出让、租赁、入股，实行与国有土地同等入市、同权同价，建立城乡统一的建设用地市场。2014年12月2日，中央全面深化改革领导小组第七次会议召开，会议审议了《关于农村土地征收、集体经营性建设用地入市、宅基地制度改革试点工作的意见》，为落实上述《意见》，全国人大常委会2015年2月25日审议相关决定草案，拟授权国务院在北京市大兴区等33个试点县(市、区)行政区域，暂时调整实施土地管理法、城市房地产管理法关于农村土地征收、集体经营性建设用地入市、宅基地管理制度的有关规定。

所以，下一阶段，在积极研究农村经营性建设用地入市的同时，要进一步明确农村集体经营性建设用地改革的基本思路是，允许规划确定为经营性用途的存量农村集体建设用地，与国有建设用地享有同等权利，在符合规划、用途管制和依法取得的前提下，可以出让、租赁、入股，并完善入市交易规则、服务监管制度和土地增值收益的合理分配机制。缩小征地范围，让渡入市空间，是集体经营性建设用地入市的关键。将土地征收区分为“一般征收”和“政策性征收”。对于“兴办公益事业”的用地，采取一般征收，并以列举法明示兴办公益事业的事项。对于“实施国家经济政策需要”的公共利益用地，采取政策性征收，具体补偿、土地分配和土地溢价处分实行区段征收的办法。明确为集体经营性建设用地入市提供交易标的范围。对于存量经营性建设用地，符合规划和用途管制的均可入市流转，对于位置偏远一时不能立即进入市场的，可以通过原有经营性建设用地退出开发权，将其开发权有偿让渡于其他符合规划、更加适合开发利用，但现状为农用地或者未利用地的地区，将这些土地变更为经营性建设用地后准许其入市开发。对于增量经营性建设用地，政府可以通过规划将原来的非经营性建设用地改变为经营性建设用地，也可以将经营性建设用地变为非经营性建设用地。实行存量经营性建设用地开发利用权利的退出与让渡、增量经营性建设用地使用权入市政策，就为盘活大量闲置的农村集体建设用地，显化集体建设用地资产提供了一条有效的途径，为经营性建设用地的入市提供了更加广阔空间。

3. 宅基地有偿使用制度和自愿退出机制

农村宅基地制度改革的基本思路，是在保障农户依法取得的宅基地用益物权基础上，探索农民住房保障新机制，探索宅基地有偿使用制度和自愿有偿退出机制，探索农民住房财产权抵押、担保、转让的有效途径。

要慎重确定宅基地转让和出租范围，既不能给农村社会结构带来颠覆性破坏，又能有效扩大农民财产性收入渠道，有利于人口流动，促进就地城镇化。积极探索农民住房保障的多种实现形式，在农民市民化过程中兼顾当前实际和发展需要，在用地紧缺地区优先落实“户有所居”，同时支持农民住房的改善性需求。稳妥推进农村宅基地有偿使用，充分尊重农民意愿，逐步扩大有偿使用范围，推进宅基地节约集约利用，促进城乡要素平等交换。同步推进农民住房财产权抵押和农村宅基地使用权抵押，妥善处理宅基地的福利保障功能与金融机构商业化运作之间的关系，探索集体经济组织担保、多户联保、地方政府担保等多种途径，既确保农民基本住房，又化解宅基地抵押权实现风险。推进闲置宅基地统筹利用，吸取城乡建设用地增减挂钩和“地票”两种模式的长处，完善和拓展节余用地指标统筹使用范围，建立农民共享开发收益的机制，推动形成城乡统一的建设用地市场。

6.3-2 新型城镇化与土地集约节约利用

20 世纪 90 年代以来，土地在中国经济增长中扮演着重要角色，成为工业化和城市化的助推器。一方面，土地的资源属性使其承载了人类所有的经济社会活动；另一方面，土地的资产属性在中国特有制度框架下使其成为地方政府财政收入的重要来源；同时，土地的资本属性又使其承担了撬动银行资金、城市基础设施及房地产投融资的重要工具。但是，现行的土地制度框架已对中国经济社会可持续发展提出了严峻挑战，土地制度的僵化落后造成土地要素的低效利用，未能形成与时俱进的供给机制。存量土地利用效率不高，增量土地供应不足的问题十分突出，这在很大程度上源于土地产权关系不清、土地市场发育不足、土地管理制度不完善。

1. 土地城镇化与人口城镇化之“辩”

改革开放 30 多年以来，中国城镇化经历了较快的发展，保持了年均 1% 左右的增长速度。在快速城镇化过程中，作为中国土地制度特有产物的地方政府经营土地政策对城镇化产生了多方面的影响。首先，以征地—储地—卖地为特征的地方政府经营土地政策间接推动了城镇化率的提高。在行政力量作用下，通过政府统一规划和征收土地，相对减少了市场机制作用下的交易成本，使农业用地转变为非农业用地的过程缩短，推动了城镇化进程的加快。其次,以土地出让和土地抵押为特征的融资方式为城镇化建设提供了资金支持。作为城镇化发展的原始资本积累,土地出让收益通过将若干年的地租折现到当前使用,增加了城镇化的资本金。而土地抵押融资则进一步发挥了这部分资本金的杠杆作用。再次,地方政府经营土地政策实施过程中产生了很多问题,例如土地粗放利用,城市无序蔓延,人口城镇化与土地城镇化非协调,土地供应总量不足,城镇化建设过分依赖卖地收入,助推了高房价并可能引发社会矛盾激化等,这一系列问题严重阻碍了城镇化水平的进一步提高和城镇化质量的持续改善。

人口城镇化率用城镇人口占全部总人口的比例来衡量,用来反映人口向城镇集聚的程度,也是目前使用较多的衡量城镇化水平的指标。当前中国人口城镇化面临滞后于工业化、土地城镇化,户籍人口城镇化滞后于常住人口城镇化等问题。通过对不同地区的人口城镇化分析发现,中国人口城镇化水平存在明显的空间差异,呈现"东高西低"格局,并且地区间的土地城镇化水平、二三产业就业和产值水平、人均 GDP 差距是导致空间差异的主要原因。从全国范围来看,中国城镇化水平从新中国成立初期的 10%左右上升到 2011 年的 51.27%,增长了 4 倍多。从速度上看,1951 年到 1980 年前后的城镇化速度波动较大;自 1984 年开始,全国城镇化水平呈持续上升态势,年均增速为 4%,平均每年有 1 670 万人从乡村人口转变为城镇人口。

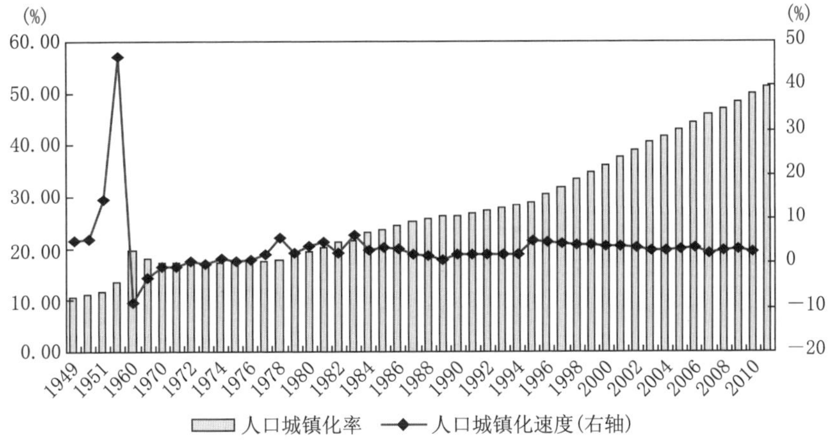

图 6.9 1949—2011 年中国人口城镇化发展趋势

资料来源:《中国城市统计年鉴》。

城镇化的另一个指标可以从城市空间形态上来衡量，众多学者以城市区域面积占比来分析城镇化的发展程度。本章使用建成区面积占城市区域总面积的比和城市建设用地的利用结构来分别衡量土地城镇化的水平和结构。1981 年以来，中国建成区面积从 7 438 平方千米上升到 43 603.23 平方千米，增加了 3.75 倍，年均增长速度为 6%。从地区层面来看，1999—2011 年间 30 个省份中（不包括西藏），建成区面积的绝对扩张速度均很快，最快的前三位分别是新疆、云南和江西，分别达到 29.32%、27.9%和 26.98%；最慢的黑龙江，其 12 年的年均增速也达到 6.38%。从建成区面积占总区域面积的相对值来看，全国 12 年间的平均增速为 6.92%；增长最快的是重庆，速度达到 26.98%；最慢的是甘肃，扩张速度仅为－6.78%。

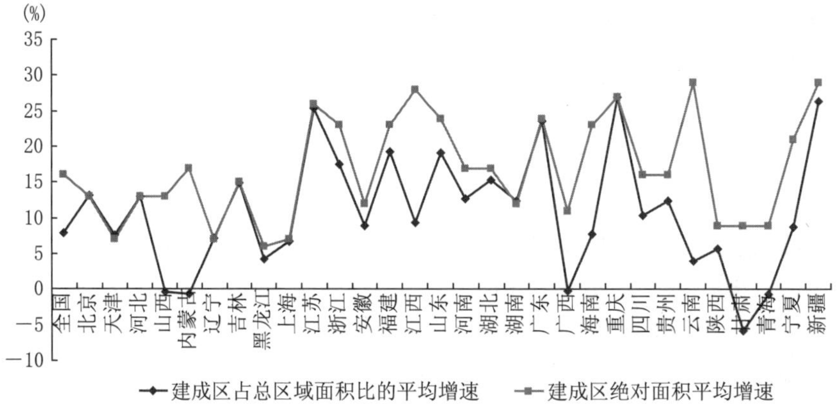

图 6.10　1999—2011 年全国及各省市地区土地城镇化平均增速

资料来源：《中国城市建设统计年鉴》。

进入 2000 年后，伴随着国家城乡一体化体制的推进，城市建设用地规模持续扩大。1999 年，全国城市建设用地规模为 20 876.2 平方千米，至 2011 年，城市建设用地总量为 41 806.25 平方千米，增长了一倍。其中，1999 年时建设用地面积超过 1 000 平方千米的省市有 7 个，到 2011 年这一数字上升到了 18 个。从增长速度看，排在前五位的分别是重庆、江苏、云南、北京和浙江，建设用地量的年均增速都超过了 16%，最慢的海南也保持了每年增加 1%的节奏。全国这一时期的平均增速为 8%—9%。

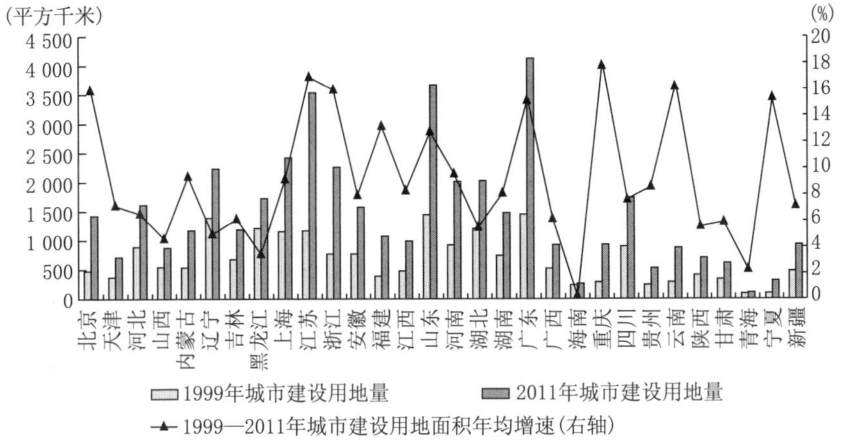

图 6.11　1999 年与 2011 年各省市城市建设用地对比情况

资料来源:《中国城市建设统计年鉴》。

2. 城镇土地集约利用方面的主要问题

土地城镇化率和人口城镇化率存在区域性和阶段性发展不平衡的特点。1990—2006 年间,中国建成区面积的年均扩张速度为 6.77%,而同期的非农业人口增长速度为 4.56%,两者相差 3 个百分点。然而在地区间这一差距更明显,东部地区的土地城镇化速度和人口城镇化速度相差 1.8 个百分点,中部为 3 个百分点,而西部则高达 5 个百分点,差距为东部地区的 3 倍。换句话说,1990—2006 年间,只有东部地区人口和土地的城镇化才是基本同步的,而中西部地区均出现了人口城镇化滞后于土地城镇化的发展。

表 6.4　1990—2006 年非农业人口增长和建成区面积年均扩张速度(%)

项　目	全国平均	东部平均	中部平均	西部平均
非农业人口增长速度	4.56	6.80	3.28	3.40
建成区土地面积扩张速度	6.77	7.60	6.23	7.63
两者相差	3.21	1.80	2.95	6.23

资料来源:《中国城市建设统计年鉴》。

1999—2011 年间,人口城镇化与土地城镇化的地区差距发生了变化。从单个指标来看,人口非农化速度在东部地区出现了下降,而在中西部地区出现了上升,说明东部地区已进入城镇化发展的中期阶段,中西部地区处于加速上升阶段。土地非农化的速度在东、中、西部地区均有上升,说明建成区的面积呈现加速扩张的态势。从指标间对比可以看出，1999—2011年间，全国层面的人口非农化和土地非农化速度都在增加，且两者的差距也在加大。地区间这一差距发生了逆转，东部地区的人口非农化和土地非农化差距在上升，达到了4.5个百分点；中部地区的差距也在上升，变成3.7个百分点；而西部地区却出现了下降，从5个百分点降低为2.3个百分点。这一方面说明中国的人口城镇化是呈现地域性过渡，东部的发展快于中西部；另一方面意味着土地非农化的快速上升是全域性的，东中西部地区在建设用地资源的开发上出现了狂热的竞争，进一步导致了目前人口非农化和土地非农化差距的拉大。

表6.5　1999—2011年非农业人口增长和建成区面积年均扩张速度(%)

项　目	全国平均	东部平均	中部平均	西部平均
非农业人口增长速度	6.80	6.79	4.07	6.54
建成区土地面积扩张速度	9.31	10.31	6.79	9.84
两者相差	3.51	4.52	3.72	2.30

资料来源:《中国城市建设统计年鉴》;《中国城市统计年鉴》。

3. 走内涵式新型城镇化道路提高土地利用效率

从以上的分析可以看出，在过去城镇化快速发展的过程中，出现了人口城镇化滞后于土地城镇化等问题，突出表现在城市空间的无序蔓延和城镇土地的不集约和低效利用。进入发展新阶段，要在提高城镇化质量的前提下积极稳妥地推进城镇化，不能停留在简单的城镇人口比例增加和面积扩张上，而应努力实现产业结构、就业方式、人居环境、社会保障等一系列由“乡”到“城”的转变。探索内涵式城镇化发展道路，着力在工业化、信息化、城镇化、农业现代化同步推进上下功夫，积极构建城乡一体化发展新格局。

首先，要挖掘城镇老城区土地潜力，盘活城镇土地。加强对城市存量土地利用的规划安排，控制新增建设用地。新建项目凡是能利用存量土地的，不得批准新增建设用地。存量土地再利用时，应当优先保证适合中低收入家庭需要的普通商品住房、保障房建设以及必需的市政公用设施建设。加大旧城改造力度，加快老城区产业用地结构的调整。

其次，大力推进城中村改造，对园区用地及闲置土地进行清理整顿。对城市建成区内的村庄，鼓励各类投资者参与开发改造。在城市土地利用上，要实行必要的政策倾斜，积极鼓励城中村改造，把城中村改造放在城市土地开发利用的重要位置。提高开发区和工业园区土地集约节约利用度。对符合规定的开发区和工业园区,要进一步严格规划管理,控制开发区和工业园区规模。开发区范围内的规划制定权、审批权必须集中由所在市县城乡规划行政主管部门行使,不得下放。申请设立开发区或扩区的,必须由省级城乡规划行政主管部门依据规划进行审查,核定用地范围并出具审查意见。

再次,要推广节约集约利用土地资源的新技术、新材料,向地下和空中要土地。在资金、技术允许情况下,合理规划和利用城市地下空间。国际上很多经验表明,利用城市地下空间是提高土地利用率和节约土地资源、增加城市绿地、改善城市生态环境的有效途径。城市地下空间具有很大的容量,可为城市提供充足的后备空间资源。此外,可以适度提高城市土地建筑容积率;在不影响城市总体景观的前提下,放宽建筑高度限制,尽量发展土地利用率高的小高层尤其是高层建筑;严格禁止规划建设别墅区。

最后,要通过推进土地规划和土地税收相关制度改革,引导土地资源的集约节约利用。针对当前城镇规划的薄弱环节,完善城镇规划的编制和管理工作。加强城乡结合部的规划管理和土地管理。加强各种规划间的协调工作。完善土地税收制度,建立与节约集约利用土地要求和市场经济要求相适应的土地税收体系。进一步优化土地税收结构,调低现行流转环节的土地增值税和营业税的税率,相应提高保有环节的土地财产税税率。开征土地闲置税,改变目前“高流转、低保有”的税赋结构。这样有利于促进土地加快流转,优化城市土地资源配置,提高土地利用效率。

6.3-3 土地增值收益分配制度改革的突破点

党的十八届三中全会《决定》提出,建立兼顾国家、集体、个人的土地增值收益分配机制,合理提高个人收益。针对土地增值收益分配机制不健全,兼顾国家、集体、个人之间利益不够等问题,要建立健全土地增值收益在国家与集体之间、集体经济组织内部的分配办法和相关制度安排。

1. 当前政策对土地增值收益分配的相关规定

(1) 土地出让成本与收益的相关规定。

土地出让成本主要包括两大类:取得土地支付的补偿性成本和前期平整土地的开发性成本。

补偿性成本主要有征地和拆迁补偿费、对失地农民的补助、企业职工安置费等。征地拆迁补偿费用包括市县政府在征地、拆迁和收购土地过程中支付的土地补偿费、安置补助费、地上附着物补偿费和青苗补偿费等。2008—2010年,征地和拆迁补偿费占土地出让总收入的平均比重为36%。对失地农民的补助是由市县政府向失地农民发放的社会保障费用和保持原有生活水平所支付的补助。2008—2010年,该项费用的平均占比为1.49%。企业职工安置费是市县政府向破产、改制的国有和集体企业职工支付的安置费用。2008—2010年间,该费用占土地出让收入的比重约为7.9%。

开发性成本主要是市(县)政府实施前期开发平整土地所支付的费用。2008—2010年,该项费用占土地出让收入的比重为9.03%。土地出让业务费主要包括与土地出让相关的土地勘测、评估、交易服务、公告、场地租金、"招拍挂"代理和评标等费用。2008—2010年该项费用占土地出让收入的比重为0.62%。

2008—2010年,全国土地出让收入从9 942.1亿元上升到29 396.98亿元,开发成本也由5 576.67亿元增长到17 181.99亿元,平均占土地出让总收入的56.1%。

表6.6 历年全国土地出让收入成本构成

项目	2008年		2009年		2010年		平均占比(%)
	金额(亿元)	占比(%)	金额(亿元)	占比(%)	金额(亿元)	占比(%)	
土地出让收入	9 942.10		14 239.70		29 396.98		
征地拆迁费用	3 662.13	36.83	4 986.67	36.01	10 677.00	36.32	36.06
对失地农民的补助	156.70	1.59	194.91	1.37	449.66	1.53	1.49
前期土地开发	903.38	9.09	1 322.46	9.29	2 561.15	7.71	9.03
企业职工安置费	782.41	6.87	1 066.48	6.49	3 336.63	11.35	7.90
土地出让业务费	71.05	0.71	86.89	0.61	156.45	0.54	0.62
成本小计	5 576.67	56.09	7 656.41	53.77	17 181.99	57.45	56.10

资料来源:刘守英、周飞舟、邵挺:《土地制度改革与转变发展方式》,中国发展出版社2012年版。

(2) 土地出让支出的相关规定。

土地出让收益即为土地出让总收入减去成本后的部分。按照相关法律法规,土地出让收益主要用于以下八个方面:

城市基础设施建设支出。土地出让收益中用于城市基础设施建设的资金支出无具体比例规定。从实际支出情况来看,2010 年全国土地出让收益中用于城市建设的比例为 62%,金额达 7 532 亿元。

新增建设用地土地有偿使用费。这部分资金按照规定专项用于耕地开发和土地整理,不同省市地方按照相应的征收标准征收。2010 年新增费支出 983.73 亿元,占土地出让收益支出的 8%。

农业土地开发资金。用于农业开发,按不低于土地出让净收入的 15% 提取。2010 年该部分支出为 187.87 亿元,相当于土地出让收益的 2%左右。

城镇保障性安居工程支出。该项资金用于城镇廉租住房建设,按照不低于土地出让净收入的 10%列支。2010 年的实际列支为 463.62 亿元,约占土地出让收益的 4%。

国有土地收益基金。专项用于土地收购储备,具体数额由省市地方政府制定,通常为土地出让收入的 3%—5%,2010 年的提取比例为 8%。

农村基础设施建设支出。该部分资金的具体比例也无明确规定。2010 年该项资金支出相当于当年土地出让收益的 7.36%。

教育资金和农田水利建设资金。按照规定,这两部分资金都是从 2011 年开始以 10%的比例从土地收益中计提。

从土地出让收益支出的内容上看,其使用从最初的主要用于城市建设,到逐步用于农村基础设施建设、农业设施建设和民生支出上,逐渐体现出土地增值收益分配的公平性和福利性。

表 6.7　历年全国土地出让收益支出(亿元)

项　　目	2008 年	2009 年	2010 年
土地出让收益	4 563.08	6 867.84	12 216.99
计提教育资金	—	—	—
计提农田水利建设资金	—	—	—
计提国有土地收益基金	307.91	440.63	1 006.89
计提农业土地开发资金	126.07	143	187.87
保障性安居工程支出	146.57	186.1	463.62
城市建设支出	3 024.02	3 340.99	7 531.67
农村基础设施建设	337.3	433.1	1 021.68
缴纳新增费	637.71	923.11	983.73
土地出让收益支出总计	4 581.58	5 466.93	11 196.46
土地出让收益结余	−17.5	1 400.91	1 017.53

资料来源:刘守英、周飞舟、邵挺:《土地制度改革与转变发展方式》,中国发展出版社 2012 年版。

(3) 土地出让收支管理政策。

随着中国土地有偿使用制度改革的深入，土地出让收入快速增长，国家对土地出让收入的征收、使用的管理也不断加强。

在土地出让收入获取政策方面，1988 年《土地管理法》规定，“国有土地和集体所有土地的使用权可以依法转让”，“国家依法实行国有土地有偿使用制度”。1990 年 5 月国务院出台《城镇国有土地使用权出让和转让暂行条例》，明确指出，“土地使用权出让是指国家以土地所有者身份将土地使用权在一定年限内让与土地使用者，并由土地使用者向国家支付土地使用权出让金的行为”。1999 年财政部、国土资源部印发《新增建设用地土地有偿使用费收缴使用管理办法》，其中明确规定，国务院或省级人民政府在批准农用地转用、征用土地时，向取得出让等有偿使用方式的新增建设用地的县、市人民政府收取平均土地纯收益。2003 年国土资源部发布《协议出让国有土地使用权规定》，规定国家以协议方式将国有土地使用权在一定年限内出让给土地使用者，由土地使用者向国家支付土地使用权出让金。

在土地出让收支管理政策方面，1993 年国务院出台《关于进一步加强国有土地使用权有偿使用收入征收管理工作的通知》，规定各级政府取得的国有土地使用权有偿使用收入必须按现行财政体制纳入各级财政预算管理。1995 年财政部、国家土地管理局出台《关于加强土地使用权出让金征收管理的通知》，规定土地出让金应全部上缴财政，由财政列入预算，专款专用，专项用于城市基础设施建设和土地开发。自此，土地出让总价款开始纳入地方财政专户管理，净收益纳入地方国库管理，土地出让收支实行预算内外两种管理方式。2006 年国务院发布《关于加强土地调控有关问题的通知》，规定国有土地使用权出让总价款全额纳入地方预算，缴入地方国库，实行“收支两条线”管理。2006 年国务院办公厅出台《关于规范国有土地使用权出让收支管理的通知》，明确将土地出让收支全额纳入预算，支出通过地方基金预算安排，实行“收支两条线”管理，土地出让收支步入规范化管理轨道。2009 年财政部、国土资源部、中国人民银行等联合发布《关于进一步加强土地出让收支管理的通知》，对于将土地出让收支全额纳入地方基金预算管理，实行彻底的“收支两条线”管理，及时足额征收和缴入地方国库，完善土地出让收入信息共享制度，完善预算编制，统计报表编报和责任追究制度等做了最新重申和强调。

在土地出让收入分配政策方面,从1989年开始,中国的土地出让收入分配政策经历了三个阶段。第一阶段为1989—1993年,为中央财政和地方财政共享阶段。国有土地出让收入扣除20%城市开发建设费后,40%上缴中央财政,60%留归取得收入的地方财政。政策执行结果是中央财政分享的比例逐步减少,从1989年的40%减少到1992年的5%。第二阶段,1994—1998年,为土地出让收入全部属于地方阶段。1994年实行分税制财政体制,明确土地有偿使用收入列入地方固定收入,全部归地方政府支配和使用。土地出让总价款纳入地方财政专户管理,净收益纳入地方国库管理,土地出让收支实行预算内外两种管理方式。第三阶段,1999年至今,为按照新增和存量建设用地对土地出让收入实行不同管理阶段。为严格控制占用耕地行为,鼓励地方盘活存量建设用地,1998年修订的《土地管理法》第55条规定:新增建设用地的土地有偿使用费30%上缴中央,70%留给地方,专项用于耕地开发。实际操作中,地方的留用比例基本达到80%。

2. 土地增值收益分配面临的主要问题

土地增值收益分配面临的主要问题体现为农用地转为非农用地过程中在城乡之间分配严重不公。在农地转为非农用地的过程中,主要实行政府征收。征收时按被征收土地的原用途补偿,征收耕地的土地补偿费、安置补助费最高不得超过被征收前三年平均年产值的30倍。按此原则,被征地农民在增值收益分配中得到土地原用途的倍数补偿后,丧失未来土地增值收益分享权。由于市县政府是土地征收的实施主体和土地一级市场的唯一供地主体,土地用途转换时的第一块增值收益归地方政府获得、使用与支配。在现行国有建设用地市场规则下,用地者依法获得土地使用权后,便拥有了该幅土地在年期内的占有、使用、收益、转让、担保抵押权。随着城镇化进程,土地价值大幅攀升,土地未来的增值收益的大头归了土地占有者,地方政府以税收形式在交易环节获得部分收入。这套土地增值收益分配制度与城市化进程中土地增值收益的产生原理极不相符,造成巨大的土地利益分配不公。原集体所有者合法获得的补偿过低、城市化地区的农民补偿不规范、不透明、无原则;政府获得土地一次性增值收益过高,但是未来增值收益流失;房地产商和购房者支付一次性土地出让费用过高,土地占有者获得的未来土地增值收益过高，成为造成当前收入分配不公的制度性因素之一。

3. 重构以公平补偿规则为核心的土地征收制度

传统的土地征收制度存在着征地范围过宽、政府单方面主导征地程序的运作、补偿标准过低和对被征地农民社会保障不充分等缺陷。征地纠纷的实质是利益相关方对土地增值收益的争夺。征地补偿规则直接关系到土地增值收益的分配是否公平合理。土地征收制度的改革应以公平补偿规则为核心，对公共利益的界定、征地程序由被征收农民参与和博弈、为失地农民提供较充分的社会保障等方面进行重构。

第一，建立公平的补偿规则。根据《土地管理法》第 47 条的规定，征收土地的，按照被征收土地的原用途给予补偿，这肯定是欠妥的。按照土地增值收益分配"公私兼顾"的原则，可以考虑以"小康市民"的标准进行补偿。缩小征地范围，严格界定公共利益的内涵。可以考虑制定征地的负面清单。建立合理、规范、多元的保障机制。土地征收补偿做到公平合理和程序规范。征地范围、补偿价格和程序都要依法进行。对失地农民的保障方式应是多元的，除了货币补偿，还有实物补偿、对失地农民的就业培训，给农村集体的"留用地"符合城市规划可进行非农建设等途径。

第二，建立政府行为激励和约束机制。必须承认，在过去的很长一段时间内，基于 GDP 增长而制定的激励机制的确对促进地方经济发展有一定作用，但随着社会结构的调整、社会改革的深入，这种机制所产生的消极影响渐渐凸显。相当一部分地方官员为寻求政治前途的更大发展，迫切需要在其任职期内做出"显著"成绩，其中最为常见的做法便是以公共利益为借口，积极推进土地征收工作，于是，便产生了大量的政绩工程或者形象工程。基于此，应当尽快修正官员政绩考核机制，建议将环境保护、公众福利、社会公正等纳入考核标准，进而使更多群众享受社会发展成果。针对地方政府的行政运作机制，要健全相关法律制度，分别从实体、程序等层面来进一步规范政府的自由裁量权。同时，强化各级人大的行政监督职能，增强行政工作的透明度，必要的时候可以依靠各种处罚手段来降低政府代理人的机会主义行为取向。

第三，建立土地发展权制度。土地发展权的制度设计是为了解决土地用途转变或利用开发强度提高而产生的增值收益的归属和分配问题。中国法律上还没有明确确立土地发展权制度。实践中已出现了土地发展权的雏形,如城乡建设用地挂钩、重庆的地票交易。重庆市农村土地交易的地票形式,是通过将农村闲置的建设用地复垦为耕地,再将耕地与城市建设用地等额置换,用来增加国有建设用地的增量,其实质就是土地发展权的交易。根据土地增值"公私兼顾"的理念,中国将来建立的土地发展权主体是农民和政府。土地发展权可分为失地农民的土地发展权、在耕农民的土地发展权和政府的土地发展权。不是说有多个独立的土地发展权,而是多元主体共享的一个土地发展权,类似共同共有或按份共有,是对一个所有权的量的分割。以此为建立兼顾国家、集体、个人的土地增值收益分配机制奠定理论基础。中国要建立永久基本农田保护制度,可通过土地发展权制度更好地保护在耕农民的利益。

7

供给侧结构性改革与外生变量(制度新供给、结构新供给、政策新供给)

长期以来,在主流经济学中忽略了制度和结构因素的存在,经济增长被视为一个投入产出的过程,在市场机制的作用下,资源配置自动趋于优化,从而实现产出不断增长和整体福利的改善。但是,随着新制度经济学和新结构主义的兴起,制度创新和结构调整对于经济增长的作用日益受到重视。特别是对中国而言,由于体制制度长期处于计划经济向市场经济转轨过程,以及由“计划”形成的价格扭曲所产生的一系列结构性矛盾,因而增长经济学中制度和结构可能成为重要变量而不能忽视。中国实施的供给侧结构性改革,目的是提高供给体系质量和效率,增强供给结构对需求变化的适应性和灵活性,增强经济持续增长动力。为此,需要在加快要素升级的同时,全面加大制度供给和结构供给力度,不断提升全要素生产率,并针对制约增长的突出问题制定有效政策,优化政策供给。

7.1 制度、结构、政策与经济增长

改革开放30多年来中国经济的快速增长,很大程度上是改革开放带来的制度创新和结构调整的结果,体制外渐进式增量改革极大激发了供给侧效率的提升,而开放背景下融入全球经济体系,则使得中国在全球价值链中的地位不断提升,增强了经济整体竞争力。随着中国经济进入"结构性减速"的新阶段,传统要素优势逐渐减弱和消失,应当更加关注制度创新和结构调整,挖掘经济持续稳定增长的源泉。本节从理论与实践相结合的视角出发,对中国供给侧结构性改革中制度、结构、政策与经济增长的关系进行分析。

7.1-1 制度创新与经济增长

美国经济学家诺思在对西方经济史进行研究的过程中提出,同样是实行资本主义制度的国家,为什么有的国家发展速度快而有的国家发展进程缓慢,为什么有些后起的国家能够实现经济的超越,而有些发达国家又最终走向衰落?诺思认为,制度在其中起了非常重要的作用,有效率的经济组织是经济增长的关键。对经济增长起决定性作用的是制度性因素而非技术性因素。而制度可定义为一系列被制定出来的规则、守法程序和行为的道德伦理规范,不仅包括法律、规则等正式的制度安排,还包括习俗、惯例等非正式制度。

根据新制度经济学理论,有效率的制度降低了不确定性和交易费用,有利于稳定经济主体对未来的预期,避免其追求短期利益最大化的机会主义行为,从而促进经济增长。首先,制度化的交易结构有助于辨识复杂的社会环境。正如诺思所指出的,一个契约的结构依赖法律体系、社会习惯和交换中资产标的物的技术特性。法律框架越完备,社会规制和社会习俗联系越强,则订立的契约内容的不确定性越小,有限理性的个人在复杂环境中的交易行为大为简化,交易费用的不断节约意味着经济效率的上升。

其次,制度通过鼓励、限制和惩罚等影响个人的行为选择。埃格特森认为,矛盾无处不在,理性的个人追求自身利益最大化的强大动力,既是经济衰退的主要原因,也是经济增长和繁荣的主要源泉。无论这种结果是好是

坏,均依赖人为的社会制度结构。亦即社会制度结构决定了经济主体的经济行为,而经济主体在既定制度结构下的行为决定了经济增长的绩效。

最后,制度有利于稳定经济主体对未来的预期,从而避免机会主义行为。当个体之间的交易是一种重复博弈且交易团体规模较小时,人们倾向于合作。但随着分工的复杂化,当交易行为从人格化交易转化为非人格化交易时,这种合作化机制就很难形成。处于转型期的中国,由于制度频繁变迁所带来的不确定性,激励了经济主体获取短期利益最大化的机会主义行为,尽管这些行为从个人而言是理性的,但却会导致社会的非理性结果。

制度经济学对于分析当代中国经济改革具有重要价值。经过30多年来的推进,中国经济改革已经进入深水区,从过去以增量改革为主进入存量利益格局重组的新阶段。目前发展中不少问题都和制度体系不完善有关,这些问题主要体现在市场、政府和企业体制等层面。总体上看,政府与市场、社会的关系仍未完全理顺,政府职能的越位、错位和缺位仍然较为明显,制度创新与企业、市场的需求仍有差距。市场准入不够开放透明,一些放开准入的规定缺乏可操作的实施细则,准入的隐性壁垒仍然存在,市场监管的有效性需要提高,事中事后监管的办法不多,发现和处置违规行为的能力不足。国资国企改革面临新的形势,国有经济布局不合理问题依然存在,国有企业平均效率较低、效益较差的问题突出,垄断行业国企改革进展缓慢,改革面临障碍较多,不合理的利益格局未打破,国有产权转让存在诸多难点。

解决这些深层次问题,关键靠制度创新,构建符合新常态下经济发展方式转变要求的体制机制。核心问题是处理好政府和市场的关系,使市场在资源配置中起决定性作用和更好发挥政府作用。中国必须积极稳妥从广度和深度上推进市场化改革,大幅度减少政府对资源的直接配置,推动资源配置依据市场规则、市场价格、市场竞争实现效益最大化和效率最优化。政府的职责和作用主要是保持宏观经济稳定,加强和优化公共服务,保障公平竞争,加强市场监管,弥补市场失灵。

7.1-2 结构调整与经济增长

现代经济增长的一般研究表明,经济增长不仅是一个总量增长的过程,也是结构变动和结构成长的过程,结构变动和结构成长已经成为经济持续增长的内在力量。但是,经济学对结构调整的认识却经历了一个不断演变的过程。

在20世纪五六十年代,两大学派对此展开了激烈的争论:结构主义学派倡导政府干预以至控制整个经济领域,新自由主义学派主张自由贸易、依靠比较优势促进经济增长。结构主义学派的观点一度在许多发展中国家得到应用,这些国家通过实行“进口替代战略”,由政府直接动员资源来克服市场失灵,建立起现代化的资本密集型产业。但是,在一段时间的快速增长后,这些国家经济发生停滞,和发达国家的差距越来越大,使得结构主义思想日趋式微,新自由主义理论开始占据上风,吸引了众多的跟随者。20世纪90年代以来,结构主义理论出现了复兴的势头,一些主流经济学家把新古典经济学的方法应用到结构主义分析中,重新思考政府与市场的关系,形成了更具解释力的框架,代表人物包括约瑟夫、巴德翰、法耶杜钦等。

近年来,林毅夫提出的新结构经济学受到了许多学者的关注。新结构经济学的分析以每一时点的要素禀赋及其结构为出发点,认为一个经济体在一个时点的经济结构是由当时的要素禀赋及其结构所决定的。发展中经济体通常资本比较稀缺,劳动力与自然资源相对丰富;发达经济体一般资本相对丰富,劳动力相对短缺。这种要素禀赋相对丰富的产业就构成了一个国家的比较优势产业,也就是这个国家最有竞争力的产业。对于一个经济体而言,要素禀赋在一个时点是给定的,但它可以随着时间推移发生变化。新结构经济学阐释发展中国家如何依据自身禀赋结构构建具有动态比较优势的产业结构升级路径,将要素结构、产业结构等结构变迁的内在关联纳入统一的分析框架中,并着重考察政府在产业升级和多样化中的因势利导作用。较之于传统结构经济学,这一理论基于最大化实现潜在比较优势的逻辑将政府和市场纳入统一的分析框架中,为制定具有动态竞争力的产业政策提供了有益指导。

分析结构调整与中国经济增长的关系,应当把理论和现实紧密结合起来。从经济学角度看,结构调整对经济增长的促进作用表现在要素从效率较低的部门和区域转移到效率较高的部门和区域,从而提高资源配置效率和全要素生产率。改革开放以来,中国经济快速增长的重要原因就是产业结构演变产生的结构效应以及要素重置效率的提高。随着中国产业结构合理化程度的提高,产业结构变迁和要素重置效率对经济增长的贡献率呈现递减趋势。

同时，中国在全球价值链中的低端地位尚未根本改变，在全球制造业分工日益深化的背景下，尽管中国制造业从行业结构看呈现升级特征，但高端环节和关键技术仍十分薄弱。未来一个时期，推进供给侧结构性改革，应当把技术进步和产业升级放在更加突出的位置，全面加大创新驱动力度，通过技术进步重塑竞争优势，加快推进自主创新，塑造更多依靠先发优势的引领型发展。

同时，城乡结构和区域结构优化也是中国经济增长中十分重要的内容。从供给侧角度看，城镇化进程带来创新和资本要素的集聚，使得生产要素和经济活动进一步向城市和城市群集中，将带来更大程度的外部效应和规模经济，从而有效增强创新活力，促进社会分工的细化，驱动传统产业升级和新兴产业发展。改革开放以来，中国城镇化进程不断深化，特别是东部沿海地区率先发展，形成了一批各具特色的城市群和众多中小城市，成为带动经济发展的重要增长极和推进器。未来一个时期，中国需要在更大程度上发挥城镇化对于供给侧活力的激发和带动作用，统筹好产业发展、就业吸纳和人口集聚的关系，城市发展和资源环境承载能力的关系，农村人口向城市集中和城乡协调发展的关系，更加注重高效、包容、可持续，从而提升整体创新能力，加快产业升级步伐。

7.1-3 政策供给与经济增长

推进中国供给侧结构性改革，要将当前和长远有机结合，采取综合性的对策措施。既要从中长期出发，积极推进要素升级、结构调整和制度创新，扩大有效供给和中高端供给，激发供给侧活力和动力，提高全要素生产率；又要针对近期的迫切问题，加大存量调整和淘汰力度，防范和化解金融风险，促进经济结构优化和提质增效。从当前来看，中国经济中大面积产能过剩问题日益突出，企业经营效益普遍下滑，亏损面加剧，同时系统性金融风险逐渐加剧，尤其是地方政府债务、影子银行、产能过剩、房地产高库存四大风险集聚显现，如果得不到及时有效处置，有可能引发连锁性危机，使中国经济受到重大冲击。为了切实解决当前这些问题，为中长期推进供给侧结构性改革营造良好条件，必须尽快消化经济体系中的过剩产能问题，提升实体经济和企业的竞争力，消除金融风险，为中长期提升中国供给体系活力和效率营造良好环境，实现经济平稳健康发展。

在制定政策的过程中,要把短期政策问题与深层次根源结合起来,才能抓住关键。以产能过剩问题为例,在市场经济条件下,供给适度大于需求是竞争的常态,只有在供给侧保持适当的过剩状态,才能使得行业中的企业时刻面临生存压力,从而想方设法进行创新,赢得更多的消费者。但是,在中国当前特定的发展环境下,由于体制机制因素的存在,产能过剩问题在一定程度上呈现出与发达国家不同的特点。作为发展中大国,中国的经济发展体制与分权化条件下的地方政府竞争密切相关,为了激励各级政府推动辖区内经济发展,在相当长时期内中国实行的是以 GDP 增长率为核心的政绩考核评价机制,地方政府运用各种政策推动能带来 GDP 增长的行业发展,从而导致投资不是依据市场信号而是依据政策信号进行,包括财政补贴、税收优惠、低廉的土地价格、银行信贷等。因此,制定化解产能过剩的政策,应当从产业政策入手,打破政府对产业进行不当干预的利益链条,并区分过剩产能的不同情况分类施策,对经转型升级仍有生命力的企业鼓励进行改造,对毫无前景的"僵尸"企业坚决进行淘汰,具备重组价值的进行兼并重组,并强化社会保障托底政策,防止出现大规模的下岗失业群体。

7.2 市场改革与制度新供给

新常态下,中国面临的结构性矛盾和问题背后,归根结底是体制机制的瓶颈,需要通过全面的制度改革来化解制约因素,改革的核心在于充分发挥市场在资源配置中的决定性作用,消除劳动力、资本、技术、土地等要素资源面临的供给约束和供给抑制,充分释放经济社会微观主体的活力和潜力,提升供给体系的质量与效率。具体而言,市场改革主要聚焦三个层面:政府正确履职,更好发挥政府的作用;市场高效运行,提高资源配置效率;企业尤其是国有企业自主竞争,真正发挥市场主体作用。

7.2-1 政府履职和权力边界

1. 政府职能转变发展现状及存在问题

政府职能转变历来是中国行政体制改革的重点,经过多年来不断推进,简政放权步伐不断加快，公共服务、市场监管和社会管理不断强化。但总体看，政府职能转变仍然存在突出问题，传统体制和新体制交叉重叠，管理不畅、效率不高，企业、市场、政府诉求不协调、不一致，高效、透明的行政管理体制尚未有效形成：一是宏观调控方式仍需完善。近年来，中国的宏观调控水平不断提高，实行了区间管理、定向调控、相机调控等创新性的宏观调控思路和方式，并且不断丰富调控工具，中国特色的宏观调控工具体系正在加速形成。但总体而言，不少宏观调控仍然通过行政手段实施，经济手段和法律手段的运用不足，市场机制的作用还需要进一步充分发挥，宏观调控方式需要继续创新和完善。二是政府与市场、社会的关系仍未完全理顺。政府职能的越位、错位和缺位仍然较为明显，应由政府来管的还没有管好，管理理念和方式还不能很好适应，制度创新与企业、市场的需求仍有差距；市场的决定性作用尚未充分体现，应由市场机制和企业发挥作用的事项，还没有完全放开；中介组织等多元社会主体参与治理的格局尚未真正确立，应由社会中介组织承担的职能或事项，还没有完全落实好。三是公共服务、社会治理、市场监管等领域仍存短板。公共服务与公共需求之间不平衡，政府应当承担的一些公益性职能还不健全，一些关系群众利益的突出问题还没有完全得到解决。公共服务不均衡，地区差异明显，尤其是农村公共服务不到位，农民的公共服务水平低于城市居民的公共服务水平。社会管理不适应社会结构多元化的变化，社会治理创新势在必行。市场监管水平不能适应新要求，某些领域存在市场监管缺失或力度不够大的问题，尤其是安全监管不能满足民众的期盼。

2. 深化政府改革和职能转变的路径

推进供给侧结构性改革，必须切实转变政府职能，深化行政体制改革，创新行政管理方式，坚持“接、放、管”结合、“控、调、改”同步，实现科学的宏观调控和高效的政府治理，更好发挥政府作用，促进市场在资源配置中起决定性作用，优化供给侧环境，提高供给效率，增强经济持续增长动力。

政府的首要职责仍然是实施科学的宏观调控，营造稳定的宏观经济环境。重点是保持经济总量平衡，加快促进经济结构调整和生产力布局优化，抑制通货膨胀，防止通货紧缩，减缓经济周期波动影响，防范和缓解系统性风险，稳定市场预期，促进经济持续健康发展。具体而言，包括实施相对积极的财政政策,如阶段性提高财政赤字率,加大结构性减税力度,加大统筹财政资金和盘活存量资金力度,调整优化支出结构;实施灵活适度的货币政策,如大力发展多层次金融体系,推动小贷公司、民间借贷、互联网金融等规范发展,真正打通银行间交易市场,推动社会融资总量适度增长;继续加大定向货币政策工具的使用力度和范围,有针对性地促进降低融资成本;完善汇率形成机制,为结构性改革营造适宜的货币金融环境。为此,应当更加注重提高宏观调控的创新性和针对性。一方面要创新调控方式,更多依靠市场力量,更多运用改革办法。注重稳定市场预期,加强预调微调和定向调控。注重激发内生动力,注重推动结构优化,加大对淘汰落后产能的支持力度,推动战略性新兴产业健康发展。注重提高资金效益,多措并举盘活财政存量资金,调整用于保民生、补短板。注重防范潜在风险,有序推进置换存量债务。另一方面要加快健全适应市场经济和开放经济发展规律的宏观调控机制。加强财政政策、货币政策与其他政策手段的协调配合,形成参与国际宏观经济政策协调的机制,增强宏观调控的前瞻性和针对性。依据不同阶段、不同情况和不同特点,与时俱进、探索创新,及时调整完善调控思路和政策工具,增强政策的现实针对性。保持宏观政策连续性和稳定性,坚持区间调控、定向调控、相机调控等各种调控方式有机结合、灵活运用,适时适度预调微调,稳定市场信心和社会预期。建立健全重大政策统筹协调机制,把握好政策的方向、力度、节奏和出台时机,形成调控合力。完善政策分析评估机制,加强政策特别是重大政策的综合评估和协调,增强宏观调控政策体系的有效性。

全面正确履行政府职能是更好发挥政府作用的核心要求。一方面要进一步简政放权,明确政府职能履行边界。包括进一步向市场放权,明确政府权力边界,最大限度减少政府对微观事务的管理;进一步向地方政府放权,将量大面广、由地方管理更方便有效的经济社会事项下放地方和基层管理,并强化地方政府的能力建设,规范行政权力运行;进一步向社会放权,强化社会公众在政府权力运行中的话语权,完善企业、公众参与政府决策、论证、评估的机制,积极吸引行业协会、商会、市场专业化服务组织等社会中介组织参与公共治理。另一方面要加快政府改革,提高政府正确履职能力。包括深化行政审批制度改革,以最大限度便利企业等市场主体为导向,推动审批方式创新;要创新事中事后监管,促进放管结合,运用大数据、云计算、物联网等信息科技手段,加强政府监管平台建设;优化公共服务供给,创新公共服务提供方式,利用市场和社会机制完善资源配置,广泛吸引社会资本参与,提高公共服务的数量和质量;促进形成绿色生产方式和消费方式,建立系统完整的生态文明制度体系,强化对低端供给的约束,鼓励绿色供给等。

重点领域的制度改革是政府职能转变的主要抓手。尤其应着眼于深化财政体制改革,聚焦深化中央与地方事权和支出责任划分,建立公共服务导向的中央与地方财政关系,完善规范透明的现代预算制度,加快税制改革等;着眼于深化投资体制改革,根据经济社会发展需要合理界定政府投资范围,保持适度的政府投资规模,提高政府投资项目决策的科学化、民主化水平,落实企业投资自主权,编制政府投资的中长期规划和年度计划,统筹安排、合理使用各类政府投资资金;着眼于深化金融体制改革,推进银行体系改革,推进资本市场制度改革,强化金融监管体制等;着眼于深化开放体制机制改革,顺应中国经济深度融入世界经济的趋势,完善法治化、国际化、便利化的营商环境,有序扩大服务业对外开放,健全服务贸易促进体系,推进国际产能和装备制造合作,推动对内对外开放相互促进、"引进来"和"走出去"更好结合,促进国际国内要素有序自由流动、资源高效配置、市场深度融合,发展更高层次的开放型新经济。

7.2-2 市场机制和市场制度

1. 市场机制发展现状及存在问题

改革开放以来,中国市场体系建设正逐步从商品市场建设为主转向加快推进要素市场建设,市场体制机制建设成效显著,规则逐步健全,市场功能和作用有了很大提升,但还存在一些突出矛盾和薄弱环节,尤其是市场配置资源的作用尚未完全发挥,制约了要素的有效供给,影响了市场的活力:一是市场准入不够开放透明。政府对一些微观经济活动的行政干预仍然存在,部分行政审批事项已不适应商业模式创新的要求,需要加快调整。市场准入并没有真正放开,准入的隐性壁垒仍然存在。根据相关统计数据显示,目前全社会 80 个行业中,允许外资进入的比例接近 80%,而允许民间资本进入却只占 50%。二是市场规则体系仍需完善。现代市场的相关法律法规体系有待完善,部分市场的基础制度建设有待加强。三是市场运行机制尚不成熟。从现状来看,反映市场供求关系、资源稀缺程度和环境损害成本的资源要素价格形成机制和环保收费机制尚未建立,部分市场运行管理机制需要加快改革创新,区域市场合作机制和一体化发展机制建设较慢,在政府采购、政策扶持等方面的市场壁垒仍存。四是市场环境仍需完善。目前市场监管仍然以行政管理为主,缺乏有效的综合监管和制度约束,事中事后监管的办法不多,发现和处置违规行为的能力不足。公平竞争的市场秩序尚未完全形成,有些领域竞争规则和程序透明度不高,尤其是在工程项目招投标、采购、项目审批等方面,维护公平竞争的手段和措施不足。诚信体系建设尚在起步阶段,跨部门、跨领域的信息共享不够,信用信息的准确性和更新的及时性有待提升。

2. 深化市场机制改革的路径

建立公平开放透明的市场规则是完善市场机制的先决条件,其核心在于放宽和完善市场准入,要允许各类市场主体依法平等进入各个行业、领域、业务等;要建立适应市场创新要求的准入制度,制定和调整相应的技术规范和标准体系;要淡化行政审批中经济业绩、企业人数、注册资本等经济性标准,强化资源节约、环境友好、安全保障等标准;要进一步加大简政放权力度,加快清理现有行政审批前置环节的技术审查、评估、鉴证、咨询等有偿中介服务事项。放宽准入的同时也要完善市场的退出机制,取缔达不到节能环保、安全生产、食品药品质量等强制性标准的市场主体,完善企业破产制度,使市场主体能够有进有出。

健全的法律法规体系是保障市场有效运行的基石。一方面要加快现代市场体系法律法规空白领域建设,推动目前部分市场的法制空白领域补缺,建立健全针对部分新兴业务的法律法规等。另一方面要根据新需求加快调整完善相关法律法规,对于现行的市场建设运行法律法规,加快梳理和调整的步伐,完善一些已不适应现代市场发展要求的法律法规规章、相关标准等。按照法治化、国际化营商环境要求,清理、修正与市场经济体制机制不相适应的各种规章制度。

建立资源高效配置的运行机制是进一步发挥市场作用的关键所在。首先要建立健全由市场决定价格的机制。包括放开价格管理权限,推进水、石油、天然气、电力、交通、电信等领域价格改革，放开竞争性环节价格，将政府定价范围主要限定在重要公用事业、公益性服务、网络型自然垄断环节，提高透明度，接受社会监督；健全市场化的价格形成机制，重点加速要素价格市场化改革进程，建立规范的与国际市场接轨的要素市场价格形成机制，形成商品市场与要素市场间的价格联动性，由以往行政手段配置社会资源转为由市场配置社会资源。其次要在由市场决定价格的基础上进一步完善市场运行机制。包括建立健全各类市场运行管理体系，建立统一的大宗商品现货交易市场规则体系，完善金融、土地、技术等市场运行管理规则，加快人力资源、文化服务、第三方专业服务、中介服务等市场运行管理规则建设；创新各类市场运行机制，提升货币、股票、债券、外汇、商品期货、金融期货和黄金等市场功能，创建制度化、规范化的土地交易条件设立机制，建立市场化的技术转移体系和运行机制等；完善区域市场一体化发展合作机制，着力打破地区封锁和行业垄断，推动建设区域一体化大市场。

3. 公平竞争市场环境的营造

营造有利于公平竞争的环境是市场高效运行的重要保障。首先，促进市场公平竞争需要全面强化市场监督管理、优化监管方式。重点在于强化事中事后监管，深化标准监管，巩固分类监管，优化技术监管。在信息时代背景下尤其要加强运用科技手段实施监管，例如充分利用信息网络技术实现在线即时监督监测，集成备案信息管理和有害信息过滤功能，提高网络监管能力；利用物联网建设重要产品等追溯体系，形成可追查的信息链条等。其次，企业作为市场主体需要强化主体责任，健全自我管理办法和机制，完善内部治理结构。同时，也要充分发挥行业协会商会自律作用，鼓励行业协会商会制定行规行约、提出或参与制定相关国家标准、行业标准等，监督会员遵守行业自律规范、公约和职业道德准则。要通过加强社会诚信建设，聚焦信息公示、信息共享和信用约束，加快市场主体信用信息平台建设，建立信用信息档案和交换共享机制，完善企业“黑名单”制度，营造诚实、自律、守信、互信的社会信用环境，促进各类市场主体守合同、重信用。第三，大力促进公平竞争和充分竞争。包括加强知识产权保护，依法保护各类知识产权，鼓励技术创新；进一步打破地区封锁和行业垄断；严厉查处仿冒名牌、虚假宣传、价格欺诈、商业贿赂等不正当竞争行为。最重要的是要进一步营造各种所有制经济公平竞争环境,尤其是在立项审批、投资核准、项目招投标、政府采购、获取要素资源等重点环节,确保民营企业与其他所有制企业享有同等待遇,也可以支持民营企业参与区域重大工程项目建设和政府采购项目,鼓励有资质、有诚信、有社会责任感、有市场进取心的民营资本、外资资本及区域外资本进入市场。

7.2-3　国资国企治理与市场化改革

1. 国资国企改革发展现状及存在问题

经过不断深化的改革创新,中国以国有经济为主体的单一微观经济结构已经得到显著改观,国有企业低效体制取得明显突破。但目前,中国的国资和国企的体量依然庞大,国有经济布局不合理的情况依然存在,国有企业平均效率较低、效益较差的问题依然突出,国资国企改革仍然任重道远,不能完全适应经济新常态的新要求。第一,国有资产管理体制与国有资本功能定位不相适应。国有资本管理模式仍有明显的行政化色彩,管人管事管资产相结合,导致企业活力不足,难以适应国内外市场形势快速变化。第二,国有企业制度改革仍需深化。目前中央和地方层面都还有不少的集团母公司仍未完成公司制改革,例如国务院国资委管理的112家中央企业当中,就有75家仍然是全民所有制企业。国有股“一股独大”现象仍普遍,根据相关统计,全国国有企业中国有资本占整个实收资本的比重高达95%以上,集体、民营和外资占比极小。现代企业制度建设较为滞后,一些国有企业规模庞大、链条过长,政企不分、政资不分的现象仍然存在。第三,国有资本流动和配置机制亟需完善。垄断行业国企改革进展缓慢,垄断性国企缺乏改革动力,改革面临障碍较多,不合理的利益格局未打破,垄断行业与国民经济其他行业之间的不和谐问题依旧突出。国有产权转让存在诸多难点,国有产权转让或重组中的定价问题始终是个难题。历史遗留问题仍然比较严重,不少国有企业仍然承担离退休人员的社会保障职责,存在企业办社会的问题,一些老国企尤其是资源矿产类的国有企业面临严重的冗员问题。

2. 深化国资国企市场化改革的路径

推进供给侧结构性改革,需要以市场化为方向持续推进国有企业改革,加快转变国有资产管理方式,加快化解过剩产能,加快推进垄断行业改革;

加快完善现代企业制度，着力破除体制机制障碍，让国有企业成为真正的市场主体；切实推动国有企业提质增效升级，增强国有企业活力和抗风险能力，提高国有资本供给效率，促进经济社会持续健康发展。

深化改革首先要健全管资本为主的国有资产管理体制。国有资产管理向管资本转型的关键在于建立高效的国有资本市场化运作平台，要加快改组和组建市场化、专业化的国有资本投资、运营公司，促进国有资产高效流动、国有资本优化配置、国有企业活力和竞争力提升。国有资本投资、运营公司应严格定位于资本运营主体，不进行除投资管理业务之外的其他经营活动，对所投资企业仅作为股东依照公司法参与经营管理，企业为完全市场化的独立法人，可以引进战略投资者，自主经营，自主选聘经营者。同时，需要建立开放透明的市场化运作机制。按照资本运作和股权管理的要求，应细化国资运营平台各项职能，建立与平台功能定位相匹配的组织架构，探索战略管控为主、运营管控为辅的管控模式，以市场化方式对国有股权实施管理。

深化改革的核心要求是促进国资合理流动和国资效率提升。新常态下加强国有企业的清理、重组和创新升级是当务之急，短期需要聚焦“僵尸”企业的清理退出，长期需要持续推动国有企业重组整合，大力促进国有企业创新升级，如支持国有企业发展战略性新兴产业，支持国有企业开展国际化经营，引导国有企业积极打造创新创业平台等。同时，要加快推进垄断行业改革，放开自然垄断行业竞争业务，同时积极解决采掘、钢铁、化工、建筑、公用事业等国企上市公司“一股独大”的痼疾，在股权适度分散中实现股权相对集中，激活并强化企业的内生动力和活力。

深化改革还需要切实提高国有企业的运营效率。从长期看，积极发展混合所有制经济是提高国有企业运营效率的良方，要持续推进国有企业公司制股份制改革，推动有条件的企业集团运用多种手段实现整体上市或核心资产上市，引导和鼓励集团通过市场化手段整合上下游产业链；积极推行混合所有制企业员工持股，建立公开透明规范的激励约束长效机制；充分发挥市场配置资源功能，进一步推动国有控股上市公司、非上市公司开放性市场化重组整合等。同时，需要优化国有企业发展环境，增强企业可持续发展能力。如完善国有企业重组整合涉及的资产评估增值、土地变更登记和国有资产划转等方面的税收优惠政策,完善国有企业退出的相关政策,营造推进创新和改革的容错机制,创造良好的企业家成长环境等。

7.3 结构调整与结构新供给

改革开放30多年来,尽管中国经济国际地位有了很大提升,成为全球具有重要影响的最大新兴经济体和世界制造业大国,但经济结构不合理的矛盾日益突出,发展不平衡、不协调、不可持续的问题日益显现,突出表现在供给结构不协调、粗放式发展局面没有根本改变、要素利用效率不高、资源环境代价大等方面,成为导致经济增速下滑和效益恶化的重要原因。未来推进供给侧结构性改革,应当把经济结构调整放在突出位置,一方面培育新的经济发展动能,扩大有效和中高端供给,提高供给质量和效率,另一方面推进存量调整和淘汰,减少无效和低端供给,改造提升传统比较优势,从而从供给侧推动中国经济竞争力的根本提升。

7.3-1 产业供给侧结构优化调整

1. 产业供给侧问题与趋势

近年来,随着中国经济的迅速发展,产业结构逐渐高级化,在第二产业长期保持主导地位的基础上,第三产业占比稳步提升,2013年第三产业增加值占比首次超过第二产业,成为推动中国经济增长的主要动力之一。但是,目前中国产业结构仍存在不少突出问题。一是制造业创新能力不强,在全球价值链中的低端地位尚未根本改变。中国高技术产品近年来占出口比重逐渐提高,但劳动密集型加工组装环节产品占高技术产品出口额90%以上。①由于低端产能迅速扩张,钢铁、电解铝、平板玻璃等行业平均产能利用率低于75%,产能过剩十分严重。二是现代服务业发展相对滞后。2014年批发零售和房地产业占第三产业比重合计达到32.8%,仅房地产业占比就达到12.4%。

① 数据来自国家发改委产业经济研究所编:《中国产业发展报告2015》,中国市场出版社2015年版,第134页。

同时，生产性服务业占第三产业产值比重近年一直徘徊在58%左右，并且研发设计占比不高。三是农业竞争力偏低。农业就业人员占比高达29.5%，但农业增加值占比只有9.2%。①农业生产成本居高不下、竞争力下降，从2013年开始大宗农产品的国内价格已经全面超过进口农产品到岸税后价格。

未来一个时期，中国产业结构优化升级面临新的形势和挑战。尤其是全球新一轮产业革命加速兴起，由于智能制造和机器人技术的迅速发展，发达国家可能通过采用高效的数字化装备，实现机器对人力的替代，发展中国家基于劳动力成本的比较优势将在一定程度上被削弱，"雁行模式"不复存在。同时，劳动力成本逐渐上升，2012年劳动年龄人口首次出现绝对下降，比上年末减少345万人，此后连续三年持续下降，由此导致工资成本过快上涨。受人工和原材料成本快速上涨的影响，中国基于劳动力成本的比较优势明显削弱，在低端制造环节面临来自越南、马来西亚等东南亚国家和非洲国家的极大挑战，重塑竞争优势日益迫切。

2. 增强产业供给侧竞争力的路径

其一，推进制造业优化升级。打造具有国际竞争力的制造业，是增强经济内在活力与动力的根本依托。中国面临着在信息化时代追赶发达国家产业前沿和补齐工业基础短板的双重任务。只有通过自主创新，才能从根本上提升中国在全球产业链中的地位和竞争力。应立足自身实际和基础条件，瞄准世界科技前沿领域和顶级水平，加快推进一批重大科技创新工程和产业技术项目，打造一批国际领先的信息技术、智能制造、新能源、新材料、生物技术等高科技产业集群，抢占全球产业发展制高点。

智能制造是中国制造业升级的重中之重。面对新一轮全球产业革命的冲击，中国应加快推动新一代信息技术与制造技术融合发展，把智能制造作为主攻方向，推进生产过程智能化，培育新型生产方式。要加强智能制造顶层设计，加快制定智能制造技术标准，建立智能制造产业联盟，协同推动智能装备和产品研发、系统集成创新与产业化，促进工业互联网、云计算、大数据在全产业链的综合集成应用。加快发展智能制造装备和产品，组织研发

---

① 数据来自叶兴庆：《以结构性改革为切入点推进农业现代化》，《中国经济时报》2016年1月7日。

具有深度感知、智慧决策、自动执行功能的高档数控机床、工业机器人、3D打印装备,提高精准制造、敏捷制造能力。深化互联网在制造领域的应用。制定互联网与制造业融合发展的路线图,发展基于互联网的个性化定制、众包设计、云制造等新型制造模式,推动形成基于消费需求动态感知的研发、制造和产业组织方式。

同时,加快传统产业转型升级显得十分迫切。目前传统产业面临的挑战需要具体分析,有些行业如服装制造是由于要素成本上升,有些是由于节能环保监管强化和资源价格上升,有些行业如显示器制造是由于新技术升级换代,从而导致原有企业面临较大压力。针对这些情况,要以鼓励企业技术改造和商业模式创新为抓手,促进传统产业焕发活力。特别是加强共性技术研发,引导企业采用先进适用技术,在商业模式创新上下力气,运用互联网思维和新业态新模式,更好地适应和引领消费者需求。

其二,培育新产业和新业态。随着云计算、物联网、数字制造以及信息技术与其他产业的深度融合,信息化浪潮将深刻改变人们的生产方式和生活方式,依托新技术的新模式、新业态,有可能在短时间内改变产业的生命周期,甚至在全球范围内让整个产业重新洗牌。受消费者需求变化、技术进步等影响,制造业与服务业融合发展趋势日益明显,产业间的界限逐渐模糊。在这样的背景下,推动中国供给侧结构性改革,应当积极培育新技术新业态新模式,营造大众创业、万众创新的宽松环境,进一步激发创新活力。尤其是中国作为一个大国,市场规模和发展潜力巨大,不少产业和区域发展存在薄弱环节,这在很大程度上为"互联网+"的快速发展提供了广阔空间。应充分发挥互联网在促进产业升级中的平台作用,鼓励传统产业树立互联网思维,推动互联网向经济社会各领域加速渗透,形成智能化、协同化的"互联网+"生态体系。

随着信息化与诸多产业的深度融合,一系列具有广阔前景的新兴增长点不断涌现,对于引领供给体系升级将产生重要作用。中国应瞄准全球产业发展前沿,立足自身经济基础和需求特征,聚焦平台经济、分享经济、大数据、云计算、物联网等领域,积极培育具有竞争力的新兴产业。比如,分享经济作为一种全新商业模式,利用移动互联网、大数据等技术优化资源配置,已经在房屋租赁、交通出行、餐饮等领域得到广泛应用,并将向更多领域渗透,应积极鼓励发展。又如,大数据正日益成为经济社会运行的基础性战略资源,要推进数据资源汇集和发掘,深化大数据在各行业创新应用,促进大数据产业健康发展。

其三,推进服务业高端化精细化。服务业已成为中国三次产业中占GDP比重最高、吸纳就业人数最多的行业,但服务业发展能级和竞争力还不够高,这与中国当前经济发展阶段和创新能力不足有关,也和长期以来工业占主导地位,体制机制不适应服务业需要有关。应把服务业升级放在中国产业结构调整的突出位置,增强高端服务业竞争优势,进一步发挥服务业对供给效率提升的支撑作用。一方面,推动生产性服务业向专业化和价值链高端延伸。以产业转型升级需求为导向,积极发展生产性服务业,引导企业分离和外包非核心业务,提升服务业分工深度,促进中国产业逐步由生产制造型向生产服务型转变。鼓励服务业企业向价值链高端发展,支持企业提高研发创新和系统集成能力,促进专利技术运用和创新成果转化,强化市场营销和品牌服务。另一方面,促进生活性服务业向精细和高品质转变。尤其是增加服务有效供给,鼓励各类市场主体创新服务业态和商业模式,针对各类主体的需求提供细分领域服务,积极开发新的服务消费市场。积极运用互联网等现代信息技术,努力改进服务流程、提升服务质量,打造有影响力和美誉度的服务品牌,提高服务品质和竞争力。

其四,推进农业供给侧改革。由于中国人多地少的基本禀赋,在工业化、城镇化推进到一定阶段后,农业生产的劳动力和土地成本必然快速上涨,导致农产品生产成本不断提高,明显高于美国等国家的成本,国际竞争力显著下降,这一趋势未来会进一步加剧。在经济全球化深入发展和国际国内市场深度融合的大背景下,优化农业结构要有新思维、新机制,从通过提高粮食最低收购价、国家托市收购来调动农民种粮积极性,转向更加注重通过促进耕地流转、发展适度规模经营、加快科技进步来增加农民种粮效益,提高农业国际竞争力。

随着工业化的深入推进,越来越多的劳动力会从农业部门转移出来,这为提高农业生产规模和效率提供了条件。中国应适应这一趋势,积极培育家庭农场、农民合作社等新型农业经营主体,发展多种形式的适度规模经营,用工业化的思维推进农业生产,大幅提高农业劳动生产率。在确保谷物基本自给、口粮绝对安全的前提下,加快形成与资源禀赋相匹配的农业区域布局,允许东部沿海地区和特大城市将自身农业生产指标释放出来,向具备农业比较优势的中西部地区和产粮大省购买。同时,仅依靠国内耕地和水资源,已经难以满足不断增长的粮食需求。中国应从比较优势出发,统筹农产品进出口,实现补充国内市场需求、促进结构调整、保护国内产业和农民利益的有机统一。对于大米、小麦等主粮生产,中国不具备比较优势,应将国内生产与适度进口有机结合。比如,东南亚地区的泰国、老挝、柬埔寨、印度尼西亚、马来西亚等国家稻米生产优势突出,可向其适度进口,降低大米自给率。退出的土地可用于生产有比较优势、经济附加值高的品种。

中国要保障的粮食和食品安全,不仅是数量上的安全,更是质量上的安全。要把品质优先放在农产品生产的重要位置,不断提高农产品供给质量。一方面是加强产地环境保护和源头治理,实行严格的农业投入品使用管理制度,切断污染物进入农田的链条,鼓励创建优质农产品和食品品牌。另一方面是提高质量安全监管水平,加快健全从农田到餐桌的农产品质量和食品安全监管体系,建立全程可追溯、互联共享的信息平台,健全风险监测体系,确保"舌尖上的安全"。

7.3-2 新型城镇化与城乡结构均衡调整

1. 城镇化推进中存在的问题

改革开放以来,伴随着工业化进程加速,中国城镇化经历了一个快速发展的过程。从1978年到2015年,中国按照常住人口计算的城镇化率从17.9%提高到56.1%,城镇常住人口从1.72亿人增加到7.71亿人,增加了5.99亿人。城镇化的快速推进,促进了基础设施和公共服务的显著改善,也吸纳了大量农村劳动力转移就业,提高了城乡生产要素配置效率,推动了经济持续快速发展。但是,在中国城镇化快速发展的同时,也存在不少需要重视的突出问题:

一是城镇化滞后于工业化。尽管中国城镇化水平不断提高,但与工业化水平相比仍明显滞后,不仅远低于发达国家,而且也低于世界平均水平。据统计,发达国家城市化率一般已接近或高于80%,人均收入与中国相近的马来西亚、菲律宾等周边国家,城市化率也在60%以上。但中国2015年按常住人口计算的城镇化率只有56.1%。城镇化发展水平偏低,不利于创新集聚效应发挥和产业结构升级，制约了国内需求的扩大，也是区域经济发展不协调的重要原因。

二是城镇化进程中二元结构尚未打破。目前农民工已成为中国产业工人的主体，但受城乡分割的户籍制度影响，被统计为城镇常住人口的 2.34 亿农民工及其随迁家属，未能在教育、就业、医疗、养老、保障性住房等方面享受城镇居民的基本公共服务，导致城镇内部出现新的二元矛盾。如果将这部分没有城镇户籍的群体从城镇居民中分离出来的话，中国以城镇户籍为标准计算的城镇化率只有 35.33%，与按常住人口计算的城镇化率相差 19.44 个百分点（2014 年数据）。另外，长期以来实施的城乡分割的土地制度很不合理。按照现行土地管理法规，农村集体建设用地只有通过征地转为国有才能进入土地市场。在这个过程中，地方政府通过征地获得高额的溢价收益，但失地农民无法分享土地增值收益，不利于体现社会公平，也不利于合理的土地要素价格的形成。

2. 以新型城镇化促进城乡结构优化

中国的基本国情是人口多、资源少、生态容量小，正处于快速的产业转型和制度变迁过程中，这一特点决定了城镇化推进必须立足自身实际，注重高效、包容、可持续。推进高效的城镇化，就是要充分发挥市场配置资源的决定性作用和更好发挥市场作用，促进生产要素在城乡之间、区域之间优化配置，最大限度发挥集聚外部效应，增强城市创新能力和全要素生产率。推进包容的城镇化，就是要充分调动政府、企业和群众的积极性，让全体人民共享城镇化带来的福利。推进可持续的城镇化，就是要处理好经济发展和资源节约、环境保护的关系，在城镇化过程中将资源环境成本内部化，实现低碳绿色发展。①具体来说，应当抓好以下几个关键环节：

加快农业转移人口市民化。随着工业化和产业升级的深化，劳动力从农业部门转移到更有效率的工业和服务业部门是必然趋势，应适应这一趋势，积极推进农业转移人口市民化，让农业转移人口融入城市。为此，首先要增强城市产业支撑和就业承载能力，发展各具特色的城市产业体系，强化城市

① 参见国务院发展研究中心课题组：《中国新型城镇化：道路、模式和政策》，中国发展出版社 2014 年版，第 6 页。

间专业化分工协作,增强中小城市产业承接能力,形成稳定的就业岗位支撑。当前紧迫任务是加快户籍制度改革,推动基本公共服务向常住人口全覆盖。户籍制度改革应因地制宜、分步推进,既要明确长远目标,又不能放开过快,否则大城市和特大城市在短期内难以承受。要按照国家新型城镇化规划的要求,全面放开建制镇和小城市落户限制,有序放开中等城市落户限制,合理确定大城市落户条件,严格控制特大城市人口规模。对暂不具备落户条件或没有落户意愿的农业转移人口,实施居住证制度,保障流动人口享有基本公共服务的权利。

深化城乡土地制度改革。土地制度改革是一个复杂而关键的问题。现行城乡分割的土地制度不利于土地资源的优化配置,与供给侧结构性改革和新型城镇化的要求很不适应,应在稳妥审慎的前提下加大改革力度。应以平等进入、公平交易为原则,在完善相关土地税收制度的前提下,允许农村集体土地与国有土地平等进入非农用地市场,构建城乡统一的土地市场和土地价格形成机制,并完善土地租赁、转让、抵押二级市场。改革现行征地制度,合理确定政府、集体和个人的收益分配办法,建立公平共享的城镇化土地增值收益分配机制。保障农户宅基地用益物权,改革完善农民宅基地制度,稳妥推进农民住房财产权抵押、担保、转让,探索农民增加财产性收入的渠道。

创新成本分担和投融资机制。推进城镇化离不开大量的资金投入,要充分发挥地方政府在提供公共产品中的作用,积极引入社会资本参与新型城镇化建设,分享改革发展收益。一方面,合理划分中央和地方事权,使成本在中央和地方之间合理分担。对于基础养老金、司法体系、食品药品安全等网络性强的事权应划归中央,适当扩张中央政府的支出规模。增加一般性转移支付,减少和归并专项转移支付。另一方面,创新城市建设和公共服务投融资机制。尽快改变目前地方政府过度依赖土地出让收入的融资机制,在基础设施和公共服务领域积极引入社会资本,发展公私伙伴关系(PPP)模式。

7.3-3 城市群增长极与区域结构联动调整

从经济学角度分析,区域结构调整意味着要素在不同区域之间的优化配置,从收益率较低的区域流动到收益率较高的区域,通过集聚效应形成若干新兴增长极,从而实现整体资源配置效率的改善和经济发展水平的提高。

因此，实施供给侧结构性改革，应当把区域结构优化作为十分重要的任务，构建若干具有竞争力和影响力的城市群，带动供给侧效率改善和经济发展质量提升。

1. 区域结构调整现状与问题

中国经济发展实施了一条区域非均衡增长的路径。经过改革开放30多年来的快速发展，中国东部地区经济增长取得了显著的成效。京津冀、长江三角洲、珠江三角洲三大城市群，以2.8%的国土面积集聚了18%的人口，创造了36%的国内生产总值，成为带动中国经济增长的重要引擎。同时，中西部地区经济发展水平不断提高，在中国经济版图中发挥着越来越重要的作用。但是，区域经济结构仍然存在一些突出的问题，特别是区域经济发展差距仍然较大，不同区域间的人均财政收入、人均占有财富等重要指标继续分化，公共服务还远没有达到均衡水平。尤其要注意的是，近年来中西部地区的增长很大程度上是国家区域政策倾斜和大规模投资刺激带动的结果，随着投资边际效益下滑，中西部地区创新能力不足的问题将进一步显现。

体制机制不健全是制约区域协调发展的重要原因。目前要素跨区域自由流动的市场机制不健全，劳动力流动还受到户籍制度和配套公共服务体系的阻碍，造成区域市场分割的根源尚未消除。财税体制不完善，对经济基础薄弱和生态环境脆弱地区的专项转移支付名目繁多，但一般性转移支付偏少，不能满足缩小基本公共服务差距的要求。区域合作协调机制尚不健全，跨区域的一体化经济合作需要进一步深化，重复建设、各自为政现象仍然在一定程度上存在。这些都在很大程度上制约了区域经济的协调发展。

2. 促进区域结构优化的推进路径

解决中国当前区域经济发展差距问题，应当从理论和国际经验进行分析。Williamson(1965)通过对24个国家区域经济差异进行横断面分析发现，发达国家的区域间不平衡程度较小，而中等收入国家和不发达国家的区域不平衡程度较大，他进一步对10个国家进行时间序列分析分析后发现，大多数发达国家的区域不平衡程度经历了递增、稳定、下降三个阶段，由此得出了区域经济发展差异的“倒U曲线”理论。但是，区域均衡发展只是一种可能性，这一目标的实现需要特定前提条件，如要素完全可自由流动，区域间基于要素禀赋实行专业化分工，选择合理的经济发展战略等。从中国

实际情况出发,要推进供给侧结构性改革,促进区域经济协调发展,应当从以下几个方面入手:

生产要素跨区域自由流动。按照比较优势原则,要素从收益较低的区域向收益较高的区域流动,将有效缩小区域间经济发展差距,最终实现要素收益的均等化。中国各地区的自然条件不同,资源禀赋差异大,不同区域劳动力、资本、技术要素的收益率存在很大差别。改革开放以来,生产要素在市场的作用下跨区域配置,但在体制机制上还存在不少限制,中西部农村转移到东部城市就业的人口不能享受完全的市民待遇,东部的资本、技术和人才进入中西部也遇到各种障碍。下阶段,在加大户籍制度改革和城市公共服务普惠化力度的同时,要在吸引资本、技术和人才向中西部有序流动上采取有效措施,尤其是营造法治化的营商环境,提高政府管理效率,打破地方保护主义的壁垒,构建统一市场体系,切实保护投资者权益,并加大基础设施和教育、医疗等配套服务建设力度,增强中西部对人才和资本的吸引力。

城市群发展与区域空间布局调整优化。东部地区城市群面临着要素成本快速上升、资源环境压力加大、国际市场竞争加剧等挑战,应加快经济转型升级步伐,提高产业核心竞争力和可持续发展能力,形成新的比较优势,发挥在中国经济发展中的带动效应。中西部地区应顺应全球信息化、工业化潮流,有序承接国际及沿海地区产业转移,依托优势资源发展特色产业,加快新型工业化进程,提升区域辐射带动能力。此外,应促进不同规模的城市协调发展,在增强中心城市辐射功能的同时,加快发展中小城市,形成各类城市协调发展的格局。

培育带动区域协同发展的增长极。从发达国家的经验来看,一个经济体不断崛起的过程,往往离不开若干具有较强辐射效应的世界级城市群的带动。中国要实现区域协调发展,必须尊重产业集聚自身规律,利用其带动扩散作用,形成强有力的增长极和发展引擎。未来一个时期,要重点推进实施“一带一路”、京津冀协同发展和长江经济带三大战略,构建连接东中西、贯通南北方的多中心、网络化、开放式的区域开发格局,建设具有世界影响力的巨型城市区域。尤其要着力解决区域内市场分割、无序竞争等突出问题,协同推进重大基础设施建设,加快消除地区间隐形壁垒,抓紧建立统一完善的市场体系,使之成为中国经济增长的新引擎。

7.4 风险化解与政策新供给

当前,中国经济中大面积产能过剩问题日益突出,企业经营效益普遍下滑,亏损面加剧,同时系统性金融风险逐渐加剧,尤其是地方政府债务、影子银行、产能过剩、房地产高库存四大风险集聚显现,如果得不到及时有效处置,有可能引发连锁性危机,使中国经济受到重大冲击。为了切实解决这些问题,为中长期推进供给侧结构性改革营造良好条件,必须制定有效政策,实现经济平稳健康发展。

7.4-1 产能过剩问题及政策

在中国当前特定的发展环境下,由于体制机制因素的存在,产能过剩问题实际上是双重因素导致的,既有市场周期自我调整的因素,也有政府过度干预造成的"体制性过剩"因素。为了在竞争中胜出,地方政府有充分的动力运用各种政策工具,推动能带来 GDP 和财政收入增长的行业发展,从而导致市场机制的资源配置功能被扭曲。因此,中国近年来虽然多次开展产能过剩集中治理,但成效都不明显,陷入"治理整顿—产能再次过剩—治理整顿"的循环怪圈。

彻底解决产能过剩问题,必须从体制机制根源出发,建立化解产能过剩矛盾长效机制。关键是从源头上消除政府对产业的不合理干预,切实减少和纠正用行政手段包揽、直接介入和干预产业发展的做法,把主要精力放到营造公平竞争的市场环境、维护市场秩序上来,避免因过度干预造成市场信号扭曲。坚决清理废除地方政府在招商引资中采取土地、资源、税收、电价等损害公平竞争的优惠政策,理顺资源、要素价格的市场形成机制,提高产业准入的能耗、物耗、水耗和生态环保标准,切实发挥市场配置资源的基础性作用。

目前不少行业的落后产能和"僵尸"企业有关,这些"僵尸"企业长期亏损、扭亏无望,占用了大量资源要素和市场空间,应当尽快退出。在退出方式上,应根据实际情况,有针对性地采取兼并重组和破产清算等不同方式,尽可能以兼并重组为主,以减少大量职工下岗带来的冲击。为此,需要完善和落实促进企业兼并重组的财税、金融、土地等政策措施,如扩大税收抵扣和减免税收比例等,建立跨区域兼并重组的利益协调和共享机制,使区域之间横向税收分配比例合理化,降低地方政府因担心企业被兼并导致税源流失的顾虑。支持社会资本通过参股、控股、资产收购等多种方式参与企业并购重组,鼓励保险资金等长期资金创新产品和投资方式,参与企业并购重组。通过金融产品和服务创新,支持重组后企业的产品升级和技术创新。

同时也应看到,一些行业过剩产能的存在,主要是由于市场形势变化和创新不足引起的,对这些企业只要注入新的技术和理念,完全有可能起死回生,重新焕发生命力。因此,可通过技术改造和商业模式创新,重构产品结构和业务结构,实现存量产能的优化。不同行业中实施方式可有所区别,比如对纺织行业而言,主要是进行设备更新改造,增加花色品种和产品附加值,并从低端加工制造环节向价值链高端发展,推广以互联网订单为基础,满足客户多品种小批量的个性化、柔性化产品定制新模式。对钢铁、船舶等行业而言,应着力突破、掌握一批关键共性技术,应用更加节能、环保、高效的工艺技术,实施智能制造工程,提升企业研发、生产和服务的智能化水平。

在经济全球化的背景下,化解产能过剩应统筹国际国内市场,特别是抓住"一带一路"战略机遇,加快产能输出。尤其是在钢铁、建材、船舶等行业,利用国际市场需求具有很大空间。应拓展对外工程承包领域,积极承揽重大基础设施和大型工业、能源等项目,带动国内装备、产品出口。发挥钢铁、水泥、电解铝、平板玻璃、船舶等产业的技术、装备、规模优势,在全球范围内开展资源和价值链整合;加强与周边国家及新兴市场国家投资合作,采取多种形式开展对外投资,建设境外生产基地。

7.4-2 金融风险问题及政策

中国面临的系统性金融风险正在上升,尤其以地方政府债务、影子银行、产能过剩、房地产高库存等领域最为突出。尽管目前包括中央债务在内政府债务占 GDP 比重处于 60%的安全线以内,但最近几年均为偿债高峰,并且随着房地产市场低迷和土地出让收入剧减，地方政府财力紧张，债务压力加大。影子银行潜在风险正在加大，银行通过理财、信托、投资、委托贷款等方式，将原有表内业务转为表外业务或其他非信贷资产，网络借贷(P2P)、众筹等互联网金融在发展中也出现了许多问题，使得流动性风险成倍放大。另外，从2012年下半年开始，中国银行业的不良贷款率不断攀升，迄今这一趋势仍未缓解。针对这些问题，应当从制度根源入手，加快经济和金融体制改革步伐，并针对突出风险源加大治理力度，斩断风险传导链条，遏制发生区域性金融风险并引发更大危机的可能性。

化解地方政府债务风险。地方政府债务风险的触发点，是地方政府发生逾期违约或无法偿还债务。为了防止这种局面，应强化债务规模控制，建立系统的地方政府性债务风险预警机制。一方面，加大存量债务风险化解力度。对于完全没有偿债能力的项目，应统筹预算资金予以偿还，必要时可通过政府债务投资形成的项目经营性资产收益、土地出让收入、国有资产转让收益等偿还。另一方面，严格控制新增债务，地方政府可以依法适度举债，但只能采取政府债券方式。剥离融资平台公司政府融资职能，融资平台公司不得新增政府债务，并积极推动融资平台公司向一般性国有企业转型。

化解影子银行风险。深化金融市场化改革，增加金融有效供给，让资金供需实现更有效率的对接，是消除影子银行的根本途径。应加快利率市场化改革，让利率充分反映资金稀缺性和真实市场价格，并加快构建多层次资本市场，扩大民间资本进入银行业，加强对中小微企业的金融服务。同时，针对银行理财产品、信托、网络信贷、民间融资等诸多领域问题，加强精准监管，尤其是督促商业银行建立单独的理财业务组织和监管体系，要求信托公司不得开展非标准化理财资金池等具有影子银行特征的业务，小额贷款公司应以自有资金发放贷款，融资租赁公司不得转借银行贷款和相应资产，网络支付平台、网络融资平台、网络信用平台等机构不得利用互联网技术违规从事金融业务。另外，监管部门应做好对影子银行的信息统计工作，加强各类社会融资活动的统计汇总，并适时向社会披露相关信息，尽量降低金融机构和投资者之间的信息不对称。

化解不良贷款风险。中国银行业协会、普华永道联合发布的《中国银行家调查报告(2015)》显示，82.1%的银行负责人认为产能过剩行业贷款是

2015年面临的最主要信用风险事件。随着经济增速的放缓和企业债务违约率的上升,银行不良贷款问题可能进一步加剧。商业银行应密切关注重点行业与重点区域的风险特征,规避高风险行业,健全分工明确的贷款管理框架,严把新增贷款的风险关。同时,密切关注存量贷款中“正常类”和“关注类”的逾期贷款和预警贷款,有选择性地采取抵押资产拍卖、债转股、资产转让、信贷资产证券化以及自主催收等手段,消化存量不良贷款。创新不良贷款处置方式,推进不良贷款资产证券化,将不良资产项目通过互联网平台发布,通过市场公平定价、合理竞价方式转让,提高处置效率(魏政,2015)。

7.4-3 企业成本问题及政策

目前中国供给侧活力不足,很大程度上与企业层面成本过高、负担过重有关。由于受到诸多自身无法克服的成本因素制约,企业难以轻装上阵,盈利能力下降。这些成本大致可分两个方面:一方面是受市场因素决定,很难通过政府干预降低的成本,包括人工成本、原材料成本、资本设备购置成本等;另一方面是具备下降潜力的成本,包括制度性交易成本、税费负担、社保成本、融资成本、电力和物流成本等。降低实体经济企业成本,重点应放在后一方面,从政府改革、财税、金融、社保、能源、流通等领域共同发力。

降低制度性交易成本。关键是在加快政府自身改革上下功夫,进一步转变政府职能,持续推进简政放权,去除束缚企业发展的不必要管制,激发市场活力和社会创造力。进一步放宽准入管制,加大简政放权力度,最大限度减少政府对微观事务的管理,市场机制能有效调节的经济活动,一律取消审批。审批部门要严格规范审批行为,严格限制自由裁量权,优化审批流程,提高审批效率。将中国现存的不合理的收费项目剔除,合理调整收费结构,将一部分收费项目纳入税收体系,实现“费改税”,由税务部门负责征收,相关部门支出由财政部门安排预算,切断行政审批与收费项目的利益关联。

加大结构性减税力度。结构性减税不是全面、大规模减税,是为了达到特定目标而针对特定群体和税种削减税负水平,以使税负结构更加合理,促进转型升级和经济增长。应当加快“营改增”改革步伐,实现增值税抵扣链条的完整性,减少并逐步消除重复征税,促进专业化分工和协作。降低高科技企业和中小微企业的企业所得税税率,延长并扩大减半征收企业所得税政策,促进高科技企业和中小微企业成长壮大。在现行分类税制的基础上,建立综合与分类相结合的个人所得税制,将工资薪金所得、劳务报酬所得等统一纳入综合征收范围,并将纳税人家庭负担,如赡养人口、按揭贷款等情况计入抵扣因素,充分发挥个人所得税在调节收入分配、促进社会公平中的作用。提高出口退税率,加快出口退税进度,支持扩大出口,提升中国外向型企业的竞争优势。

降低企业融资成本。企业融资成本高的成因是多方面的,既有实体经济因素又有金融问题,既有长期因素又有短期因素,根本途径在于深化金融体制改革,加快利率市场化步伐,发展中小金融机构和民营银行。近期应加强对影子银行、同业业务、理财业务等方面的管理,清理不必要的资金"通道"和"过桥"环节,各类理财产品的资金来源或运用原则上应当与实体经济直接对接。规范金融机构经营行为,严禁各种不合理收费和各种贷款附加条件。在加强监管前提下,积极推动具备条件的民间资本依法发起设立中小型银行等金融机构,或入股现有银行业金融机构,为实体经济特别是中小微企业提供高效金融服务。健全多层次资本市场体系,优化主板、中小企业板、创业板市场的制度安排。扩大中小企业各类非金融企业债务融资工具及集合债、私募债发行规模。

降低企业社保成本。五大社会保险即养老、生育、工伤、失业、医疗保险中,养老、医疗所占比重较大。由于目前全国工伤、失业、生育保险费普遍存在结余,降低费率相对易于操作,但受收支压力逐年增大的影响,占到社保缴费2/3强的养老保险和医疗保险费率下降难度较大。下一步,可研究精简归并"五险一金",将生育保险与基本医疗保险合并,并适当降低整体社会保险缴费率,丰富社会保险基金收入来源渠道,用国有资产划拨和国有企业分红支持社保。同时,完善社会保险筹资机制,充分发挥政府、企业、个人的作用,适度均衡责任分担。通过延长退休年龄等方式,减轻养老保险收支压力。

8

供给侧结构性改革与需求侧管理的协同

需求管理和供给管理都是宏观经济管理的重要手段，但在经济增长和经济发展的不同时期和阶段，宏观经济管理的侧重点也是不同的。改革开放以来，中国在市场化改革的进程中实现了持续的高速经济增长，在改革初期和中期，更多地是通过改革来提高生产领域的效率，增加供给，缓解短缺，由此促进经济增长，主要属于供给领域的改革与管理；而进入新世纪后，由于中国社会主义市场经济已经基本建立，更多地是通过货币政策和财政政策调控需求，来实现平稳高速增长的目标，主要属于需求管理。在近些年的经济增长中，中国的总量失衡开始明显地反映出来，而在总量失衡的背后，则有深刻的结构性和体制性原因。因此，简单的需求管理已经不能满足宏观经济管理的需要，必须通过强化供给领域的结构性改革来解决发展中长期存在的深层次矛盾。

8.1 总供需分析与宏观调控

改革开放以来，中国经济的快速增长（“中国奇迹”）是总供给和总需求扩张的共同结果。现阶段由于总供需的内在变动导致总供需的扩张受限，中国的经济增长后继乏力，因此"中国奇迹"是不可持续的。中国需要对总供需的内在结构进行改善，以实现经济的可持续增长，这是现阶段重大国家政策"调结构、转方式、促增长"的理论基础。

8.1-1 改革开放以来总供给和总需求的变动趋势

改革开放以来，中国经济出现了持续多年的高速增长，1979—2015 年中国的年均 GDP 增长约为 9.5%，这种长期高速度的经济发展在世界历史上并不多见，被称为"中国奇迹"。"中国奇迹"的原因，归根到底是总供给和总需求扩张的共同结果。

改革开放后，为什么中国的总供给和总需求出现了快速扩张？对总供给的分析，可以采用索洛模型进行分析；对于总需求，则从拉动中国 GDP 增长的"三驾马车"投资、消费和出口来进行分析。

1. 改革开放以来总供给的扩张

根据索洛模型，$g_Y = \theta g_K + (1-\theta) g_L + g_A$（$g$ 代表增长速度，θ 代表资本份额），总供给的扩张可以分解为两个方面：要素投入的增加，即 K（资本）与 L（劳动）的扩张；全要素生产率的进步，即 A（广义技术进步）的扩张。

改革开放以后，中国的要素总投入出现了快速的增长。劳动人口的增长可以归结为两个原因：一是中国的市场经济改革产生的激励机制提高了劳动

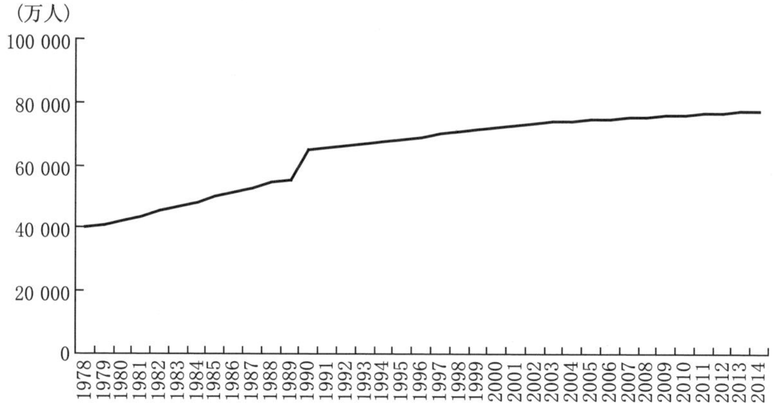

图 8.1 1979—2014 年中国总就业人口变动趋势

资料来源：国家统计局网站。

参与率和劳动积极性；二是中国的女性离开家门，逐渐走上工作岗位。图 8.1 显示了 1979—2014 年中国总就业人口的变动情况：改革开放以后，总就业人口快速增加，并在近年来逐渐放缓。

由于传统习俗、社会保障体制不健全以及资本市场效率低下等原因，中国的储蓄率一直处于较高的水平，较高的储蓄率则意味着较高的资本形成率，即全社会固定资产投资的快速增长。从图 8.2 可以看出中国全社会固定资产投资显现出指数增长的趋势。根据国家统计局的相关数据进行计算，全社会固定资产投资在 1980—1998 年均增长 9.9%，在 1999—2014 年均增长 19.4%，呈加速趋势。此外，中国总要素投入的增加还与当时国外投入的涌入有一定的关系。中国的改革开放正遇到欧美国家信息产业革命，这个时候欧美国家需要把旧的、传统的产业（主要是工业部门）转移出去，实现产业的升级。而中国则凭借低廉的要素价格和大幅度的税收、投资优惠吸引了外商投资，实现了产业转接。

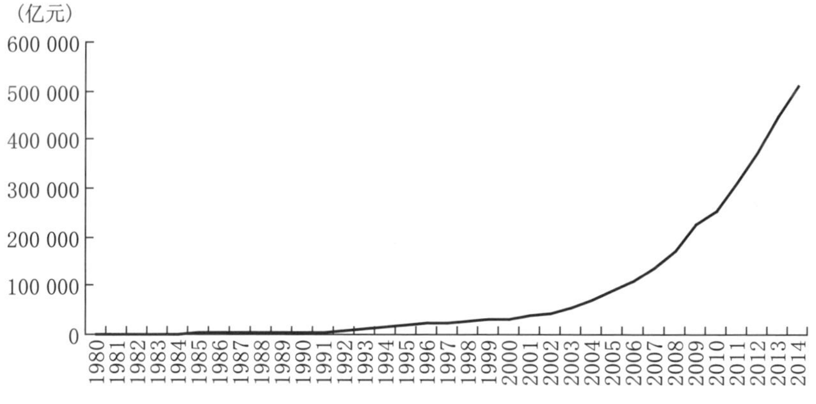

图 8.2　1980—2014 年中国全社会固定资产投资变动趋势

资料来源：国家统计局网站。

在要素总投入快速增加的同时，中国的全要素生产率（TFP）也取得了较大的进步。首先，中国的市场化改革，尤其是国有企业改革和非公经济的发展，在有效提升了资源配置效率的同时，也改善了激励机制。其次，改革开放以后中国快速的技术进步，主要是输入型技术进步。技术进步可以通过研发实现，也可以通过模仿、购买来实现。由于在技术上和发达国家有着很大的差距，中国在选择技术进步的方式上具有后发优势，改革开放以后，中国通过模仿、购买等方式实现了快速的技术进步。再者，改革开放以来，中国人力资本的素质出现了快速上升。从图 8.3 可以看出，1981 年以来，中国每年的高等教育毕业生数量快速增长，但在近年来有减缓的趋势。越来越多的高学历者进入生产第一线，这对效率的提升是极为显著的。

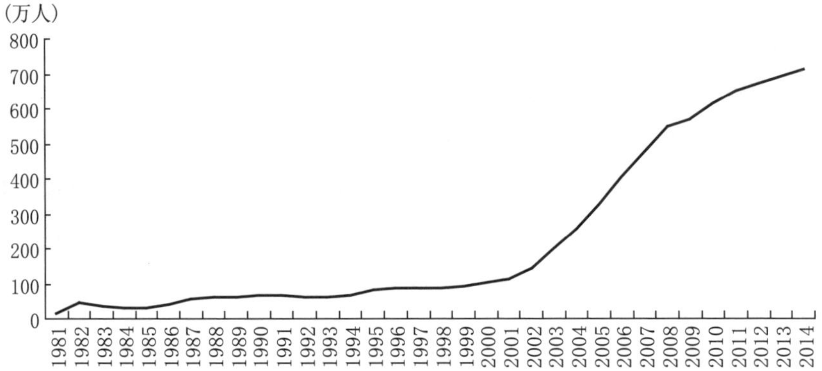

图 8.3　1981—2014 年中国高等学校毕业生人数变动趋势

资料来源：国家统计局网站。

根据部分学者的测算，改革开放以后，要素投入对经济增长的贡献占经济增长的比重大约为 64%，全要素生产率的进步对经济增长仅有 36%的贡献，即中国的经济增长大约只有 1/3 是通过劳动生产率的提高来实现的，与发达国家大约 80%的水平有很大的差距，这在一定程度上反映了中国经济增长的粗放性。

2. 改革开放以来总需求的扩张

改革开放以后，中国总供给快速扩张，带来总需求的增加，这里按照支出法，从投资、消费和(净)出口三方面对总需求进行分析。

改革开放以后，由于政绩考核与 GDP 挂钩，各地方政府有着很强的激励进行招商引资，而招商引资需要政府为投资提供优惠的条件。这些优惠条件包括：对生产要素价格的人为压制，如人为地降低工业用地的价格、劳动力价格和其他要素价格；放松对资源依赖或污染环境相关产业的行政审批；相关的税收优惠政策，如投资税抵免，减少企业的相关税负等。这些优惠的政策极大降低了企业的成本，使得企业的产品在价格上具有较大的竞争优势,因而促进了投资的增加。此外,改革开放以后中国的财政收入出现了快速的增长,1980—2014年中国年均财政收入增长速度约为15%,远高于同期GDP的增长(9.5%),而较高的财政收入在一定程度上决定了较高的政府投资水平。最后,中国长期以来较高的储蓄率也为较高的投资水平提供了现实的可行性。从图8.4可以看出,改革开放以后,投资占GDP的比重在波动中呈稳定的上升趋势。

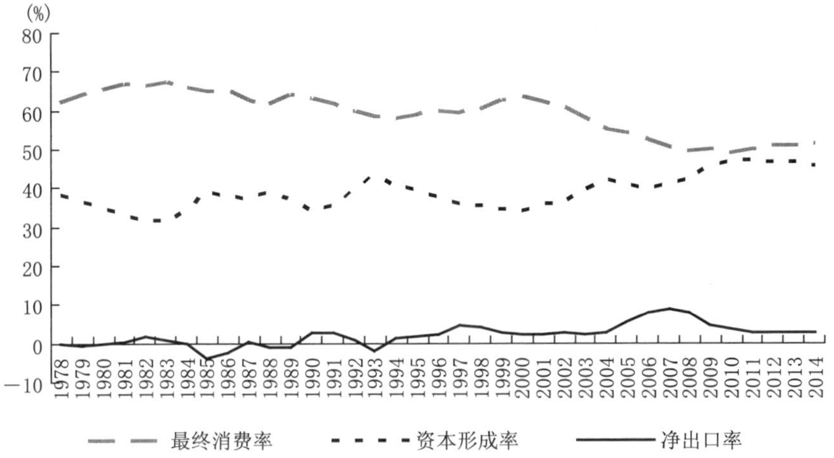

图8.4 1978—2014年中国消费率、投资率和净出口率变化

资料来源:国家统计局网站。

由于中国的劳动力价格一直被人为地压低,这导致了中国的劳动收入水平偏低,消费一直都处于较低的水平。如图8.4所示,劳动力价格的长期扭曲还在一定程度上使得中国的最终消费率有下降的趋势。虽然收入水平较低,但改革开放以后中国城乡居民的收入还是得到了一定幅度的增长,而且由低成本带来的低廉的产品价格还是使得中国居民有一定的消费能力,短期内,要素价格的扭曲还在经济可以承受的范围之内。

改革开放以后,中国的出口贸易出现了快速的增长,这里面有三个重要的原因。首先,通过对要素价格的扭曲,在中国生产的产品成本价格较低,相比其他国家的产品有较大的价格优势,出口较为容易。其次,政府对人民币汇率的管制,使得中国产品在相当长的时间内具有价格优势,如图8.5所示，人民币对美元的汇率在1985—1994年间一直在上升，即人民币出现贬值；在1995—2005年间，人民币对美元的汇率基本保持不变；从2006年开始，人民币才开始缓慢升值。最后，在信息革命期间，西方国家进行产业升级，大规模的低端产业被转移到国外，但这些国家对这些低端产业的产品还有着相当大的需求，这为中国产品的出口提供了很大的空间。图8.6显示了中国出口总额的变动趋势，可以看到，除了2008年由于经济危机的影响之外，中国的出口总体而言呈快速增长的趋势。

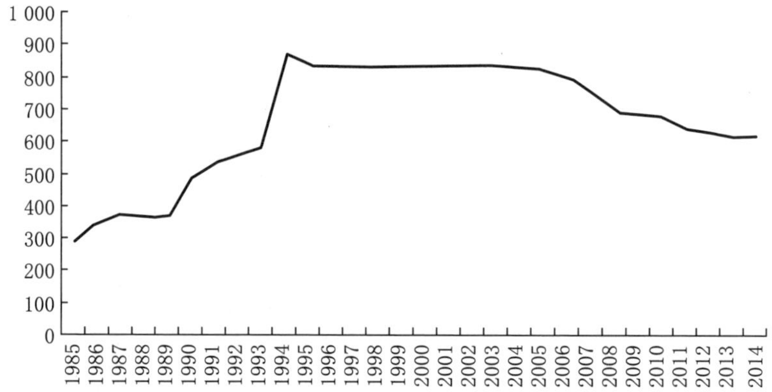

图8.5 1985—2014年人民币对美元汇率变动情况

资料来源：国家统计局网站。

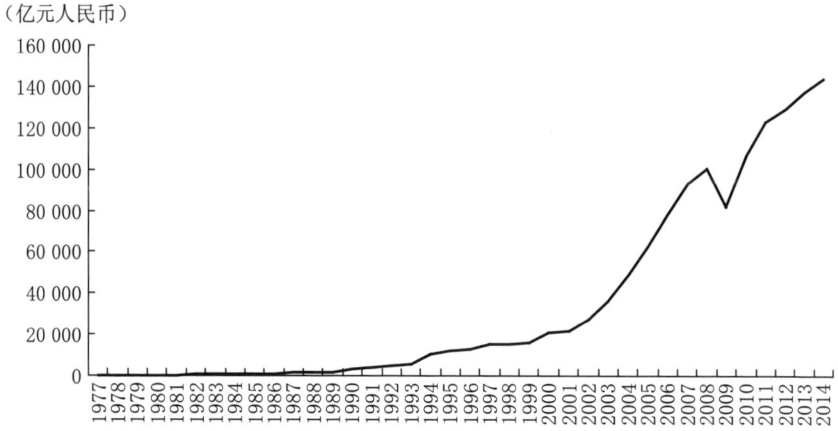

图8.6 1977—2014年出口总额的变化趋势

资料来源：国家统计局网站。

3. 改革开放以来的总供需分析

"中国奇迹"产生的路径可以用 *AD*-*AS* 模型进行描述,具体如图 8.7 所示,在初始时刻,中国经济的总供给为 *AS*1,总需求为 *AD*1,经济总是处于均衡点 *Y*1;改革开放导致中国总供需的迅猛扩张,总供给向右移动到 *AS*2,总需求向右移动到 *AD*2,经济总是相应移动到均衡点 *Y*2,实现了经济的大幅增长。

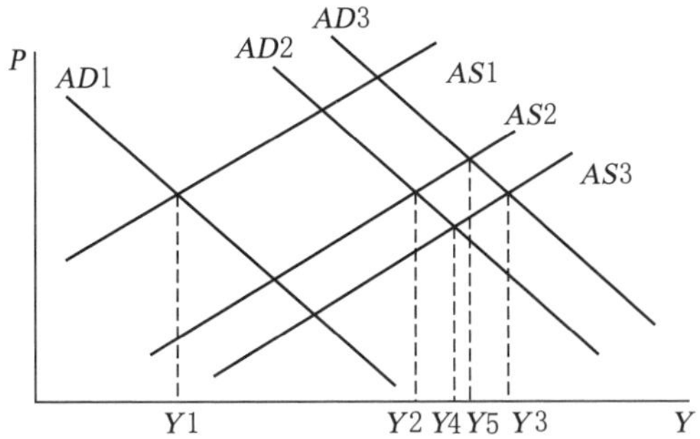

图 8.7　利用 *AD-AS* 模型对总供需的分析

当前,中国的总供需的内部结构出现了很大变动,将使 *AS* 与 *AD* 曲线的扩张乏力,比如,*AS*2、*AD*2 的进一步扩张只能小幅达到 *AS*3、*AD*3 的水平,此时经济总量均衡点为 *Y*3,显然从 *Y*2 到 *Y*3 的经济增长水平远低于之前的增长水平。甚至 *AS*2 与 *AD*2 的扩张出现一侧停滞或同时停滞,以致经济总量只能到达 *Y*4 或 *Y*5,乃至停止在 *Y*2 的水平。因此,如果不对总供需的结构进行改善,中国可能会出现经济增长速度的下滑甚至经济增长的停滞。

8.1-2　总供需问题与宏观调控

进入经济发展新阶段,中国经济面临三方面的深层次矛盾:一是结构性矛盾,二是体制性矛盾,三是经济周期性矛盾。这三类矛盾相互叠加,相互依存,又相互影响,极大地增加了市场配置资源和政府宏观调控的难度。在这三个深层次矛盾中,经济周期性矛盾是近些年产生的,结构性矛盾和体制性矛盾是根深蒂固且"久攻不克"的难题。

1. 中国经济总供求关系出现的复杂新变化

全方位地来审视,中国的经济结构主要可以分为六个方面。(1)需求结构：经济运转首先必须有需求，这既是社会再生产的起点，又是社会再生产的终点。(2)供给结构：供给方是由产业来提供的，可以把它视为产业结构，农业、工业、服务业等都属于供给结构的问题。(3)要素投入结构：一个国家经济发展靠什么要素投入得以支撑、得以发展的问题。无论是早期的哈罗德—多马模型，还是之后的新古典经济增长理论中的索洛—斯旺模型，以及再之后的内生增长理论，都是围绕要素投入结构来展开。(4)排放结构，即资源环境结构：理论上说是从投入产出的视角，除了传统的三大类要素投入外，还有能源、资源类的投入以及废水、废气等的排放。(5)城乡结构。(6)区域结构。在上述六大结构中，在经济发展新阶段需求结构和供给结构是中国经济面临的两大难题，既有需求结构问题——消费需求不足，特别是居民消费率过低，又有供给结构问题——供给过剩与供给不足严重并存。供给侧改革和需求管理协同运用的新方略，就是基于这两方面的问题提出的。

2. 需求结构问题：消费需求不足，居民消费率过低

传统需求管理理论特别重视“三驾马车”中的投资，中国也一直实行“投资驱动型”的发展战略，导致投资率居高不下，严重挤压消费，导致消费这驾“马车”在整个国民经济中的占比呈下滑趋势。从纵向看，改革开放以来最终消费率曾长期在60%—70%的区间内波动，但进入21世纪后逐年下降，从2000年的62.3%持续下降到2010年的48.2%，降低了14.1个百分点，为改革开放以来的最低点。2011年虽然上升至49.1%，之后又继续回升，2014年上升到51.4%，但与国际比较，中国的最终消费率比世界平均水平要低30个百分点左右。

再来看消费需求的内部结构。在最终消费率中，最突出的问题是居民消费率低下。根据世界发展指标数据库相关数据显示，2012年中国居民消费率与其他国家相比相当低，世界平均水平是60.4%，中国只有34.6%。国家统计局的数据显示，2014年中国居民消费率是37.9%，比2012年有所提高。即使是用37.9%与60.4%相比，中国居民消费率还是低于世界平均水平20多个百分点。同时，从图8.8可以看出，农村居民消费增速一直低于城镇居民消费增速，这与不合理的收入分配结构和社会保障体制相关。

3. 供给结构问题：有效供给不足，产能过剩和供给不足并存

现阶段，中国供给结构问题较为复杂，既有产能过剩、房产积压等供给

过剩问题，又面临供给不足，特别是创新性供给不足、公共服务产品供给不足问题。所以，中国现在供给结构面临产能过剩和有效供给不足并存的局面，突出反映为以下五个方面的问题。

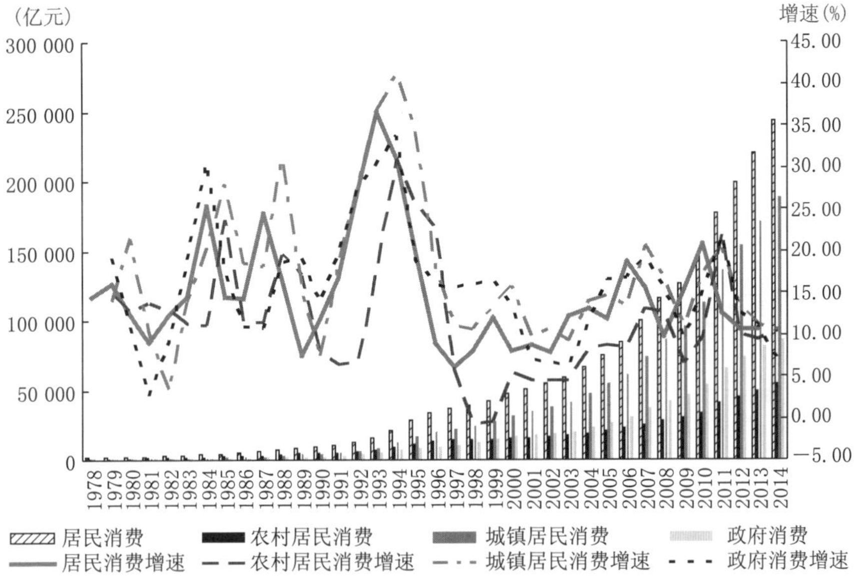

图 8.8　中国改革开放以来消费需求结构的变动情况

资料来源：国家统计局网站。

第一个突出问题是产能过剩。产能过剩问题是供给问题，也是产业层面问题。不仅传统的钢铁、铁合金、焦炭、电石、化工、造船、水泥、电解铝以及纺织等产业存在过剩问题，而且太阳能光伏、手机等新兴产业，都面临不同程度的产能过剩压力。一些领域产能过剩已超过警戒线①，致使企业经营效益大幅度下降。如果不解决产能过剩这个结构性矛盾，将可能会出现工业品价格持续下降、经济难以持续增长等问题，企业效益也就无法提高。按照图 8.9 所示的中国工业总体产能利用率的实际情况看，产能利用率近年来在

① 要从理论上来理解和把握产能过剩问题，需要确定产能过剩的标准线是多少。一种说法是把产能利用率 81%—82% 作为判断产能是否过剩的分界点；另外一种看法是参照国家发改委的标准，将产能利用率 78% 作为判断产能是否过剩的分界点。

79%，不到80%。按照国际公认标准看，出现了产能过剩。从部分传统产业的产能利用率看，钢铁72%、水泥73%、电解铝72%、平板玻璃73%，出现了严重的产能过剩。与此同时，传统产业的产能过剩已逐步蔓延到新兴产业，2015年全国汽车行业的产业利用率预计将下降到60%以下，光伏产业的产能利用率在2012年就高达39.8%。鉴于国内大部分产能形成于世界经济增长黄金期，即外需旺盛以及国内高速增长阶段，并在国际金融危机期间为应对冲击而部分扩大，因此，仅仅依靠刺激国内需求难以完全解决产能过剩问题，必须通过推进结构性改革的方式才能根本解决。

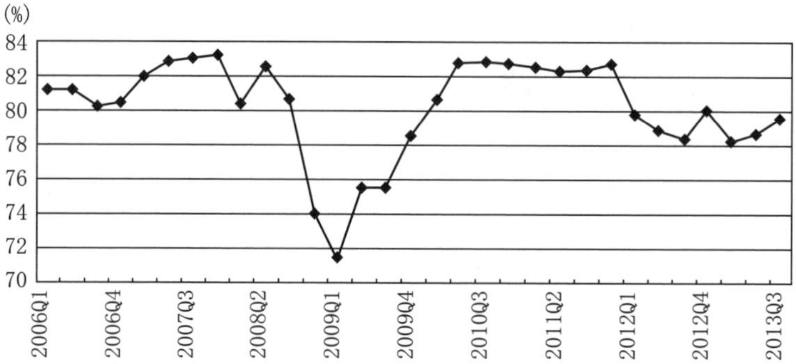

图8.9 中国工业总体产能利用率的实际情况

资料来源：常修泽：《论需求管理与供给管理相结合的新方略——2015年12月在北京大学所作的学术报告》。

第二个突出问题是房地产库存积压严重。目前，从全国范围来看，城镇居民人均住宅面积已接近发达国家水平，总体上供求紧张的时代已经过去。目前房地产正面临中长期拐点，不同城市、不同区域、不同类型的房地产分化将会加剧，除了北京、上海、广州、深圳这几个大城市以及部分人口支撑因素比较有利的地区外，相当一部分城市的房地产发展面临库存较高的问题。从国家统计局发布的商品房待售（空置）面积数据看（图8.10），2007年之前中国房地产库存水平规模有限，且增长颇为缓慢，但之后增幅相当明显，特别是2011年之后增速异常显著，2015年达到顶点。

从其内部结构来看（如图8.11），待售住宅增长态势与全部待售商品房增势基本相同，从2007年开始扩张迅速，待售（空置）别墅、高档公寓虽有一定的增长但幅度较小，待售（空置）办公楼和商业营业用房则几乎没有增长。

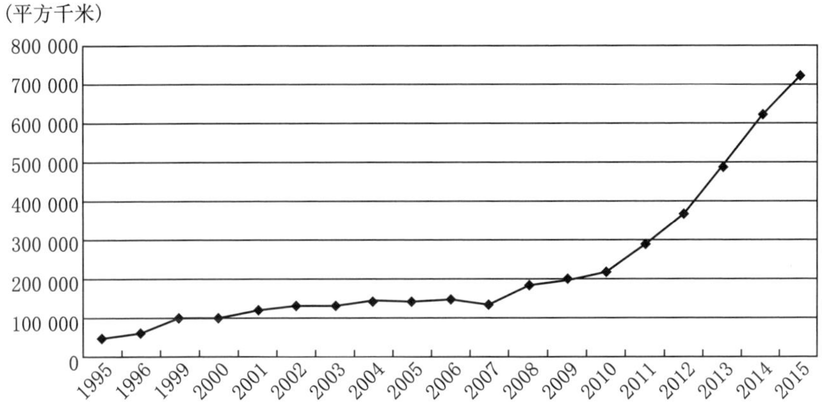

图 8.10　1995—2015 年全国商品房待售(空置)面积变化情况

资料来源:常修泽:《论需求管理与供给管理相结合的新方略——2015 年 12 月在北京大学所作的学术报告》。

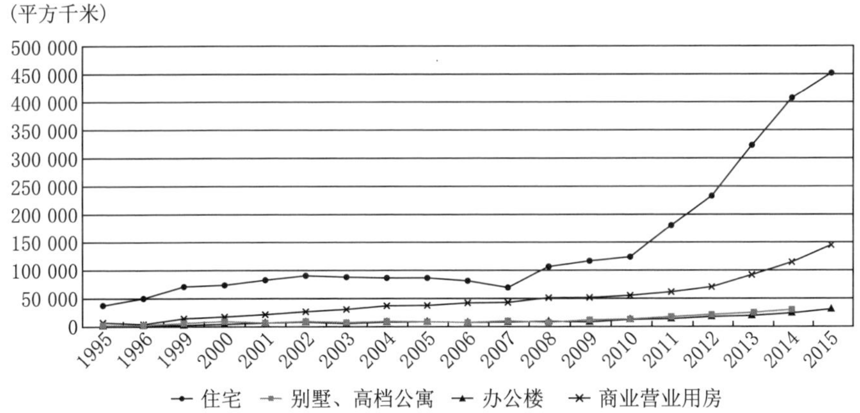

图 8.11　1995—2015 年全国各类型商品房待售(空置)面积变化情况

资料来源:常修泽:《论需求管理与供给管理相结合的新方略——2015 年 12 月在北京大学所作的学术报告》。

由此可以看出,近年来商品房库存水平的急剧攀升并积压,主要归因于商品住宅库存积压,小部分归因于别墅、高档公寓库存积压。同时,全国各区域情况不同,东部和中部地区的商品房库存面积普遍高于西部地区,特别是东北城市房地产库存水平较高,因为经济形势普遍比较严峻,缺乏大量且可持续的人口净流入,需求相对疲弱。

第三个突出问题是企业生产经营面临的高成本,包括劳动力、资金、资源、租金、税收等成本过高。随着劳动力资源从无限供给转变为供求趋于平衡，再转变为结构性短缺，包括工资成本和社保成本等在内的用工成本将相应提升。事实上，近年来中国名义劳动力成本已经呈现出持续上涨的态势。同时，过高的税费负担也是长久以来影响企业发展的重要因素。面对这些高成本，应在遵循市场规律（比如劳动力成本的上升）的同时，发挥政府调控手段（比如政府减税），给企业有效减负。

第四个突出问题是杠杆率过高、债务风险加大。根据《中国国家资产负债表2015》的最新数据可知，2014年末中国经济整体的债务规模约为150.03万亿元，全社会杠杆率为235.7%。其中2014年末实体部门（不含金融机构）的债务规模为138.33万亿元，实体部门杠杆率为217.3%。金融危机以来，各部门加总的债务总额占GDP的比重从2008年的170%上升到2014年的235.7%，6年时间里上升了65.7个百分点。如果剔除金融机构部门，仅考虑实体部门的杠杆率变化，从2008年的157%上升到2014年的217.3%，6年时间里上升了60.3个百分点，这也是较为明显的上升趋势。说明经济系统性债务风险的加大。

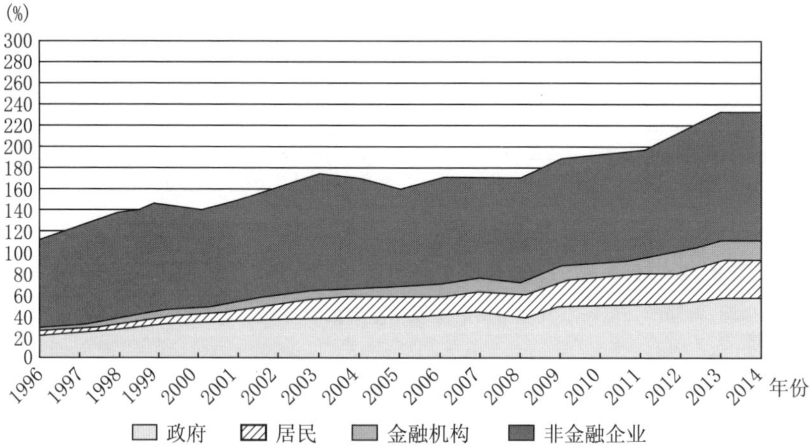

图8.12　1996—2014年全社会杠杆率的变化

资料来源：《中国国家资产负债表2015》，第550页。

第五个突出问题是公共服务和创新性领域供给不足。公共服务领域，特别是关乎社会民生的供给严重不足，很多地区的教育、医疗、廉租房、社会保障、环境保护、基础设施等方面还有很多欠账。在创新性的供给方面，无论是新产品、新产业，还是新业态，更是严重短缺。

由以上分析可见，中国处于社会主义初级阶段的特征仍十分明显，同时面临消费需求不足、供给相对过剩、创新性供给又严重不足的问题。对于中国经济出现的供求新问题，需要新的解决药方——要实行需求管理与供给管理相结合的新方略。

8.2　供给侧改革与需求侧管理协同运用

在新常态下，在进行供给侧结构性改革的同时，应施以需求侧管理，以稳定和扩大总需求。因此，必须继续从供需两端加大结构性改革力度，以创新供给带动需求扩展，以扩大有效需求倒逼供给升级，实现稳增长和调结构互为支撑、互促共进。

8.2-1　供给侧改革和需求侧管理相结合

以创新供给带动需求扩展。以更优品质的产品、更加丰富的新业态、更便利的服务，引领和创造消费需求，支持信息、绿色、旅游等领域新消费发展，在消费升级中释放需求潜力。积极增加有效投资，立足长远实现投资综合效益递增。

以扩大有效需求倒逼供给升级。运用好结构性减税等手段，推动“双创”和《中国制造 2025》、“互联网＋”行动计划，促进服务业、先进制造业发展，扶持小微企业成长，发挥制度创新和技术进步对供给升级的倍增效用，扩大有效供给。

把供给侧的政策与需求侧的政策相结合。用于总供给方面的宏观管理政策包括经济结构的调整政策、产业政策、就业政策、工资政策等涉及生产供给方面的政策。需求政策是通过调节总需求来达到一定政策目标的宏观经济政策工具，一般包括货币政策、财政政策、价格政策等涉及市场需求方面的政策。推进供给侧的改革不是要放弃需求侧的扩大内需，而是要两者相结合，也即把供给侧的政策与需求侧的政策相结合，在供给侧和需求侧两端共同发力，推进结构性改革。

8.2-2 供给侧改革和需求侧管理协同运用的政策目标

中国的经济发展面临着双重任务，一是在短期内如何扭转经济增速连续下行局面，二是在较长时期内如何实现和保持经济中高速增长和迈向中高端水平的双目标。所以，供给侧和需求侧并重的改革目标就是既要在短期内保持经济健康平稳增长，又在中长期实现经济增长质量和效益的稳步提高。供给侧结构性改革和需求侧管理要相互配合，互为促进。需求管理通过适度扩大总需求，保持经济运行在合理区间，为供给侧改革营造良好的宏观环境。而供给侧改革则通过提高有效供给能力，创造新供给，提高供给质量，扩大消费需求，增强经济内生动力和活力，为中长期经济持续稳定健康发展创造条件。

近期目标是通过供给侧改革和需求侧管理的结合防范经济总"量"断崖式下跌。现阶段，尽管受需求端条件制约，稳定经济增长政策需求管理方面较为温和，但在新经济增长浪潮尚未袭来之前，为防止经济总量断崖式下跌仍需明确需求管理的重要性，要坚持消费与投资并重。同时，在供给侧要坚持以"放松供给约束"为核心的短期政策主张，采取减少行政审批、加大财政支持力度、减少市场垄断和实施普惠性减税等方法缓减企业生存压力，调动生产者和劳动者的积极性。

中期目标是通过供给侧改革和需求侧管理的配合来调整结构推动国民经济"质"的提升。中期来看，以供给侧改革为抓手调整现有经济结构和发展方式，是推动国民经济发展"质"变的主要方法。结构性政策主要包括产业结构和生产力布局结构及城乡二元经济结构等方面的发展调整政策。

长期目标是通过供给侧改革和需求侧改革的各项改革措施的推进来破除体制机制束缚，实现经济高效可持续增长。长期的宏观调控必须强调市场主导地位，强调市场机制在资源配置上的决定作用，谨防宏观调控政策演变为政府对企业行为的直接干预。实施长期有效的宏观调控，在制度上要求必须深化改革，以改革推动市场经济体制的培育，以市场经济体制作为实施宏观调控政策的制度基础。

8.3 供给侧改革与消费升级、有效投资和外贸转型

供给侧结构性改革需要供需两侧同时发力有效协同。通过完善消费环境，加快消费市场、消费体制改革，促进消费升级，使得新消费需求得以有效释放，从而拉动供给创新，使得新需求与新供给有效匹配。通过投融资体制改革，提升投资效率，补齐社会短板，进而刺激和营造较大的产品或服务供给空间。通过外贸结构的优化升级，带动新供给产品的生产和投资。

8.3-1 供给侧改革与消费升级

中国已进入消费需求持续增长、消费结构加快升级、消费拉动经济作用明显增强的重要阶段。以传统消费提质升级、新兴消费蓬勃兴起为主要内容的新消费，及其催生的相关产业发展、科技创新、基础设施建设和公共服务等领域的新投资新供给，蕴藏着巨大发展潜力和空间。

1. 消费升级与经济增长

在现代化进程中，一国工业化城镇化发展阶段、产业结构和消费升级存在规律性对应关系。到工业化中后期，消费逐渐成为推动经济增长最重要的动力源。消费升级与收入水平、人口结构、科技进步等因素密切相关。根据各国发展经验，人均 GDP 超过 1 万国际元和人口比重最高年龄段在 46 岁左右时，一国将进入消费快速升级期和消费支出高峰期；每一轮科技革命也均会催生新一轮消费升级。对照中国实际，2014 年中国人均 GDP 约合 1.1 万国际元，未来十年还将迎来 45—49 岁人口高峰期，大众创业、万众创新正在蓬勃兴起。多重因素叠加，决定了中国将迎来消费快速增长、结构加快升级和消费对经济增长拉动作用明显提升的重要机遇期。

近年来，中国消费需求对经济增长的贡献明显增强，2011—2014 年，最终消费对经济增长的年均贡献率为 54.8%，高于投资贡献率 7.8 个百分点。以文化、旅游、信息等领域消费新热点、新模式为主要内容的消费升级及其牵引的产业发展新亮点层出不穷，在经济下行压力加大的情况下，成为支撑经济平稳发展的重要动力源。2014 年，全国电影票房达到 296 亿元，同比增

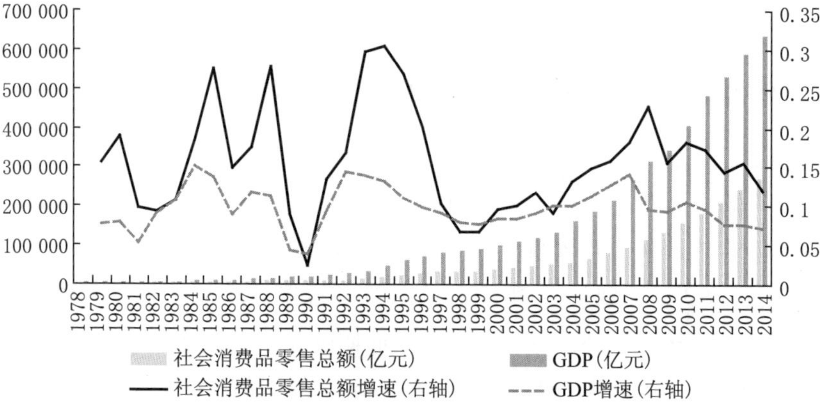

图 8.13　1978—2014 年中国社会消费品零售总额和经济增长的变动

资料来源:国家统计局网站。

长 36.2%;信息消费规模达到 2.8 万亿元,同比增长 25%。2015 年"双十一",仅阿里巴巴旗下各平台单日交易额就达到 912 亿元,电商消费增长速度非常迅速。

在经济发展新阶段,要坚持供给改革和需求管理并重。一方面要顺应消费升级规律,坚持消费者优先,以消费升级带动产业升级;另一方面,通过新技术、新模式、新产业的加速发展,使中国制造在适应市场、满足消费的同时能够引导市场、促进消费。最终形成消费引领投资、激励创新、繁荣经济、改善民生的良性循环机制。

2. 通过供给侧改革实现消费升级的路径

在供给侧改革过程中,要积极顺应和把握消费升级大趋势,以消费升级引领产业升级,以制度创新、技术创新和产品创新满足并创造新消费需求。通过供给侧改革促进消费升级,是更好满足居民消费需求、提高人民生活质量的内在要求,也是加快推动产业转型升级、实现经济提质增效的重要途径,更是畅通经济良性循环体系、构建稳定增长长效机制的必然选择。所以,要破除市场竞争秩序不规范、消费环境不完善等体制机制障碍,充分激发市场活力和创造力,实现潜在需求向现实增长动力的有效转换,为经济长期健康发展提供保障。

改造提升传统产业。加快推动轻工、纺织、食品加工等产业转型升级,瞄准国际标准和细分市场需求,从提高产品功效、性能、适用性、可靠性和外观设计水平入手，全方位提高消费品质量。实施企业技术改造提升行动计划，鼓励传统产业设施装备智能化改造，推动生产方式向数字化、精细化、柔性化转变；推进传统制造业绿色化改造，推行生态设计，加强产品全生命周期绿色管理。支持制造业由生产型向生产服务型转变，引导制造企业延伸产业链条、增加服务环节。实施工业强基工程，重点突破核心基础零部件（元器件）、先进基础工艺、关键基础材料、产业技术基础等瓶颈。加强计量技术基础建设，提升量值传递溯源、产业计量服务能力。健全国产首台（套）重大技术装备市场应用机制，支持企业研发和推广应用重大创新产品。

培育壮大战略性新兴产业。顺应新一轮科技革命和产业变革趋势，加快构建现代产业技术体系，高度重视颠覆性技术创新与应用，以技术创新推动产品创新，更好满足智能化、个性化、时尚化消费需求，引领、创造和拓展新需求。培育壮大节能环保、新一代信息技术、新能源汽车等战略性新兴产业。推动三维（3D）打印、机器人、基因工程等产业加快发展，开拓消费新领域。支持可穿戴设备、智能家居、数字媒体等市场前景广阔的新兴消费品发展。完善战略性新兴产业发展政策支持体系。

大力发展服务业。以产业转型升级需求为导向，着力发展工业设计、节能环保服务、检验检测认证、电子商务、现代流通、市场营销和售后服务等产业，积极培育新型服务业态，促进生产性服务业专业化发展，向价值链高端延伸，为制造业升级提供支撑。顺应生活消费方式向发展型、现代型、服务型转变的趋势，重点发展居民和家庭服务、健康养老服务等贴近人民群众生活、需求潜力大、带动力强的生活性服务业，着力丰富服务内容、创新服务方式，推动生活性服务业便利化、精细化、品质化发展。支持有条件的服务业企业跨业融合发展和集团化网络化经营。

推动大众创业、万众创新蓬勃发展。加强政策系统集成，完善创业创新服务链条，加快构建有利于创业创新的良好生态，鼓励和支持各类市场主体创新发展。依托国家创新型城市、国家自主创新示范区、战略性新兴产业集聚区等创业创新资源密集区域，构建产业链、创新链与服务链协同发展支持体系，打造若干具有世界影响力的创业创新中心。加快建设大型共用实验装置以及数据资源、生物资源、知识和专利信息服务等科技服务平台。发展众创、众包、众扶、众筹等新模式，支持发展创新工场和虚拟创新社区等新型孵化器，积极打造孵化与创业投资结合、线上与线下结合的开放式服务载体，为新产品、新业态、新模式成长提供支撑。健全知识、技术、管理、技能等创新要素按贡献参与分配的机制。发展知识产权交易市场，严格知识产权保护，加大侵权惩处力度，建立知识产权跨境维权救援机制。

鼓励和引导企业加快产品服务升级。引导企业更加积极主动适应市场需求变化，支持企业通过提高产品质量、维护良好信誉、打造知名品牌，培育提升核心竞争力。支持企业应用新技术、新工艺、新材料，加快产品升级换代、延长产业链条。支持企业运用新平台、新模式，提高消费便利性和市场占有率。鼓励企业提升市场分析研判、产品研发设计、市场营销拓展、参与全球竞争等能力。优化产业组织结构，培育一批核心竞争力强的企业集团和专业化中小企业。激发和保护企业家精神，鼓励勇于创新、追求卓越。

鼓励企业加强质量品牌建设。实施质量强国战略，大力推动中国质量、中国品牌建设。推行企业产品质量承诺和优质服务承诺标志与管理制度，在教育、旅游、文化、产品“三包”、网络消费等重点领域开展服务业质量提升专项行动。实施品牌价值提升工程，加大“中国精品”培育力度，丰富品牌文化内涵，积极培育发展地理标志商标和知名品牌。保护和传承中华老字号，振兴中国传统手工艺。完善品牌维权与争端解决机制。引导企业健全商标品牌管理体系，鼓励品牌培育和运营专业服务机构发展，培育一批能够展示“中国制造”和“中国服务”优质形象的品牌与企业。

8.3-2 供给侧改革与有效投资

当前，在经济下行压力持续加剧的态势下，“保持经济平稳增长”仍是整个经济工作的重心。“稳增长”离不开“稳投资”，要注重寻求需求管理侧和供给管理侧间的平衡，推进各项改革措施。短期内，加大积极财政政策的实施力度和继续实施结构宽松的货币政策，中长期要在改善投资结构、提高投资效率上做文章。未来的发展中，投资形势仍然错综复杂，需要找准稳增长调结构适度扩大有效需求和推进供给侧结构性改革的最佳结合点，提高投资有效性，保持有效投资力度、着力补齐短板，充分发挥投资在经济增长中的关键作用。

1. 供给侧改革与有效投资的结合点

“有效投资”是指能够迅速形成生产能力，增加社会总产品供给，促进经济增长的投资。在经济转型升级阶段，经济增长对有效投资的要求更高。“有效”实际上是有益和效率的结合，既要保证高质量，也要实现高效率。提高投资的有效性与目前中国加快推进的供给侧的改革是紧密相关的。供给侧改革侧重于提高供给质量，包括改进技术、提高科技含量等，现在中国供给侧数量严重过剩，但质量明显不足。在提高投资有效性方面，严控产能过剩是一个重要方面。所以，供给侧改革与有效投资的结合点就在于通过提高投资效率和效益，加快化解过剩产能，提高房地产去库存速度，补齐民生领域短板。

为避免重回高投资、高消耗支撑高增长的老路，必须精准选择投资方向，优化投资结构，提高投资效率。围绕转变发展方式调整投资结构，引导社会资金主要投向以下领域：一是能带动产业结构优化升级的建设项目，包括新能源、新材料、电动汽车、新一代移动互联网、生物技术、先进制造、海洋经济等战略性新兴产业。二是生产性服务业，包括研发、设计、金融、物流、信息、咨询、会计、审计、法律、文化、创意等产业。三是紧缺的基础设施和公共服务业，包括城际高铁、地铁、停车场、养老、医疗、健康、职业教育、学前教育等。四是环保产业，包括工业烟囱脱硫、脱硝、除尘和污水处理、垃圾处理及推广低排放汽车发动机和高标号燃油、环境绿化等产业。五是新的区域经济增长极，包括“三大战略”和“四大板块”中形成的新经济增长极、增长带和增长点等。

2. 处理好政府投资与民间投资的关系

提高投资有效性在短期内要加大积极财政政策的实施力度和继续实施结构宽松的货币政策，中长期要在改善投资结构、提高投资效率上做文章。同时，还必须处理好政府投资与民间投资的关系。

完善基础设施和公共服务应该成为政府投资的重点。无论是在经济高速增长期还是速度换挡期，通过政府的宏观调控可以有效地弥补市场失灵，政府投资对于经济的稳定、可持续增长有着重要作用。当前，政府投资的出发点首先应该是完善基础设施和公共服务。以加快重点领域建设和促进重点区域投资为抓手，加快推进“一带一路”建设，促进交通、能源、信息等基础设施互联互通。加强京津冀协同发展，积极推进重大基础设施区域一体化建设。

发挥政府投资对民间投资的挤入效应，鼓励和引导民间投资快速增长。一方面，政府通过在基础设施领域的投资形成生产性的公共成本，从而有效地改善投资环境，降低私人投资成本，刺激私人投资的积极性。另一方面，公共投资领域往往具有很强的关联性和延展性，如科研、教育、基础设施等，这些产业自身的发展能够带动相关生产要素和产业的发展，并提供和创造新的、有利的投资机会，从而增加这些领域的私人投资。

尝试多种模式扩大民间投资进入领域，激活由过去政府主导的大投资，转变到以民间投资为主。进一步完善投融资体制机制，营造权利平等、机会平等、规则平等、竞争平等的投资环境，充分调动各类投资主体尤其是民间投资主体的积极性。尝试不同领域引进民间资本的路径模式，包括 BOT、TOT、BOO、PPP、股权基金、资产证券化等，建立和完善相关法律制度，确保这些模式有效落地。

3. 优化三大产业内部投资结构

随着中国经济进入新常态，优化产业投资结构成为新的发展要求，其调整和优化方式决定了新形势下政府投资的影响效力和可持续性。

继续加大对第一产业的投资，巩固农业的基础地位。中国是农业大国，但是结构单一化，要在保证粮食生产能力的基础上，拓展投资的广度，大力发展林牧渔业。首先，要丰富农业内部结构。加大对农业的投资，对农业和农村结构进行战略性调整，提高农业经济的整体效益。另外可以进一步开拓国内外市场，使具有竞争优势的农产品走出国门，提高产品占有率。充分利用资源条件，依靠科技进步，加大对畜牧业、林业以及渔业的投资。对农业内部投资结构的调整，一方面可以提高农业生产效率，促进农业从劳动密集型产业向资本密集型产业发展；另一方面，农业投资效率的提高，将有利于吸引民间投资，形成投资主体的多元化，进一步推动农业的发展。其次，放宽对农业个体经济的投资限制。进一步放宽对非国有经济特别是个体私营经济的投资限制，降低准入门槛，充分体现国民待遇和公平竞争原则，鼓励民间投资项目，在对投资进行税收抵扣和减免、成本摊提等时，应对民间投资和外商投资实行相应的优惠政策。

降低对第二产业的投资比重，优化内部投资结构。加快发展支柱产业，带动相关产业发展。目前中国第二产业的投资重点应是中国政府确定的机械、电子、石化、汽车和建筑五大支柱产业。要着重解决五大产业的重复布点、重复建设和规模不经济现象。建立健全相应的投融资机制,加快支柱产业发展。用高新技术加快改造传统产业。国家在投资产业政策上,要鼓励传统产业改造的技术投入,控制新项目上马,对技术改造项目也应制定出差别政策,通过利益机制的引导,防止低水平、非经济规模项目的上马,使有限的资金集中于影响大、效益高的重点技改项目。实现投资的良性循环,更多吸纳民间投资于技术改造项目,通过充分竞争进一步提高产业生产率。放宽市场准入限制,吸引外商投资于资本密集型和资本产出率比较高的行业,提高工业部门整体的技术装备水平,吸引外商投资改造和提升传统产业部门的技术水平、产品质量。

积极发展第三产业,尤其是科技含量高、就业渠道广的行业。加大对信息技术为主导的高新技术产业投资。技术创新是产品结构演进的重要推动力量,没有技术创新,就很难取得产业结构的进步。中国产业结构水平不高,企业国际竞争力不强,重要原因在于技术创新乏力。在经济发达国家的经济增长中,技术进步因素所占比重已达到50%—70%,不少国家已达到60%—80%,而中国技术进步因素所占的比重则不到30%,因此,必须有重点地发展高新技术产业,对高科技产业实行投资倾斜,大力推进国民经济和社会信息化,以信息化带动工业化,是优化和提升产业结构,实现跨越性发展的重要举措。加大对信息技术、生物工程、新材料等高新技术产业的投资。降低第三产业中的垄断程度。各行业的发展是通过增加投资和提高效率实现的。中国第三产业发展缓慢的主要原因之一是第三产业中许多行业是垄断性的。垄断的存在既阻碍了第三产业的壮大,也导致了第三产业内部的低效率。从资金来源方面来看,应大力鼓励民间投资进入第三产业,这就要求给私人投资进入第三产业创造一个宽松的环境,包括良好的法律环境、公平竞争的规则、便捷的工商登记程序等,使更多的资源配置到第三产业中来。

8.3-3 供给侧改革与外贸转型

长期以来,外需的变化直接影响着中国对外贸易的发展。受世界经济增长放缓、国际市场需求萎缩、大宗商品价格下跌以及国内因结构调整而导致的投资需求放缓等多重因素影响,中国对外贸易发展遇到较大困难,出口下行压力增大。面对困难局面,要加大外贸稳增长调结构政策力度。对于习惯于以低价换取发展的外贸企业来说,外贸供给侧改革就是要改革落后生产力,盘活供给端,以提高供给效率,改善供给结构,从而达到带动消费、推动经济增长的目的。换言之,就是要从"大进大出"转向"优进优出",通过转方式、调结构,真正培育起外贸竞争新优势。从中长期看,中国外贸正处于从"提速增量"的成长期向"提质增效"的成熟期过渡的关键阶段,培育综合竞争新优势和夯实持续发展基础是当前一段时期的重点任务。所以,要加快推动外贸供给侧结构性改革,通过巩固传统贸易发展优势,培育新的发展动能,实现中国对外贸易企稳向好和转型升级。

1. 加快传统贸易转型发展

传统贸易主要是指以一般贸易和加工贸易为主的对外贸易模式。改革开放以来,加工贸易作为中国对外贸易和开放型经济的重要组成部分,对于推动产业升级、稳定就业发挥了重要作用。从 1981 年开始,中国传统贸易以年均约 18%的速度增长,其中一般贸易年均增长 14.4%,加工贸易年均增速为 23.3%。从增速上看,在 2005 年以前加工贸易增速快于一般贸易,进出口总额也从 1981 年的 26.35 亿美元上升到 2005 年的 6 904 亿美元。2007 年之后,受外部环境影响,一般贸易和加工贸易进出口总额出现下降,2012 年的传统贸易进出口总额达 3.35 万亿美元。

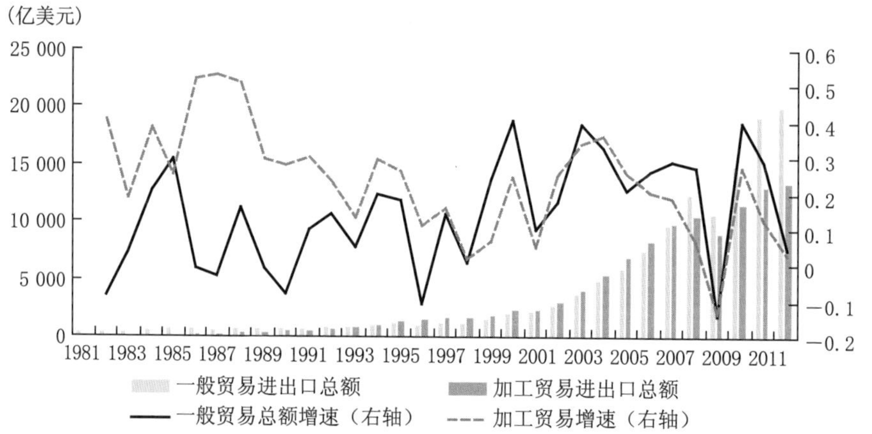

图 8.14　1981—2011 年中国传统贸易发展情况

资料来源:《中国贸易外经统计年鉴》。

表 8.1　1981—2012 年中国一般贸易与加工贸易进出口情况(亿美元)

年份	一般贸易		加工贸易		其他贸易	
	出口	进口	出口	进口	出口	进口
1981	208	203.66	11.31	15.04	0.79	1.5
1982	206.69	170.17	15.77	21.28	0.74	1.45
1983	201.6	187.68	20.01	24.01	0.69	2.21
1984	231.62	238.49	29.29	31.47	0.49	4.14
1985	237.3	372.72	33.16	42.74	3.04	7.04
1986	250.95	352.07	51.41	63.9	7.04	13.13
1987	296.43	287.72	81.38	95.02	16.59	49.36
1988	325.96	352.08	128.33	137.46	20.91	63.16
1989	315.52	356.14	188.04	156.78	21.84	78.48
1990	354.6	262	254.2	187.6	12.1	83.9
1991	381.2	295.4	324.3	250.3	13.6	92.2
1992	436.8	336.2	396.07	315.14	16.53	154.56
1993	432	380.45	442.36	363.6	43.04	295.55
1994	615.6	355.2	569.8	475.7	24.7	325.2
1995	713.61	433.81	737.18	583.59	37.01	303.4
1996	628.24	393.63	843.27	622.75	38.99	371.92
1997	779.74	390.3	996.02	702.06	52.14	331.34
1998	742.35	436.8	1 044.54	685.99	50.22	279.58
1999	791.35	670.4	1 108.82	735.78	49.14	250.81
2000	1 051.81	1 000.79	1 376.52	925.58	63.7	324.57
2001	1 118.81	1 134.56	1 474.34	939.74	67.83	361.23
2002	1 361.87	1 291.11	1 799.27	1 222	94.82	438.59
2003	1 820.34	1 877	2 418.49	1 629.35	143.45	621.22
2004	2 436.06	2 481.45	3 279.7	2 216.95	217.5	913.89
2005	3 150.63	2 796.33	4 164.67	2 740.12	304.23	1 063.08
2006	4 162.33	3 330.74	5 103.55	3 214.72	423.81	1 369.15
2007	5 393.55	4 286.64	6 175.6	3 684.74	623.2	1 590.2
2008	6 628.62	5 720.93	6 751.14	3 783.77	927.17	1 820.92
2009	5 298.12	5 344.7	5 868.62	3 222.91	849.37	1 491.62
2010	7 206.12	7 692.76	7 402.79	4 174.82	1 168.63	2 094.86
2011	9 170.34	10 076.21	8 352.84	4 697.56	1 460.64	2 661.07
2012	9 878.99	10 223.86	8 626.77	4 812.75	1 981.38	3 147.43

资料来源:《中国贸易外经统计年鉴》。

当前，全球产业竞争格局深度调整，中国经济发展进入新常态，加工贸易承接国际产业转移放慢，产业和订单转出加快，企业生产成本上升，传统竞争优势逐渐削弱。为适应新形势的要求，要通过供给侧改革加快推动加工贸易创新发展，进而提高传统贸易的发展质量和效益。

延长产业链，提升加工贸易在全球价值链中的地位。通过加强产业链分工合作，鼓励企业以更加开放的姿态，积极融入全球产业分工合作，更好地利用国际国内两个市场两种资源，努力提升加工贸易在全球价值链中的地位。促进产业融合升级，加大招商引资力度，着力吸引先进制造业和新兴产业，进一步扩大服务业开放，鼓励外资企业在华设立采购中心、分拨中心和结算中心，发展总部经济。支持沿海地区继续发展电子信息等优势产业，鼓励企业落地生根、转型升级。推动劳动密集型产业优先向内陆沿边地区梯度转移，实现一体化集群发展。通过开展对外投资合作，发挥境外经贸合作区平台作用，鼓励企业抱团出海，有序向境外延伸产业链。增强企业创新能力，推动加工贸易企业由单纯的贴牌生产（OEM）向委托设计（ODM）、自有品牌（OBM）方式发展。

积极发挥沿海地区示范带动作用，促进转型升级提质增效。一方面要稳定传统优势产业，继续发展纺织服装、鞋类、家具、塑料制品、玩具等传统劳动密集型加工贸易产业，巩固传统优势。支持企业加强技术研发和设备改造，提升产品技术含量和附加值，增强企业核心竞争力。另一方面要大力发展先进制造业和新兴产业，鼓励电子信息、移动通信、汽车及零部件、集成电路、医疗设备、航空航天等辐射和技术溢出能力强的先进制造业加工贸易发展。推动生物医药、新能源、新材料、节能环保等新兴产业集群发展。同时积极持发展生产性服务业。推动制造业由生产型向生产服务型转变。促进加工贸易与服务贸易深度融合，鼓励加工贸易企业承接研发设计、检测维修、物流配送、财务结算、分销仓储等服务外包业务。

支持内陆沿边地区承接产业梯度转移，推动区域协调发展。按照国家重点产业布局，推动加工贸易产业集群式发展。推动建立省际加工贸易产业转移协调机制，协调解决信息不对称、配套服务不完善等问题。加大对加工贸易梯度转移重点承接地的支持力度，支持梯度转移重点承接地发展。研究制定差异化的支持梯度转移政策。在严禁污染产业和落后产能转入的前提下，结合国家重点产业布局，研究制定支持内陆沿边地区承接加工贸易梯度转移的政策措施。

引导企业有序开展国际产能合作，统筹国际国内市场和资源。通过谋划加工贸易境外合作布局，做好境外合作重点国家和重点行业布局，引导建材、化工、有色、轻工、纺织、食品等产业开展境外合作。转变加工贸易企业“走出去”方式，支持企业依托境外经贸合作区、工业园区、经济特区等合作园区，实现链条式转移、集群式发展。支持企业扩大对外投资，推动装备、技术、标准、服务“走出去”，深度融入全球产业链、价值链、物流链，建设一批大宗商品境外生产基地，培育一批跨国企业。完善加工贸易国际合作机制，强化现有多双边合作机制，加强与“走出去”重点国家在投资保护、金融、税收、海关、质检、人员往来等方面开展合作，为企业提供支持。搭建对外合作平台，组织国内加工贸易企业与重点国家行业对口交流，开展产业对接合作。

提升跨境电子商务发展水平，培育开放型经济新优势。发展跨境电商，推动供给侧改革，有利于促进中国制造业转型升级和国际贸易“优质优价优进优出”，有利于建设跨境电子商务综合示范区，扩大供给的范围和内涵，提高产品质量和品牌竞争优势，从而有力提升中国企业在全球价值链中的地位，助力中国参与重构全球经贸新格局。在供给侧改革的背景下，要逐步建立适应跨境电子商务发展特点的政策体系和监管体系，不断优化跨境电子商务的发展环境，促进跨境电子商务直购进口、保税备货、闪购等新业态发展，提升跨境电子商务服务业的发展水平和国际竞争力。

2. 实现服务贸易创新发展

改革开放以来，中国服务贸易取得了长足发展。对外服务贸易总额增长迅速，1998 年以来中国服务贸易的年增长率达 15.96%，超过了中国国内生产总值的年增长率。同时，中国服务贸易长期处于逆差状态。2000 年以来，中国服务贸易一直为逆差，贸易逆差额在前 10 年处于徘徊状态，后 6 年处于迅速增加的状态。中国正处于以第二产业为主的经济结构向以第三产业为主的经济结构转变的时期，如何通过服务业与对外服务贸易的相互推动促进中国经济的发展，已经成为中国面临的重要任务。

表 8.2　1998—2014 年中国对外服务贸易发展情况(亿美元)

	1998	1999	2000	2001	2002	2003	2004	2005	2006
出口总值	239	262	301	329	394	464	621	739	914
同　比	−2.40%	9.60%	14.90%	9.30%	19.80%	17.80%	33.80%	19.00%	23.70%
进口总值	265	310	359	390	461	549	716	832	1 003
同　比	−4.30%	17.00%	15.80%	8.60%	18.20%	19.10%	30.40%	16.20%	20.60%
贸易差额	−26	−48	−58	−61	−67	−85	−95	−93	−89

	2007	2008	2009	2010	2011	2012	2013	2014
出口总值	1 216	1 465	1 286	1 702	1 821	1 905	2 106	2 222
同　比	33.00%	20.50%	−12.20%	32.40%	7.00%	4.60%	10.60%	7.60%
进口总值	1 293	1 580	1 581	1 922	2 370	2 801	3 290	3 821
同　比	28.90%	22.20%	0.10%	21.50%	23.30%	18.20%	17.50%	15.80%
贸易差额	−77	−115	−295	−220	−549	−896	−1 184	−1 599

资料来源：商务部商务数据中心，http://data.mofcom.gov.cn/channel/trade/trade.shtml。

在当前背景下，加快发展服务贸易是促进外贸转型升级的重要支撑，是推进供给侧结构性改革和培育新动能的重要抓手，是大众创业、万众创新的重要载体，对于推动出口、带动就业，实现外贸从“大进大出”向“优进优出”转变具有重要意义。

借助“一带一路”战略大力发展服务贸易。利用沿线国家良好的发展前景增加国际服务贸易往来。“一带一路”战略辐射国家范围广，沿线国家组成的经济区域服务贸易发展前景良好，必将成为推动国际服务贸易发展的强大动力源。作为在亚洲服务贸易占主要地位的经济体，中国必须牢牢把握此次机遇，在扩大传统服务贸易规模的基础上，培养有丝绸之路特色的现代服务贸易。利用沿线国家建立的双边自贸协定构建高标准自由贸易区域。应该实施高标准的开放性政策，推进与丝绸之路沿线国家和地区在金融、文化、教育、医疗以及保险等服务业的相互开放和交流。依托与沿线国家建立的双边自贸协定，中国应积极与沿线国家进行广泛的区域经济合作，进行更多的、全方位的服务贸易往来，优化服务业各部门的产业布局，实现服务业的协调发展，通过签订高标准的自由贸易协定、构建高标准的自由贸易区，为与沿线国家之间的服务贸易往来打造更透明、更规范、更公正的经济合作环境。

加快探索适应服务贸易发展的体制机制。目前，为充分发挥地方的积极性和创造性，中央政府已选择天津、上海、海南、深圳、杭州、武汉、广州等省市（区域）开展服务贸易创新发展试点。进一步推进服务贸易便利化和自由化，着力构建法治化、国际化、便利化营商环境，打造服务贸易制度创新高地。通过探索完善服务贸易管理体制，建立与国际服务贸易通行规则相衔接的促进、服务和监管体系，探索适应服务贸易创新发展的体制机制。通过探索扩大服务业双向开放力度，结合地区产业特色，稳步推进金融、教育、文化、医疗、育幼养老、建筑设计、会计审计、商贸物流等行业对外开放。通过探索培育服务贸易市场主体，加强部门协作，整合公共资源，加大对服务出口重点领域企业的支持力度，推动扩大服务出口。积极探索信息化背景下服务贸易发展新模式，依托大数据、物联网、移动互联网、云计算等新技术推动服务贸易模式创新，打造服务贸易新型网络平台。促进技术贸易、金融、中医药服务贸易领域加快发展。积极承接离岸服务外包，提升服务跨境交付能力。

3. 促进离岸贸易突破发展

离岸贸易是一种新兴的贸易模式，近 20 年来得到了极为快速的发展。离岸贸易主要集中于具有税收政策优惠、运输成本低廉、贸易环境稳定的区域或城市，世界上许多港口城市都通过离岸贸易实现了贸易增长的结构性转变。中国（上海）自由贸易试验区于 2013 年 8 月经国务院正式批准设立，它成为了中国境内首个符合国际惯例的海关特殊监管区域。上海自贸试验区的建立为发展离岸贸易创造了一个重大的机遇。《中国（上海）自由贸易试验区总体方案》指出，要大力发展新型贸易业态，深化离岸贸易（国际贸易结算中心）试点，支持试验区内企业发展离岸业务。离岸贸易作为一种新型贸易方式，是上海自贸试验区发展建设的重要任务之一。吸引更多的跨国贸易中间商在上海自贸试验区集聚，大力推进离岸贸易的开展，有利于加快提升中国在全球贸易价值链中的地位，从而确立更明显的贸易优势。

加快建立以上海自贸试验区为核心的离岸贸易中心。要突破外汇管理制约，完善离岸贸易运作方式。实行税收优惠政策，减轻离岸贸易企业经营负担。打造离岸金融中心，为离岸贸易提供金融保障。加大推进人民币离岸业务，为离岸贸易保驾护航。建立完善的服务体系，免除离岸贸易后顾之忧。同时,要加快探索推动离岸贸易发展的政策创新。中国吸引离岸贸易结算中心集聚具有重要意义,离岸贸易为中国带来大量的贸易结算业务和税收利益,促进中国货物贸易和服务贸易的均衡发展,同时推动中国贸易中心城市功能的转型。所以,要加快外汇监管和税收政策的创新突破,为离岸贸易发展营造良好的政策环境。一方面,以跨境贸易人民币结算为契机,有序推动离岸贸易业务的开展;扩大离岸贸易专用账户企业试点,完善专用账户的设计模式。另一方面,积极出台鼓励离岸贸易业务开展的保税区全球贸易中间商计划,吸引更多的“走出去”企业将贸易结算中心设在上海等国内贸易中心城市。

9

供给侧结构性改革与经济持续增长

供给侧结构性改革的核心要义是实现资源要素的有效供给、质量提升和高效配置，进一步增强经济增长的动力，释放经济增长的潜力，实现经济高效持续增长。前面章节系统论述了供给侧结构性改革的内涵特征，以及以供给侧结构性改革为核心内容的中国新供给经济学的理论框架、分析方法、战略路径和实践举措等内容。瞄准供给侧结构性改革的目标导向，还需要对供给侧结构性改革与经济增长之间的关系进行研究论述。本章通过对中国经济运行历程和阶段的剖析，对总供需结构与经济波动、供给侧结构性改革与中国经济增长潜力等方面进行实证分析，在此基础上对中国经济未来中长期增长趋势进行系统研究分析。

9.1 经济转型、总供需结构与经济波动分析

在早期经济运行的学术研究中，经济波动通常被称为“经济周期”或“商

业周期”。经济学家普遍认为，经济运行必然要经历复苏、扩张、衰退和收缩四个交替出现的过程，从而形成一个周而复始的循环。对于经济波动的原因，不同的经济学者从不同地视角进行了剖析，形成了诸多经济波动理论分支，具有代表性的包括：以凯恩斯、萨缪尔森和希克斯等为代表人物的传统凯恩斯经济周期理论；以弗里德曼等为代表人物的货币主义经济周期理论；以卢卡斯为代表人物的新古典经济周期理论；以基德兰德和普雷斯科特，以及朗和普洛瑟等为代表人物的真实经济周期理论；以多恩布什、布兰查德、曼昆、斯蒂格利茨等为代表人物的新凯恩斯经济周期理论。这些经济波动理论分别从有效需求、货币供应和人的经济预期等角度分析了经济波动的内在动因。基于已有的理论分析视角，本章将按照新供给经济学的理论逻辑，从总供需结构的视角分析总供需结构变动与经济波动的关系。

9.1-1 总供需结构与经济运行

供给和需求是观察经济运行的两个维度，供给和需求彼此关联且共生共存。社会总需求是指在一定时期内，在既定的生产力发展水平下，一个国家或地区可用于投资和消费的货币支出所实际形成的对商品和服务的购买力总和。社会总需求包括国内需求和国外需求两部分。按照凯恩斯经济理论，社会总需求是由投资、消费、出口等“三驾马车”所决定。社会总供给是指一个国家或地区在一定时期内，由社会生产活动实际可以提供给市场最终使用的产品和劳务总量。社会总供给包括国家自身生产供给和进口供给。社会的总供给能力主要是由供给侧的资本、劳动和技术等要素投入水平所决定的。

总供需结构与经济运行关系密切。在经济运行中，总供需平衡只是一种偶然现象，总供给和总需求的错位和交替上升是经济运行的常态。可见，总供需结构变动或失衡将直接导致经济波动以及经济波动幅度的变化。总供需结构失衡及对经济运行的影响主要体现在三个层面：

一是总供给和总需求失衡，即社会总体上供不应求或总体上供过于求。在市场机制下，当社会总体上供过于求时，总需求不足导致市场难以有效出清，产能积压，生产活动萎缩，经济增长动力不足，经济运行向下波动；当社会总体上供不应求时，总供给不足导致物价上涨，产能投资增加，生产活动扩张，经济运行向上波动。从世界主要国家的经济发展历程看，在供过于求的相对过剩经济时期，政府往往为了避免陷入通货紧缩境地，出台刺激消费、增加投资、鼓励并购重组等经济行为的政策，来抑制经济运行的大幅波动；在供不应求的短缺经济时期，政府往往为了避免物价过快上涨、经济投资过热，而通过增加供应、定额配给等宏观政策调控来平抑经济波动幅度。

二是需求动力结构失衡。需求动力结构是指促进需求规模扩张的各元素、各部分比例关系的有机组合。按照凯恩斯主义经济理论，需求动力结构主要包括投资、消费、出口等方面。但是，一国需求规模的大小往往受到经济制度、政策体系、消费者可支配收入能力、消费意愿以及宏观调控等诸多因素所影响，并直接表现为投资倾向、消费倾向和净出口的差异性。同时，由于投资、消费、出口“三驾马车”对需求扩张的影响效应不同，对短期经济增长的推动作用存在差异。比如，投资总量的变动对需求变动的影响较大，是促进国内需求提升的直接动力。正由于需求动力结构中各种动力作用的差异性，在解决总需求不足的问题时，许多国家都采取依靠刺激投资需求拉动社会需求总量，使得需求动力结构出现失衡，进而导致经济结构内部一系列比例关系失衡，使得经济运行的波动性和波动幅度加大。

三是供给动力结构失衡。需求动力结构是指促进供给规模增加的各元素、各部分比例关系的有机组合。按照经济增长理论，宏观经济学通常借助于生产函数来描述生产供给，宏观生产函数把经济产出与生产要素的投入以及技术状况联系在一起。在产品或服务的供给过程中，生产活动实现了劳动、资本、技术等要素资源的组合配置，形成了不同的产业类别和产业部门，这些产业类型和产业部门的结构在一定程度上决定了社会总供给的内部动力结构。20世纪中期开始，经济学家就开始研究经济运行与产业结构变动之间的关系，代表经济学家有克拉克、库兹涅茨和钱纳里等。中国学者研究产业结构与经济增长之间的关系相对较晚，且主要聚焦于从不同角度对中国产业结构与经济波动的关系进行探讨。国内外学者的系列研究表明，在有效利用技术的情况下，资源从低效率部门转移到高生产率部门，就会促进经济的快速增长并引起经济波动。同时，产业结构合理化和高级化对经济波动的影响有明显的阶段性特征，产业结构高级化是经济波动的一个重要来源，产业结构合理化则有助于抑制经济波动。

综合而言,尽管当前存在诸多有关经济波动的理论分析,但现有的理论诠释几乎均聚焦于经济活动的需求侧或供给侧,针对需求侧或供给侧当中的某个方面对经济运行和波动的影响效应进行分析,缺少统筹考虑总供需结构变动与经济运行及经济波动的关系。本书提出新供给经济学,其理论逻辑是促进要素资源有效供给,促进经济结构优化调整,释放经济增长动力和活力,实现经济持续增长。因而,新供给经济将回归市场经济运行的本源,立足供需关系变动对经济运行的决定性影响,从总供需结构的视角来审视经济运行和经济波动。

9.1-2 中国经济波动特征分析

回顾中国经济发展历程,不难发现,新中国成立以来,中国实际国内生产总值(GDP)增长率指数①所反映的长期经济增长和短期经济波动表现出显著的阶段性特点和时代化特征(见图 9.1)。中国经济波动性的特点虽然与中国经济体制转轨存在一定关联,即在经济建设过程中不断强化中国特色社会主义市场经济体制建设,市场在资源配置中的作用不断增强,但同时

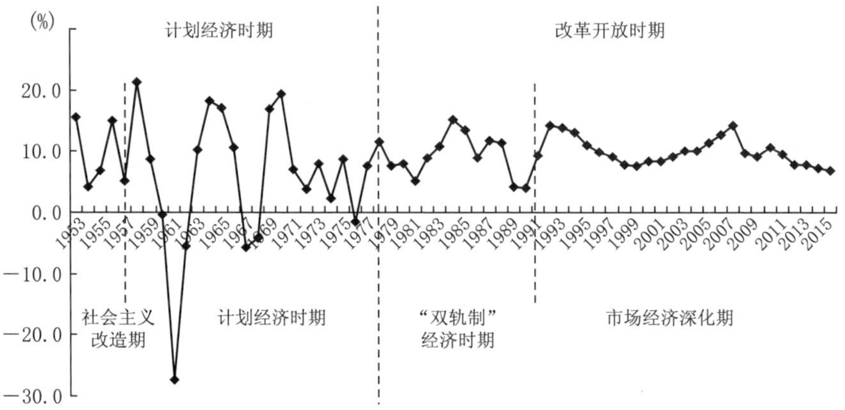

图 9.1 1953—2015 年中国实际 GDP 增长率变化趋势

资料来源:Wind 资讯。

① 1949—1952 年三年恢复时期的 GDP 核算数据因统计原因缺失;实际 GDP 增长率指数以上一年为 1 计算。

经济波动的特征与中国总供需结构的变动更为密切。建设具有中国特色社会主义市场经济的重要出发点就是要进一步解放和发展生产力，实现经济社会供需有效协同。按照经济体制的异同，我们以 1978 年为分界点，分为计划经济时期（1949—1978 年）和改革开放之后的时期（1979—2015 年）；同时，为了更好地描述不同市场化程度背景下的经济波动特征，将中国经济增长阶段划分为社会主义改造期、计划经济时期、“双轨制”经济时期和市场经济深化期四个阶段。

1. 社会主义改造期（1949—1956 年）

这一时期，中国完成了对新中国成立初期的物价猛涨、市场混乱的经济“烂摊子”的整治，以及对个体农业、个体手工业和资本主义工商业合作化与公私合营的社会主义改造，逐步扩大国有经济的经营权限和范围，缩小私营经济的经营权限和范围。社会主义改造时期，中国经济从新中国成立前的一个不发达市场经济体快速进入到集中计划经济体，经济运行总体保持平稳，但经济波动呈现高频特征。经济增长指数维持在 109 左右，但经济波动从 1953 年的 115.6 降低到 1954 年的 104.2，再快速上升到 1956 年的 115.0。

2. 计划经济时期（1957—1978 年）

中国全面进入了社会主义计划经济轨道，国家开始对重要物资在全国范围内实行平衡分配制度，政府对工业发展进行了整体干预与规划，逐步建立国家计划管理体制。在此期间，盲目的“大跃进”和人民公社化运动也给经济建设和人民生活带来了一定冲击。总体来看，计划经济时期，中国经济波动呈现两方面特征：一方面由于中国经济处于恢复发展阶段，经济多数年份保持着较快增长。比如 1958 年、1964 年、1965 年、1969 年、1970 年等年份，经济增长均超过 15%，其中 1958 年经济增长率达到 21.8%。另一方面，由于实行高度集中的生产计划指令，统一调配的产品供给，资源要素市场配置和市场定价被抑制，经济波动较为频繁且波动幅度较大。若按照增速算术平均法计算，此阶段经济增速的平均水平为 6.04%，但最大经济增速为 21.3%，偏离均值 15.26 个百分点，最小经济增速为 −27.3%，偏离均值 33.34 个百分点。与此同时，经济波动更为频繁，呈现每三年左右经济增速上下宽幅震动一次。比如经济增速从 1958 年的极大值迅速下降到 1961 年的极低值，又从 1961 年的极低值回升到 1964 年的 18.3%，再回落到 1967 年的－5.7％。

3."双轨制"经济时期(1978—1991 年)

以农村家庭联产承包责任制为起点，中国开始实施改革开放，推进经济体制改革，开启了"国家调节市场，市场引导企业"的探索，进入到国家配给体制向商品体制过渡阶段。此阶段是全面社会主义市场经济体制建立的前探索期和试错期，实行了"国家调控为主、市场配置为辅"的经济发展方式，在公有制基础上实施有计划的商品经济，市场定价功能逐步发挥，同时国家在诸多领域仍实行计划和配给。总体来看，此阶段中国经济保持着较高增速，经济波动幅度明显趋窄。按照增速算术平均法计算，此时期的平均增速为 9.98％。其中最高增速为 1984 年的 15.2％，偏离平均值 5.22 个百分点；最低增速为 1990 年 3.9％，偏离平均值 6.08 个百分点。从经济波动周期看，此阶段只经历了两个完整的经济增速上下起伏的周期，平均每个周期跨度 8 年左右的时间，波动更加平缓。

4. 市场经济深化期(1992 年至今)

以邓小平南方谈话为先导，中共十四大明确提出了建立社会主义市场经济体制是中国经济制度改革的目标模式。由此，中国经济体制改革进一步深化，市场主体逐步成熟，政府宏观调控的手段也日趋成熟稳健。此阶段，以建设中国特色社会主义市场经济导向的经济体制改革不断深化，市场制度逐步健全，市场对资源要素的配置从发挥辅助功能向发挥决定性作用转变。总体来看，该时期中国经济保持着较高增速，经济波动幅度进一步降低，波动频率明显降低。按照增速算术平均法计算，此阶段中国经济平均增速为 9.43％。其中最高增速为 2007 年的 14.2％，偏离均值 4.77 个百分点；最低增速为 2015 年的 6.9％，偏离均值 2.53 个百分点。从经济波动周期看，此阶段只经历了完整的一次经济波动周期。

表 9.1　三个时期中国年均增长率及其波动性比较

	1953—1978	1979—1990	1991—2015
年增长率方差	106.50	11.82	5.10
增长率的算术平均值(％)	6.68	9.11	9.98

注：方差越小说明稳定性越佳。

从中国经济发展阶段和经济波动的周期看，随着中国社会主义市场经济的建设，市场在资源要素配置中的作用日益发挥，资源要素的市场价格机制逐步形成，并释放巨大的增长动能，使得中国经济呈现高速增长态势，且经济波动幅度和频率也逐渐降低。

9.1-3 总供需动力结构与经济波动

在中国经济发展过程中，随着中国特色社会主义市场经济建设以及政府宏观调整方式的转变，总需求和总供给的动力结构也发生着变化。在总需求动力结构中，投资、消费、出口等在不同经济发展阶段，其对经济增长的推动作用存在明显差异，也导致了经济波动。在总供给动力结构中，产业结构的演进变化对经济增长和经济波动也产生了较大影响。

1. 总需求动力结构与经济波动

回顾过去 60 多年的中国经济增长轨迹，需求侧管理对中国经济增长发挥了重要作用，需求动力中的投资、消费、出口对经济增长发挥的作用各不相同，因而也对经济增长和波动产生不同影响。总体来看，新中国成立以来，无论计划经济发展时期还是社会主义市场经济发展时期，投资在需求动

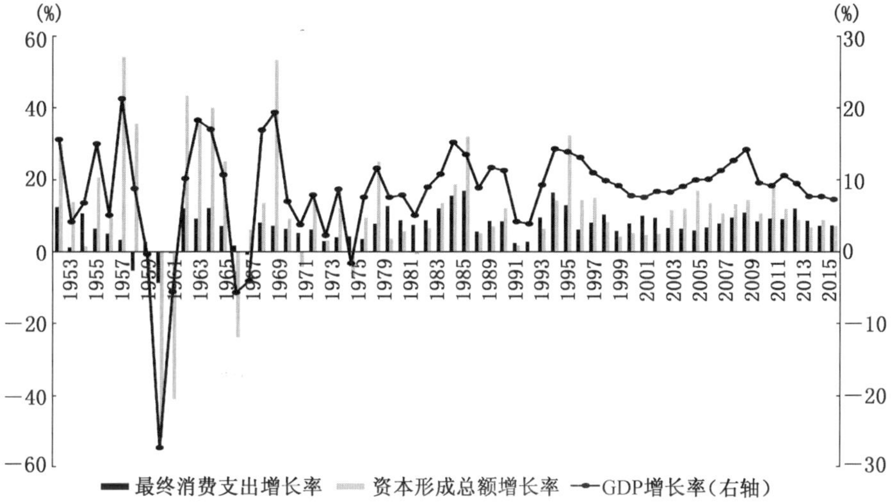

图 9.2 1952—2014 年中国 GDP、消费和资本的实际增长率

资料来源：Wind 资讯。

力中发挥了突出作用，有效促进了经济增长；相比较而言，消费和出口对于经济增长的支撑相对较弱。

计划经济时期(1949—1978年)，在加快国民经济恢复、实施追赶的发展导向下，中国实行了重工业优先发展的战略，并在资本十分短缺的情况下，以牺牲消费为代价，集中一切资金从事生产，形成了“高积累、低消费”的发展格局。投资对经济增长的贡献率不断提升，经济增速与投资增速也存在明显正相关性。从图9.2可以看出，此阶段资本形成总额的增长率明显高于消费支出增长率，且当资本形成总额保持较快增长时，国民经济也保持较高的增速。比如，1953年，资本形成总额增长率达到29.9%，最终消费支出增长率为12.5%，实现经济增长15.6%；1958年，资本形成总额增长率为54.2%，最终消费支出增长率为3.4%，实现经济增长21.3%；1961年，资本形成总额增长率为-51.9%，最终消费支出增长率为-8.7%，实现经济增长-27.3%。

社会主义市场经济建设时期(1979年以来)，中国依托劳动力和资源要素禀赋优势等不断深化改革开放，加快资源要素领域的市场化改革，逐步释放资源要素供给的内在活力；与此同时，中国又强化政府对经济运行的总量调控，通过进一步加大投资、促进消费、增强出口等多种方式增强经济发展动

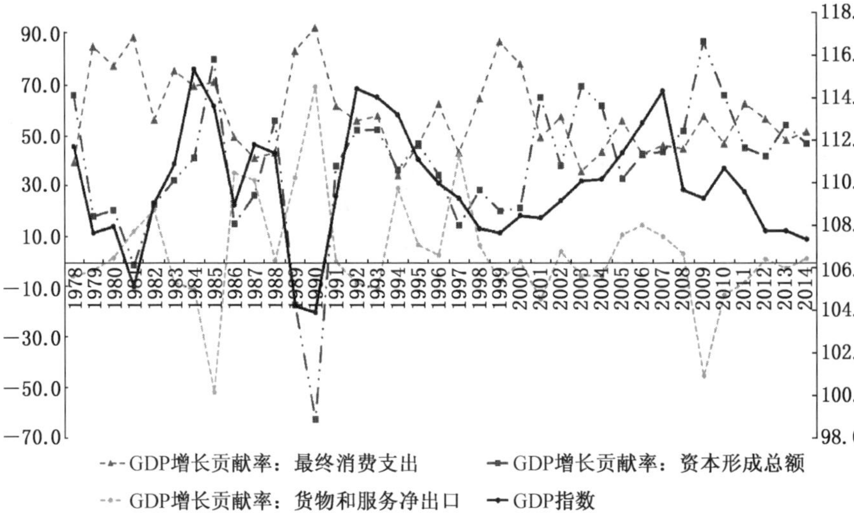

图9.3 1978—2014年投资、消费和出口对经济增长的贡献率

资料来源：Wind资讯。

力。在此过程中,投资对经济增长贡献仍保持较高水平,投资增速与 GDP 的增速仍存在明显相关性,成为影响经济增长的重要方面。尤其是在 2000 年以后,为了应对国际经济波动对国内经济增长的冲击,中国政府通过加大投资规模、增加投资总额,使得投资保持 10%以上的增速,进而维持了经济总体平稳增长。2001—2010 年间,中国投资平均增速到达 13.48%,消费平均增速为 8.13%,实现经济增长 10.51%。与此同时,需求动力中投资、消费、出口等动力结构得到优化,消费与投资增长的实现了相对均衡,对经济增长的贡献率也相对稳定(如图 9.3)。

总体来看,在改革开放之前,尽管消费在国民经济中比重较大,但在加快国民经济恢复和追赶发展过程中,需求动力中投资增长较快,对经济增长的支撑作用较为明显。而随着投资增速的变动,中国经济增长也出现了激烈波动。改革开放之后,随着社会主义市场经济的建立和不断完善,内需逐步启动,投资与消费结构更趋合理,经济增长的稳定性增强,经济波动幅度明显降低(如表 9.2),GDP 增长率的方差从计划经济时期的 106.50,减少到改革开放前期的 11.82,再减少到 2002 年以后的 3.89。可见,随着需求动力结构的变化,投资增长率的波动对经济波动的影响力逐步减小,经济增长的稳定性不断增强。

表 9.2　中国消费、资本、GDP 增长率分阶段算术平均值与经济波动

	1953—1978	1979—1991	1992—2001	2002—2014	1953—2014
最终消费支出增长率(%)	4.85	9.25	9.44	8.47	7.27
资本形成总额增长率(%)	12.32	3.70	11.55	11.92	11.35
GDP 增长率平均值(%)	6.68	9.11	10.35	9.92	8.46
GDP 增长率的方差	106.50	11.82	6.64	3.89	50.20

资料来源:Wind 资讯。

2. 总供给动力结构与经济波动

供给动力结构是指生产动力结构,即通过资源要素供给配置形成的产业结构,是推动经济增长的重要方面。回顾中国经济发展历程,随着经济发展阶段的演变,产业结构也发生较大变化,对经济增长和运行产生较大影响。

在计划经济时期,中国采取了"重工业优先"发展战略,并以此为基础开展大规模经济建设。此后的一段时期,工业经济保持着较高增速,其增速明显超过第三和第一产业。如果剔除负增长的年份,该时期工业经济的平均增速达到19.68%,远远高于第三产业的平均增速8.67%。在此背景下,工业经济对国民经济发展具有根本性的影响,工业经济波动对经济波动的影响较大(如图9.4)。比如,1956年,工业经济增长34.5%,推动经济增长15%,此增幅高于第三产业13.3%和第一产业4.7%。同时,从三次产业增长波动的情况看,工业增长波动的AVEDEV函数值为14.1,第三产业和第一产业增长波动的AVEDEV函数值分别为6.8和4.5,GDP增长的AVEDEV函数值为7.38。可见,工业经济增长波动对经济波动产生较大冲击。

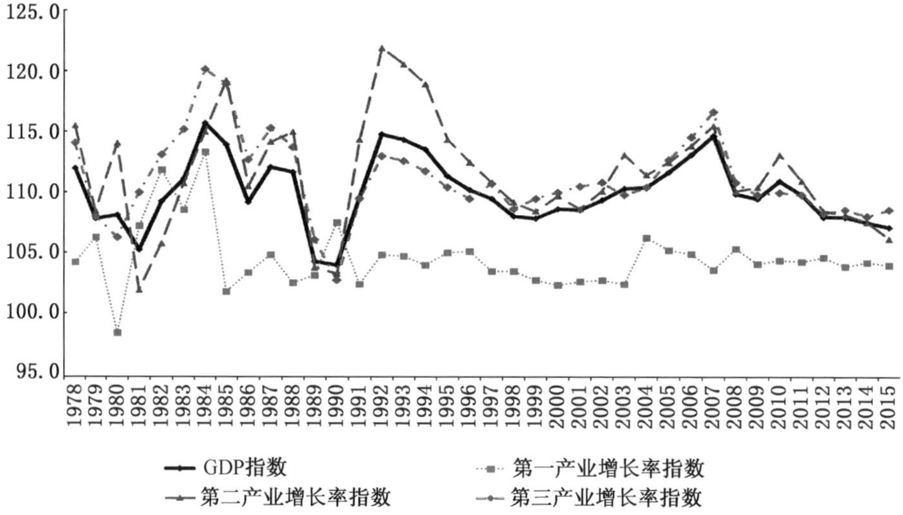

图9.4 1953—1978年三次产业增速和GDP增速关系

资料来源:Wind资讯。

改革开放以后,随着社会主义市场经济体制的不断完善,资源要素市场价值逐步回归,再加上外需和内需的逐步释放,中国三次产业结构不断优化(见图9.5)。第二产业占GDP的比重从改革开放初期的47.6%逐步下降到2015年的40.5%,第三产业占GDP的比重则从1978年的24.5%逐步上升到2015年的50.5%,第一产业占GDP的比重从1978年的30%左右,逐步减少到2015年的9%。其中,从2012年开始第三产业占GDP的比重超过第二产业的比重,中国经济运行开始呈现出以服务经济为主的发展势头。

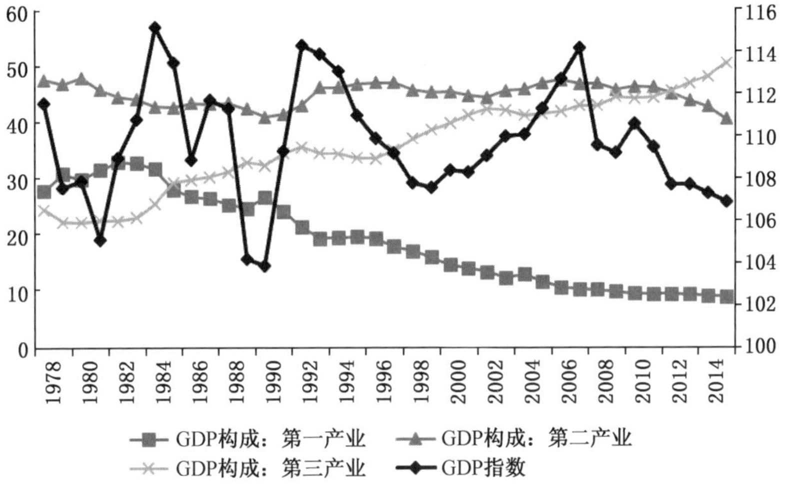

图 9.5 1978—2015 年三次产业结构变动

资料来源：Wind 资讯。

随着三次产业结构的变动，三次产业发展对经济增长的贡献率逐渐发生变化(见图 9.6)。工业经济增长对 GDP 增长的贡献率从 60%以上逐步下降到 40%以下。与此同时，第三产业增长对 GDP 增长的贡献率从 20%以下逐步

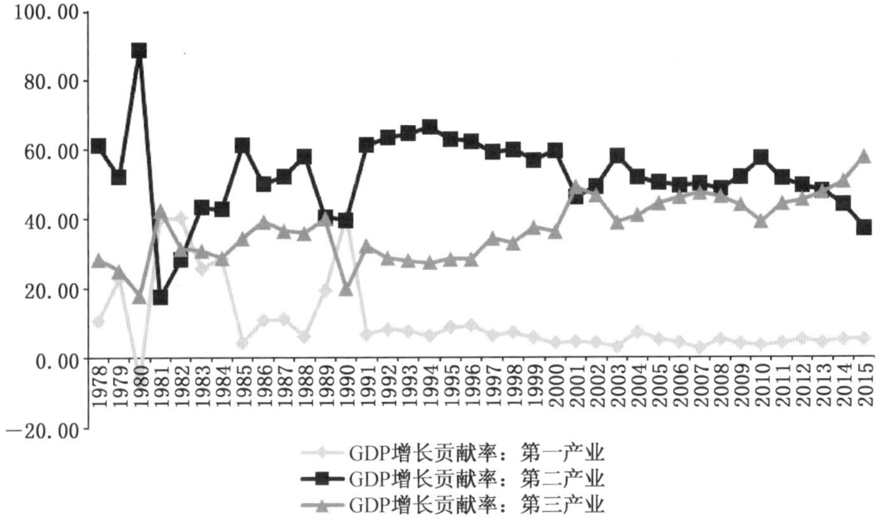

图 9.6 1978—2015 年三次产业增长对 GDP 增长贡献率

资料来源：Wind 资讯。

提升到57%以上。第一产业增长对GDP增长的贡献率从40%左右逐步回落到5%左右。其中,从2014年开始,第三产业对经济增长的贡献率首次超过第二产业。

产业结构的变动也标志着供给侧动力结构的变化。随着第三产业的逐步发展,三次产业结构不断优化,中国经济增长的稳定性也不断提升(图9.7)。

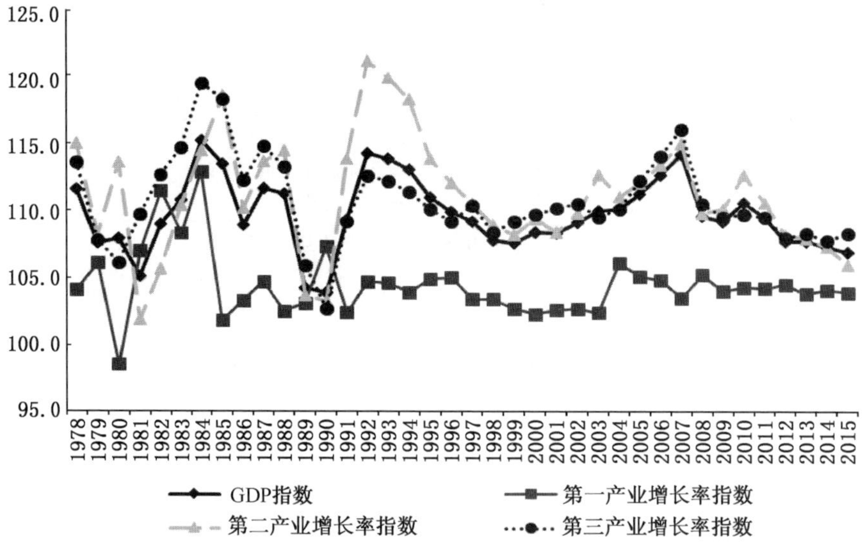

图9.7 1978—2015年三次产业增速和GDP增速关系

资料来源:Wind资讯。

1978—1992年,在中国探索推进商品经济的过程中,劳动力、资本、技术等资源要素的市场机制尚未完全建立,存在市场价格配置和国家配给价格配置双重作用机制,在以第二产业为主导的产业结构中,三次产业结构及其增速的明显波动导致了经济增速明显波动(表9.3)。

表9.3 1978—1992年三次产业增长波动与经济波动

	一产增长波动	二产增长波动	三产增长波动	GDP增长波动
方　差	13.22	30.60	20.16	11.41
AVEDEV值	4.11	10.88	6.41	5.86

1993—2002年,随着中国社会主义市场经济体制改革的不断深化,市

场在资源要素配置中的作用不断增强，服务业得到了快速发展，在国民经济中的比重稳步提升。在此背景下，三次产业结构内部结构进一步优化，中国经济运行的稳定性增强，三次产业增长波动对经济增长波动的影响性减弱（表9.4）。

表9.4　1993—2002年三次产业增长波动与经济波动

	一产增长波动	二产增长波动	三产增长波动	GDP增长波动
方　差	0.91	15.65	1.10	4.30
AVEDEV值	0.84	3.29	0.81	1.72

2003年以后，中国第三产业的比重接近第二产业比重，并于2012年超过第二产业比重，经济发展的供给侧动力结构发生根本性变化，经济增长的稳定性进一步增强。从表9.5可以看出，GDP的增长波动幅度小于1993—2002年间的幅度，AVEDEV值也较1993—2002年期间小。

表9.5　2003—2015年三次产业增长波动与经济波动

	一产增长波动	二产增长波动	三产增长波动	GDP增长波动
方　差	0.75	6.50	5.69	4.21
AVEDEV值	0.65	2.14	1.82	1.60

总体来看，在中国加快从农业国向工业化转变，加快工业现代化等战略指导下，工业发展较为迅猛，对经济增长的贡献率较大，工业经济的波动对经济增长的波动产生较大影响。但随着中国社会主义市场经济建设的不断深入，三次产业结构发生变化，供给侧动力结构也发生变化，供给动力波动对经济波动的影响也逐步减小，经济运行更趋稳定。

9.1-4　总供需失衡与经济波动

总供需失衡与经济波动和增长效率有着显著的因果关系，无论供过于求还是供不应求的状态，都会造成市场价格与价值的偏离和扭曲，使得市场难以出清。一旦这种市场未出清状态累积下去，势必会进一步扭曲市场对资源的配置，并造成全社会经济效率的损失，表现为经济波动。回顾中国经济发展历程可以发现，在不同发展阶段，中国经济表现出不同的总供需失衡特征，进而反映出不同的经济波动现象。

1. 短缺经济时期与经济波动

计划经济时期，中国总供需关系以短缺经济为主，且这种短缺不仅仅体现在商品市场上，而是涵盖了要素市场、资本市场、劳动市场等全部领域的总体性短缺。由于国家在企业生产、市场流通、生产资料供给、商品供给等方面均实行了国家直接计划或划拨，经济生产活动、消费活动缺乏市场调节机制，总供需关系表现为突出的供不应求。再加上政府对商品生产或配置的计划或调控方式在促进供给需求匹配中存在明显的滞后性，使得产品供需匹配的过程加剧了经济波动。计划经济时期的经济大幅波动情况正反映了这一点。

2.“双轨制”经济时期与经济波动

自1978年改革开放以后，市场机制在资源要素配置和商品生产调节中的作用不断增强，使得供给与需求的匹配度明显增强。但由于该时期仍存在计划调节和市场调节的双重作用，社会总供需结构仍不平衡。尽管部分商品供需关系逐渐接近平衡，但仍存在结构性供不应求的情况。

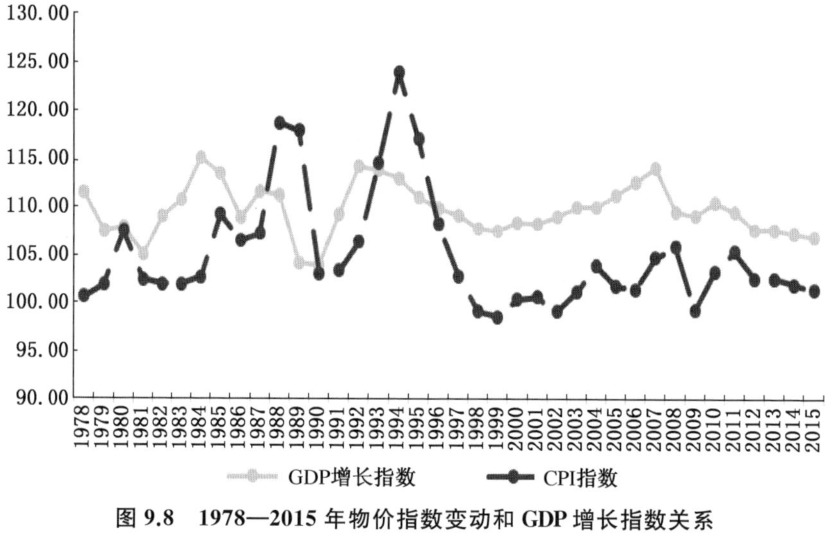

图9.8　1978—2015年物价指数变动和GDP增长指数关系

资料来源：Wind资讯。

从物价指数变化与GDP增长变动的关系看，1978年到1993年前后，中国物价水平呈现盘升态势，物价波动较为明显（见图9.8）。同期，社会消费品零售总额增速也出现明显变化(见图 9.9)。这说明,在从计划经济向市场经济转型的"双轨制"经济中,总供给和总需求正加速匹配,但仍存在着结构性的供不应求,社会需求的快速增长反映出物价的快速增长。同时,由于仍存在计划经济配给方式,因而物价波动情况略低于社会消费总额增长波动。

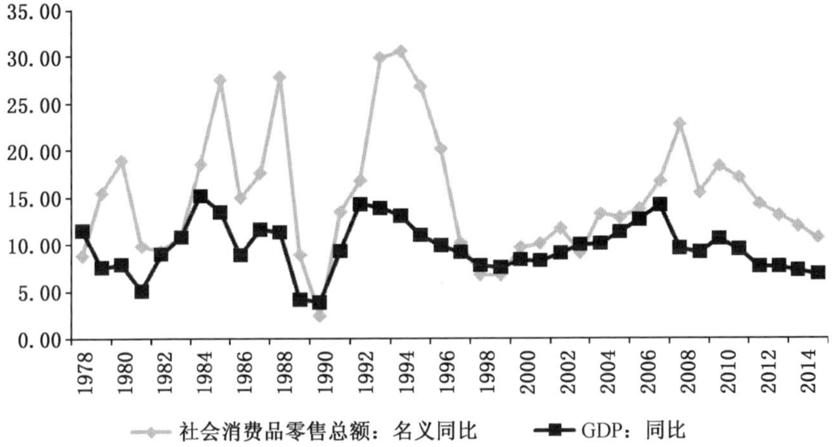

图 9.9 1978—2015 年社会消费品零售总额增速和 GDP 增速关系

资料来源:Wind 资讯。

表 9.6 1978—1994 年物价、社会消费增长波动与经济波动

	物价波动	社会消费增速波动	GDP 增长波动
方　差	46.62	64.04	11.65
AVEDEV 值	5.46	6.46	2.91

3. 市场经济深化时期与经济波动

1992 年,中共十四大进一步明确社会主义市场经济体制改革的方向,中国不断深化市场机制和制度构建,充分发挥市场在资源配置中的基础性作用和决定性作用,各类市场主体的活力被不断激发。同时,随着中国总需求的扩张,各产业产能供给能力不断增强,中国逐步实现了总供需结构的平衡,部分领域甚至出现产能过剩等供大于求的局面。在此背景下,中国社会消费增长不断攀升并维持稳定,但物价水平相对稳定(见图 9.8 和图 9.9)。总供需结构基本稳定使得经济波动也明显减弱。物价波动方差从"双轨制"

经济时期的46.62大幅减少到15.71,同时GDP增长波动方差从“双轨制”经济时期的11.65减少到3.2。

表9.7　1994—2015年物价、社会消费增长波动与经济波动

	物价波动	社会消费增速波动	GDP增长波动
方　　差	15.71	24.45	3.20
AVEDEV值	2.67	3.85	1.39

9.2　供给侧结构性改革与中国经济增长潜力分析

对于现代意义上的经济增长分析起源于20世纪30年代的哈罗德和多马两位经济学家的工作。哈罗德和多马提出的第一个具有现代经济增长分析的哈罗德—多马模型,成为了后续经济增长分析模型的基础。随后,经济增长理论经历了两次发展高潮,即20世纪50年代,以索洛和斯旺等学者为代表,进一步深化了经济增长理论,在哈罗德—多马模型基础上提出了索洛模型;20世纪80年代,罗默等学者提出了新增长理论,认为经济增长对外生变量如人口增长率、技术进步率具有很强的依赖。新经济增长理论更加强调技术进步、人力资源积累等因素对经济增长的推动作用。随着经济增长理论的发展和完善,作为经济增长动力源的劳动、资本、技术以及相关产业结构、制度环境等对经济增长的推动作用不断被论证。资源要素供给质量提升、效率改善、结构优化以及制度创新将对经济增长潜力产生较大影响。供给侧结构性改革对经济增长的推动作用不仅反映在提高资源要素的有效供给,而且反映在技术进步、制度创新以及结构优化等方面的推动力。因此,供给侧结构性改革的实施将有效提升经济增长潜力。

9.2-1　劳动力和资本要素投入与潜在增长率

按照经济增长理论,高效的劳动和资本要素供给是构成未来经济中高速潜在增长率的基础,劳动力和资本是决定未来潜在增长率的核心因素。

1. 劳动力投入

劳动对经济增长的贡献主要反映在劳动力投入数量和劳动力投入质量

上。一直以来,中国经济增长在一定程度上依赖低层次、廉价劳动力的持续投入。但随着中国人口结构的变化,人口数量红利逐渐减弱,而劳动力素质提升对经济增长的影响力将日益提升,将对经济增长产生较大推动作用。

当前,中国劳动力数量进入了递减通道,劳动力数量增长对经济增长的潜在驱动力将减弱。1984 年以后,中国的劳动力就业增长率不断下降;到 2010 年,中国的就业人数增长率仅为 0.36%,已经低于人口的增长率,也就是每年退休人口数量已经大于新就业人口的数量。虽然中国自 2015 年开始已经全面放开"二孩"政策,"延迟退休"政策也已经排上日程,但就未来劳动力增量来说,这些政策的效果很难在短期内显现。随着未来人口结构中老龄化程度的加深,未来中国劳动力总量可能进入到一个从负增长到稳定过程。

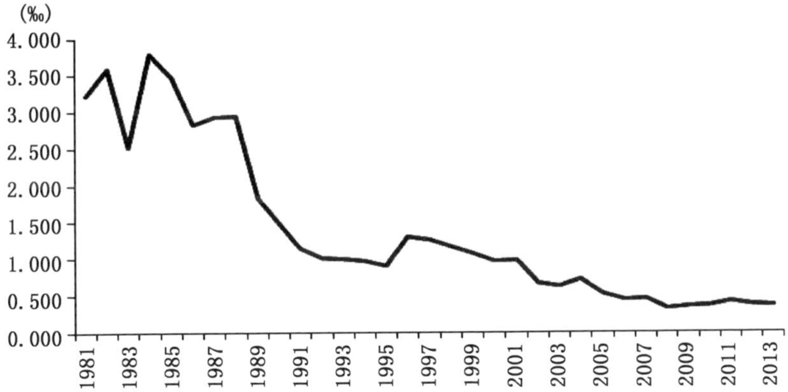

图 9.10 就业人口增速

资料来源:上海市政府决策咨询研究课题 2013-A-45。

但另一方面,自 1999 年教育改革后,高校入学新生人数快速扩张,大量接受高等教育的人群使得中国劳动力的素质不断提升。教育的快速发展,使得中高端劳动力替代了低端劳动力的失业和农村剩余劳动力。在此背景下,中国人口数量红利转变成更具竞争力的人力资本红利,或者说从低端劳动力转移带来的人口红利将转变为中高端具有人力资本的人口红利。随着中国产业结构的不断升级,受过高等教育的劳动力将得到有效、充分的利用,劳动力资源再配置的人口红利效应将再度显现。预测到 2025 年,中国人均受教育年限将达到 11.4 年,相较于美国在 2010 年达到 13.4 年的人均受教育年限而言，中国未来还具有较大的人力资源开发潜力。因此，人口红利转变并不会对中国未来几十年的经济增长带来很大影响，劳动力要素对潜在增长率的推动将维持在一个平稳和略有回升的程度。

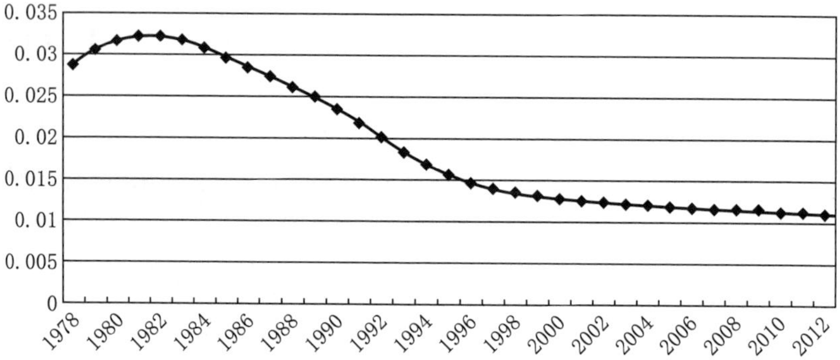

图 9.11　改革开放以来中国人力资本对 GDP 增长的贡献率

资料来源：王宇鹏，《中国经济增长要素分析：1978—2012》，《产业经济评论》2014 年第 7 期。

2. 资本投入

按照经济增长模式，资本投入对经济增长也具有重要作用。在过去的几十年中，中国的资本投入在经济增长中一直保持着较高水平，资本产出比重仍然保持稳定上升。改革开放以来，中国固定资本存量的增长率一直高于国内生产总值增长率，使得更多比例的国内生产总值转换为固定资本投资。从居民部门看，收入差距的持续拉大和社会保障制度的不完善使得社会平均消费倾向下降；从政府部门看，自金融危机发生之后的扩张性政策作用下，中国资本深化进程明显加速。1994—2007 年城镇新增固定资产与当年固定资本形成的比例平均约为 0.57；2008—2013 年该比例约为 0.82。目前，投资占 GDP 份额仍接近 50%。

未来，从资本存量看，中国在从农业向工业转移的过程中，虽然资本的持续积累规模仍然可观，但随着资本存量的增加，资本的折旧也随之增加，同样的投资量引起的资本存量的变化会不断减少，并最终会趋于平衡，投资对于中国经济的拉动作用会逐渐减小。如果投资继续用于扩大规模，那么还可能进一步产生产能过剩、资本闲置等问题。从未来看，投资仍然是中国经济增长的关键因素，但是其比重会逐渐降低，投资对经济增长的贡献程度也会逐渐减小，在2015—2020年间，投资占GDP的比重仍将维持在40%左右，对经济增长将产生较大的支撑作用。

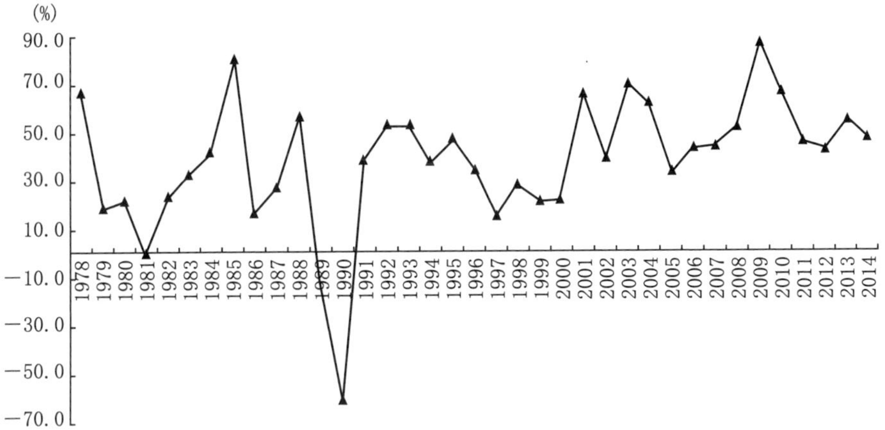

图9.12 改革开放以来全社会资本形成对经济增长的贡献率

资料来源：Wind资讯。

综上所述，在未来较长的时期内，潜在经济增长对资本深化的依赖仍将保持在较高的水平；而人力资本对潜在经济增长的贡献则会保持在现有水平附近。但是两类生产要素的结构均将发生较大变化，一方面，支撑潜在增长的"人口红利"将发生根本性的转化，由量到质的人力资本发展趋势将为新常态下的潜在增长提供较为持久的动力来源；另一方面，在供给侧结构性改革的推动下，大规模资本扩张来驱动经济增长的做法将难以持续，投资相对于GDP的比例只会逐步地缓慢下降，未来会更加重视资本内部的结构优化，以及投资效率的提高来形成有效驱动。

9.2-2 技术进步与潜在增长率

技术进步将有助于提升资源要素的利率效率和生产力水平，因而对经济增长具有重要推动作用，同时促进经济增长质量的提升。从国际经验看，当R&D投入接近GDP的1%时，较少的技术要素投入往往会促使经济快速增长；但当R&D投入占GDP比重超过1%且显著上升时，其对潜在增长的支撑作用显著减弱。从图9.13中也可以发现，在20世纪90年代初到21世纪初的十余年间，中国R&D投入占GDP的比重从0.5%上升到1.4%左右，全要素生产率增长指数则长期保持在105左右的较高水平，经济增长指标也保持了平稳和高速的态势。这说明，技术要素在投入的初始阶段，对潜在增长的弹性较大。但是，当R&D投入占比在2009年超过1.5%的时候，技术要素投入对经济增长的驱动作用显著减弱。

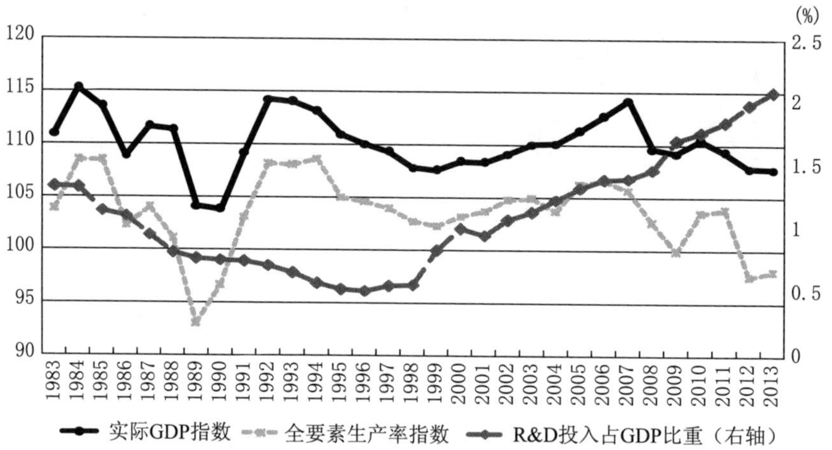

图9.13 中国GDP、全要素生产率指数和R&D投入变化情况

资料来源：Wind资讯。

“十二五”以来，虽然技术投入仍然持续增加，但全要素生产率却不升反降。究其原因，一方面是因为中国长期靠技术引进的“模仿创新”模式来驱动经济发展，在初期确实对于国内潜在经济增长率有较大提升，但随着创新技术长期被锁定在产品价值链的低端，技术投入的边际效益递减，单一依靠科技要素投入量的增加已经难以承担未来经济潜在增长的动力需求。另一方面，受科技体制的束缚，大量技术专利没有进入到产业生产领域，科技投入并没有转化为现实生产力，也影响了技术要素投入转化为潜在增长率的效率。

未来，在供给侧结构性改革过程中，中国经济增长将从要素驱动、投资驱动转向创新驱动，更多依靠技术进步和全要素生产率的提升。随着中国科技研发资源的高效利用，在多数科技创新领域中国将从“跟跑”向“并跑”转变，与发达国家的技术差距不断缩小，一些高端领域的技术创新有可能呈现“领跑”态势，全要素生产率对中国经济的贡献程度也会越来越大。

9.2-3 制度创新与潜在增长率

按照一般经济增长理论，制度因素往往被视为经济增长的既定"外生变量"，即认为只要增加生产要素投入或技术进步，经济增长就将发生。古典或新古典的经济增长模型都假定不存在信息费用、不确定性及交易费用等制度制约，同时认为市场这只"看不见的手"引导生产要素流向能导致行为人收益最大化的领域，并实现均衡增长。然而在现实生活中，信息是不完全的，并存在明显的外部性。对于转型国家而言，制度创新对于经济增长的影响更不容忽视。制度创新是全要素生产率的重要组成部分。以英国的产业革命为例，有学者把它视为一场技术革命，实际上它也是一场制度的创新，"产业革命的实质就是用竞争取代以前控制生产和财富分配的中世纪规则"（诺斯，1991）。中国在改革开放过程中，不断打破僵化的计划体制，建立市场经济体制，为经济增长注入了活力，取得了经济增长的巨大成就。因而，制度创新也像生产要素、技术创新等一样，也是经济增长的源泉。

与生产要素的追加投入及技术进步相比，制度创新对经济增长起着更为主要的决定性作用。历史经验表明，制约中国经济持续稳定协调增长的更为重要的根源不是资本短缺，而是制度供给短缺：一是作为市场主体的企业，它的创新动力与产权结构相关联。因为中国的产权制度改革相对滞后，抑制了企业的创新活力。二是经济潜在增长的成本主要表现为社会交易成本的提高，经济增长的成本不断上升与低效率的经济组织过程有关。三是中国的经济增长呈明显的投资拉动，由此引发的消费品价格上涨势迫使高速增长难以为继，而银行体制不完善为货币供给"倒逼机制"创造了条件；"分灶吃饭"的财政体制助长了地方政府的数量扩张倾向等等。四是社会供需结构的不匹配，短缺经济和产能过剩并存的部分原因是行政干预经济造成的"制度性供需失衡"。

在供给侧结构性改革中，制度新供给作为经济增长的重要外部助力，深化制度改革将成为未来潜在经济增长的根本驱动力。第一，通过构建有利于市场主体发挥主动性和积极性的制度安排，将进一步释放市场经济活力和潜力。第二，通过深化劳动力、资本、技术等相关的制度创新，将进一步促进资源要素的市场定价和价值挖掘，推动经济增长。第三，通过完善市场运行机制的制度创新，将保证资本配置的有效性，进一步增强市场的高效性。

9.2-4 产业结构优化与潜在增长率

产业结构是全社会生产的外在表现，也是经济增长质量的外在体现。经济增长常常伴随产业结构的变化而呈现阶段性变动特征。在工业化时代，通过投资建立起来的第二产业产出比重快速上升的发展模式，带动潜在经济增长维持在较高的水平；而进入工业化后期，随着工业产出比重下降和服务业比重上升，由于服务业对经济增长的推力相对较弱，经济增速也相应经历由升转降的过程。二战后，日本、韩国、德国等发达国家工业增加值比重都经历了一个先升后降的过程，经济增速也相应呈现先高后低的变动轨迹。从中国三次产业比重变动情况看，近年来第二产业占比大致稳定在40%—45%的水平，而第三产业则随着第一产业比重的下降呈快速上升的态势。

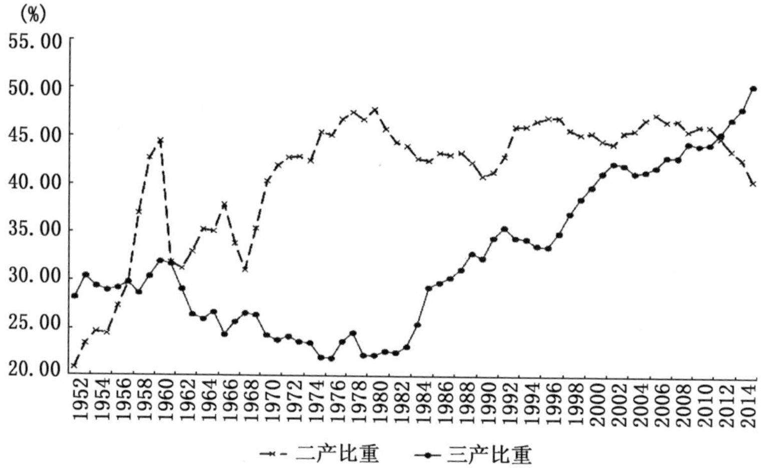

图9.14 1952年以来中国GDP中二、三产业构成变化情况

资料来源：Wind资讯。

产业结构优化程度将决定着中国经济的潜在增长率。一方面，劳动力要素在三次产业中的分布情况决定了社会生产率水平。根据杨文丰(2014)的测算，在不同的产业结构中的劳动要素配置将产生不同的生产率水平。1997年以后，中国第三产业的全要素生产率水平呈现稳定上升态势，经济增长质量不断提升。中国第二产业的全要素生产率水平虽然小于第三产业，但也呈现从要素投入型向效率提高型转变。未来，随着中国三次产业结构的变化，第三产业快速发展且第二产业稳步发展，劳动力将在三次产业中重新配置，进而将进一步释放经济增长潜力。据李京文(2000)的预测，未来中国第一产业劳动力继续向外转移，就业比重减少为28.8%，第二产业劳动力就业比重缓慢上升，达到29.1%，到2030年，三次产业的就业比重分别为26.5%、29.4%和44.1%。

表9.8 2020—2035年中国三次产业中劳动力比重预测(%)

年 份	第一产业	第二产业	第三产业
2020	32.6	28.3	39.0
2030	26.5	29.4	44.0
2035	23.9	29.8	46.3

资料来源：李京文(2000)。

另一方面，三次产业不同的"投入—产出"效率反映了社会资源的合理配置情况，也是影响潜在增长率的重要因素。根据近年来中国三次产业增量资本产出比(ICOR)的变动情况，从总量上看，三次产业的增量资本产出比均有了显著的提升，说明三次产业的协同发展在长远期对经济潜在增长具有推动作用；从三次产业内部的投入产出分析，二产增量资本产出比是要高于三产的，这也解释了资本在从工业经济转移到服务业的过程中，初期会带来潜在增长率的下滑。但随着中国供给侧结构性改革的深入推进，服务业和制造业的高端化发展将进一步增强经济潜在增长动力。

表9.9 近年来中国三次产业增量资本产出比(ICOR)的变动情况

年 份	第一产业 ICOR	第二产业 ICOR	第三产业 ICOR
2003	0.63	1.95	4.66
2004	0.16	2.00	4.05
2005	0.84	2.31	4.07
2006	0.69	2.45	3.82
2007	0.32	2.30	2.82
2008	0.44	2.80	4.02
2009	2.20	9.49	6.39
2010	0.74	3.40	5.24
2011	0.98	4.00	5.06
2012	1.79	10.72	6.25
2013前三季度	2.53	11.60	5.42

资料来源：管晓明(2014)。

9.3 供给侧结构性改革与中国经济增长趋势预测

结构性问题已成为困扰全球经济增长的重要制约因素，全球供需结构失衡、发达经济体与新兴经济体增长分化、发达经济体内部债务沉重等等问题日益严重，这些结构性问题不仅导致了各类经济社会矛盾，而且制约着各国经济转型发展和经济复苏的进程。当前，世界各国围绕全球结构性问题展开了深入讨论，认为推进结构性改革是实现经济增长的良方。在此背景下，中国实施供给侧结构性改革将进一步增强经济增长潜力，激发经济增长的活力，确保经济平稳有序增长。中国不少学者对中国经济增长趋势进行了预测分析，但已有的预测分析主要局限于经济增速和运行态势本身，缺乏全局性、结构性等方面的预测分析。本节在综合现有研究成果基础上，在分析全球结构性改革可能带来的世界经济增长格局的前提下，立足于中国供给侧结构性改革对经济增长的推动作用，进一步系统化预测中国未来经济增长趋势。

9.3-1 全球结构性改革与世界经济增长前景

当前，全球经济金融危机深层次影响仍在发酵，世界各国经济增长存在明显分化，全球经济复苏的基础仍然不稳固，动力尚显不足。从根本上看，虽然全球经济复苏缓慢与周期性因素和短期下行风险密切相关，但更深层次原因则源于全球经济的中长期结构性问题。从世界经济中长期发展看，自20世纪90年代以来，信息技术带来的科技和产业革命所提供的动能已经接近尾声，传统经济体制和发展模式的潜能趋于消退。同时，发展不平衡问题远未解决，现有经济治理机制和架构的缺陷逐渐显现。这些因素导致世界经济整体动力不足，有效需求不振；各主要经济体全要素生产率增速放缓，潜在产出水平下降。突出表现为全球经济增长乏力、失业率上升、债务高企、贸易和投资低迷、实体经济失速、金融杠杆率居高不下、国际金融和大宗商品市场波动等一系列问题。

2016年G20财长会议提出，世界经济要重拾经济增长动力，必须深入推进结构性改革，重点将要围绕四个方面：第一，促进国际贸易和投资，通过努力减少市场准入障碍，消除跨境贸易和投资的税收壁垒，提高劳动力市场灵活性等途径提高私人部门投资意愿，促进贸易发展，努力恢复全球经济的传统增长动力。第二，大力推进劳动力市场改革，通过打破劳动力市场分割，降低就业壁垒，鼓励劳动力流动性。部分国家应对社保体系进行必要改革，通过增强竞争激励劳动者就业，防止劳动力成本过快上涨。同时，应加大教育投入，提高教育质量以及教育与劳动力市场需求的匹配程度等。第三，进一步鼓励创新，继续加大对技术进步的支持，包括完善技术创新的激励和保护制度与非制度性安排，促成新的科技革命和产业革命的到来，而且要进行必要的制度性创新，包括在国别层面对财税、产业监管、社保、产权保护、知识产权等一系列领域进行制度改革和创新，也包括在国际层面进一步推动货币、贸易和投资、金融、税收等多边体系改革，改善全球经济治理。第四，着力提高财政可持续性，确保债务可持续性，逐步恢复财政政策空间，为经济持续增长奠定基础。此外，世界各国还普遍面临基础设施、竞争、金融改革、环境可持续性等方面的中长期挑战，这些也应作为下一步推进结构性改革的重要领域。

随着结构性改革的稳步推进，世界经济增长将重获经济增长动力。世界银行基于差分自回归移动平均模型(ARIMA(1, 1, 1))，对未来30年全球经济增长进行的预测显示，2016—2050年，世界经济增长速度将保持在2.9%左右；到2050年，全球实际GDP将达到162万亿美元左右。普华永道基于IMF(国际货币基金)数据，运用长期经济模型对2014—2050年间的经济增长趋势进行了预测。结果显示，在2014—2050年间，全球经济平均年增长率只略高于3%。到2037年全球经济规模将是2014年的2倍，超过110万亿美元；到2050年，全球经济规模将接近2014年的3倍，达到167万亿美元左右。可见，不同模型预测的结果均反映出，受全球人口增速放缓、老龄化趋势加重、资源环境约束等因素影响，全球实际经济增速将难以达到前30多年的平均增速，全球长期经济增长率将趋于“退至平均值”。

在全球经济增长动力逐渐恢复的同时，世界经济增长将更加平衡。据普华永道模型预测，按购买力平价计算，中国GDP占世界GDP比重将从2014年的16.5%上升到2030年的20%。印度GDP占世界GDP比重将从2014年低于7%的水平稳步上升。随着以中国、印度为代表的亚洲国家的快速发展，西方发达国家在全球经济增长中的地位将减弱。美国和欧盟两大经济体 GDP 占全球 GDP 的比重将从 2014 年的 33%下降至 25%左右。在此背景下，东西方经济增长将更趋平衡，新兴经济体将成为世界经济格局中的重要力量。普华永道模型分析结果显示，大多数发展中国家和新兴经济体预期 GDP 世界排名都呈上升趋势。

9.3-2 中国经济中长期增长总体趋势

从国际经验看，在持续多年的高速增长后，随着经济体逐步走向成熟，经济增速将逐步放缓，并向世界平均经济增速收敛。从现在到 2050 年，大多数权威机构、知名学者普遍认为，中国经济将结束高速增长阶段，逐渐回归至成熟经济体增速的均值。从东亚经济体的发展轨迹看，在经历几十年的高速增长后，经济增长率开始下降，全要素生产率也逐步接近美国水平。如日本在 1950—1975 年间取得了飞速的发展，随后经济增速逐步下降，但到 1975 年，其全要素生产率大概是美国的 83%。韩国在 1965—1990 年也经历了高速发展的时期，到 1990 年，韩国的全要素生产率大概是美国的 63%。同一时期，中国台湾地区的经济增长也非常显著，到 1990 年，中国台湾地区的全要素生产率大概到达了美国水平的 90%。目前，中国的全要素生产率水平相较于美国还很低，即使中国已高速增长 30 多年，也仍有较大的增长潜力。

9.3-3 中国经济中长期增长速度预测

世界银行研究认为，受人口红利逐步消失、资本推动作用逐渐减弱等因素影响，预计到 2026—2030 年，中国的 GDP 增速将下降到 5%左右。普华永道认为，未来 30 年，中国将从出口依赖型经济向消费驱动型经济转型，经济发展不断走向成熟，而不断攀升的实际劳动成本和迅速增长的老龄化人口将加速这一过程。预计在 2015—2020 年间，中国经济将保持 6.3%的年平均增长率，但 2020 年后将会明显减速；到 2050 年，中国经济增速将放缓至 3%左右，但仍高于主要发达国家。

从系统动力学模型的预测情况看，全球金融危机之后，中国经济逐渐进入调整阶段，增长速度逐步放缓，到 2020 年 GDP 增速可能会下降到 5.6%，到2030年GDP增速会下降到2.3%。之后随着技术进步,GDP增速将小幅回升,2040年为2.8%,2050年为3.1%。①总体而言,未来中国经济增长的速度将逐渐放缓,会在较低的水平波动。

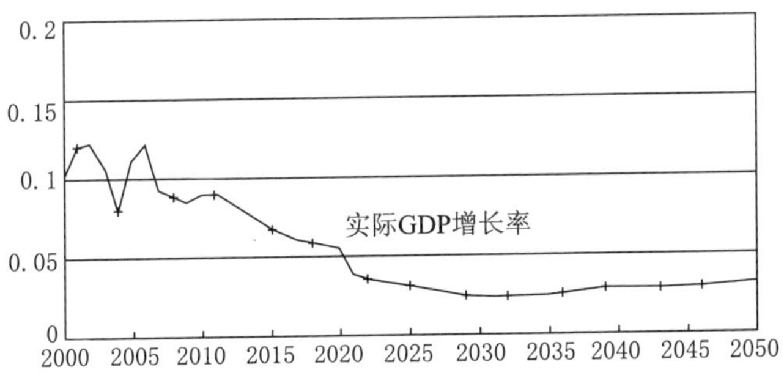

图9.15 中国GDP未来增长率趋势

综合全球主要研究机构或学者的预测分析,对未来中国经济增速的总体判断是:增速将逐步放缓并回归至成熟经济体的平均水平。②肖林主持的上

表9.10 中国长周期经济增速预测

机构或学者	2015—2020年	2020—2030年	2030—2040年	2040—2050年
国务院发展研究中心	7.0%	5.4%	4.5%	3.4%
世界银行(2012)	7.4%—10.1%	4.2%—7.8%		
高盛集团(2003)		4.1%		2.9%
普华永道(2013)	6.3%			3.0%—4.0%
史正富(2013)	6.0%		4.0%	
钱颖一	5.5%	2.4%	2.8%	3.1%
杨瑞龙	6.2%	5.6%	5.3%	
肖　林	6.5%—7%	5%—6%	4%—5%	3%—4%

资料来源:综合相关研究报告整理。

① 钱颖:《中国未来经济增长的态势、周期和动力机制及对上海发展的影响——基于系统动力学模型的研究》,上海市政府决策咨询研究课题2014-A-26-B。

② 肖林:《面向未来30年的上海发展战略研究总报告》,2016年3月。

海市政府发展研究中心完成的《面向未来 30 年的上海发展战略研究总报告》提出：2015—2020 年，中国经济增速为 6.5%—7%；2020—2030 年，中国经济增速为 5%—6%；2030—2040 年，中国经济增速为 4%—5%；2040—2050 年，中国经济增速为 3%—4%。

9.3-4 中国经济中长期增长总量预测

世界银行分析认为，到 2030 年前后，中高速的经济增长将推动中国经济总量跃居世界第一。按市场汇率计算，到 2030 年中国经济总量将达到 26.7 万亿美元，超过美国，成为名副其实的第一大经济体。2030—2050 年，虽然中国经济进入中低速增长时期，但中国将继续保持经济总量的领先地位。此外，中国总人口在 2028 年至 2030 年前后将形成一个拐点，并趋于下降，2050 年中国人口将回到 2000 年前后的水平，低于 13 亿人，从而使得人均 GDP 会有一个明显的提升，2050 年人均 GDP 可能达到 4 万美元左右。中国将成功跨越中等收入陷阱，达到中等发达国家水平。

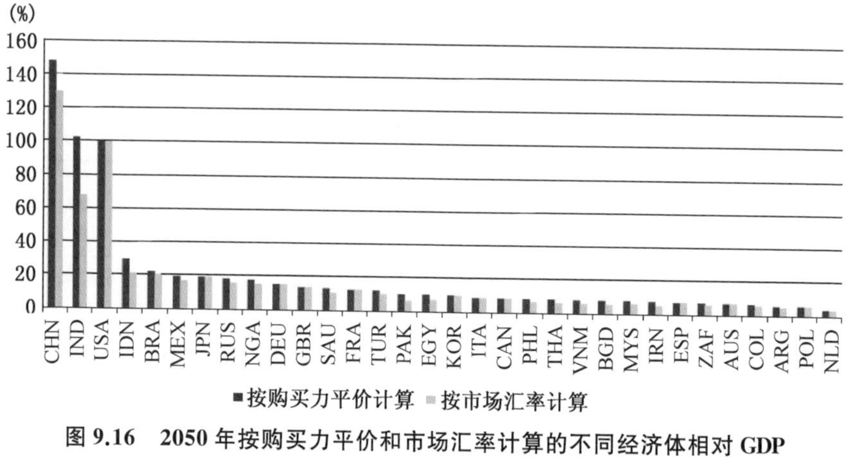

图 9.16　2050 年按购买力平价和市场汇率计算的不同经济体相对 GDP

注：百分率以美国为基准。

资料来源：普华永道：《2050 年的世界》，2015。

9.3-5 中国经济中长期增长结构预测

未来，中国的经济结构将更趋合理和均衡。从产业结构看，在新型工业化、城镇化的推动下，中国经济结构将更加优化，三次产业将逐步趋向"三、

二、一”型的产业结构。预计到2050年，中国服务业比重将为65%左右，达到美国20世纪80年代的水平，工业比重为30%左右，农业比重为5%左右。另外，随着技术进步、全要素生产率的逐步提升，中国产业能级也将不断提升。由生产率较低的农业经济向高生产率的工业经济的劳动力转移逐渐结束，中国生产率的增长将更多地依赖工业、农业和服务业自身内部的技术进步，而不再依靠行业间的资源转移。因此，通过产业内部的技术进步，中国产业竞争力将显著增强。从区域结构看，未来，三大城市群和三大经济带将引领中国区域经济发展。东部沿海的长三角、珠三角、京津冀三大城市群将成为具备强大国际竞争力的世界级城市群，仍然是引领中国经济发展的增长极。特别是长三角地区，有望成为世界级的超级经济区。预计到2050年，沿海经济带经济总量占比将由2013年的57.73%上升至58.75%。另外，丝绸之路经济带、21世纪海上丝绸之路、长江经济带等国家战略形成的三大经济带，将带动中国区域的整体协调发展。特别是随着城镇化的快速推进，高铁网络、高速公路网络的不断完善，人口、资金、产业将沿着三大经济带自东向西流动。长江经济带将在贯通东中西、推动沿海与内陆腹地梯度发展方面发挥重大作用，“一带一路”建设将推动中西部开放型经济提升到新的高度，中国东中西发展差距将逐步缩小。

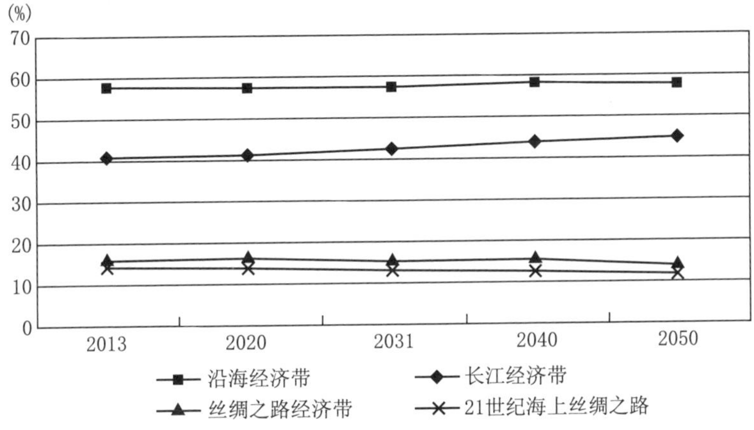

图9.17　2013—2050年几大经济带(路)GDP占比变化趋势

资料来源：豆建明：《中国新型城镇化和区域经济格局变化与上海城市功能提升研究》，上海市政府决策咨询研究课题2014-A-39。

参考文献

巴曙松:《市场化调节:宏观调控必须适应的新趋势》,《中国经济时报》2004 年 4 月 23 日。

巴特利特:《新美国经济:里根经济学的失败与未来之路》,中国金融出版社 2011 年版。

浜野洁等:《日本经济史(1600—2000)》,南京大学出版社 2010 年版。

布什:《科学:没有止境的前沿》,商务印书馆 2004 年版。

财政部财政科学研究所课题组:《宏观经济形势与财政调控:从短期到中长期的分析认识》,《经济研究参考》2012 年第 61 期。

蔡昉、陆旸:《中国经济的潜在增长率》,《经济研究参考》2013 年第 24 期。

蔡昉:《避免"中等收入陷阱",探寻中国未来的增长源泉》,社会科学文献出版社 2012 年版。

蔡昉:《中国经济增长如何转向全要素生产率驱动型》,《中国社会科学》2013 年第 1 期。

蔡增正:《教育对经济增长贡献的计量分析》,《经济研究》1999 年第 2 期。

常欣:《放松管制与规制重建:中国基础部门引入竞争后的政府行为分析》,《经济理论与经济管理》2001 年第 11 期。

常修泽:《关于国有经济改革的三个战略性问题分析》,《学习月刊》第 12 期(上),2006 年。

常修泽:《中国新阶段经济发展与改革趋势分析——2015 年 2 月在广东所作的学术报告》,《改革与战略》2015 年第 5 期。

陈宝森:《美国经济与政府政策》,社会科学文献出版社 2014 年版。

陈钊、万广华、陆铭:《行业间不平等:日益重要的城镇收入差距成因——基于回归方程的分解》,《中国社会科学》2010 年第 3 期。

陈钊、万广华和陆铭:《行业间不平等:日益重要的城镇收入差距成因》,《中国社会科学》2010年第5期。
池田信夫:《失去的二十年:日本经济长期停滞的真正原因》,机械工业出版社2012年版。
道格拉斯·诺思:《经济史上的结构和变革》,商务印书馆1992年版。
道格拉斯·诺斯,《经济史中的结构与变迁》,上海三联书店1991年版。
董辅礽:《经济体制改革研究》上卷,经济科学出版社1994年版。
董辅礽:《为什么发展民营经济,理论上必须说透》,《开放潮》2002年第9期。
董辅礽:《中国的银行制度改革——兼谈银行的股份制改革问题》,《经济研究》1994年第1期。
董敏杰、梁泳梅、张其仔:《中国工业产能利用率:行业比较、地区差距及影响因素》,《经济研究》2015年第1期。
都阳、蔡昉、屈小博、程杰:《延续中国奇迹:从户籍制度改革中收获红利》,《经济研究》2014年第8期。
都阳:《低生育时代的经济发展:结构、效率与人力资本投资》,《国际经济评论》2015年第2期。
樊纲、王小鲁、马光荣:《中国市场化进程对经济增长的贡献》,《经济研究》2011年第9期。
范恒山:《所有制突破:新的突破与新的任务》,《马克思主义与现实》1998年第1期。
冯涛、罗小伟:《劳动力市场扭曲与收入差距研究——基于"身份"型社会视角》,《经济管理》2015年第37期。
弗里德曼:《自由选择》,机械工业出版社2013年版。
弗里曼:《工业创新经济学》,北京大学出版社2004年版。
弗里曼:《技术政策与经济绩效:日本国家创新系统的经验》,东南大学出版社2008年版。
复旦大学世界经济研究所:《制度变迁与结构调整》,山西经济出版社2006年版。
盖庆恩、朱喜、程名望、史清华:《要素市场扭曲、垄断势力与全要素生产率》,《经济研究》2015年第5期。
干春晖:《中国产业结构变迁对经济增长和波动的影响》,《经济研究》2011年第5期。
高尚全:《民本经济论》,社会科学文献出版社2005年版。
高尚全:《为什么要提出劳动力市场》,《经济日报》1993年11月19日。
高尚全:《中国的所有制结构与经济体制改革》,《中国社会科学》1998年第1期。
葛伟:《渐进开放理论:出口加工区、跨国公司和出口导向的经济增长》,《管理世界》1995年第7期。
管晓明:《结构转型与中国潜在增长率变动分析》,《金融观察》2014年第4期。

郭明:《中国劳资关系的演变与对策》,《经济学动态》2008 年第 12 期。
郭庆旺、贾俊雪:《地方政府行为、投资冲动与宏观经济稳定》,《管理世界》2006 年第 5 期。
郭庆旺、贾俊雪:《中国全要素生产率的估算:1979—2004》,《经济研究》2005 年第 6 期。
郭树清:《深化投融资体制改革与完善货币政策传导机制》,《金融研究》2002 年第 2 期。
国家发改委产业经济研究所编:《中国产业发展报告 2015》,中国市场出版社 2015 年版。
国家发展和改革委员会经济研究所:《中国经济:劳动力供求、通货膨胀与经济周期》,经济科学出版社 2012 年版。
国家行政学院经济学教研部:《中国供给侧结构性改革》,人民出版社 2016 年版。
国家行政学院经济学教研部课题组:《产能过剩治理研究》,《经济研究参考》2014 年第 14 期。
国务院发展研究中心:《中国经济潜在增长速度转折的时间窗口测算》,《发展研究》2011 年第 10 期。
国务院发展研究中心课题组:《农民工市民化对扩大内需和经济增长的影响》,《经济研究》2010 年第 6 期。
国务院发展研究中心课题组:《中国新型城镇化:道路、模式和政策》,中国发展出版社 2014 年版。
何佩佩、庄国敏:《关注绿色冲突——发展可再生能源路径思考》,《环境保护》2014 年第 1 期。
何伟:《如何理解按生产要素分配》,《经济学动态》1998 年第 4 期。
胡永刚、郭新强:《内生增长、政府生产性支出与中国居民消费》,《经济研究》2012 年第 9 期。
黄志凌:《关于中国经济再平衡问题的看法》,《投资研究》2014 年第 5 期。
吉尔德:《财富与贫困》,上海译文出版社 1987 年版。
纪明、刘志彪:《中国需求结构演进对经济增长及经济波动的影响》,《经济科学》2014 年第 1 期。
贾康、冯俏彬:《“十三五”时期的供给侧改革》,《国家行政学院学报》2016 年第 6 期。
贾康、苏京春:《“三驾马车”认知框架需对接供给侧的结构性动力机制构建——关于宏观经济学的深化探讨》,《全球化》2015 年第 3 期。
贾康:《供给侧改革的核心内涵是解放生产力》,《中国经济周刊》2015 年第 49 期。
贾康:《新供给:经济学理论的中国创新》,中国经济出版社 2013 年版。
江小涓:《中国开放三十年的回顾与展望》,《中国社会科学》2008 年第 6 期。

蒋震:《工业化水平、地方政府努力与土地财政》,《中国工业经济》2014 年第 10 期。
金碚:《论国有企业改革再定位》,《中国工业经济》2010 年第 4 期。
科尔内:《短缺经济学》,经济科学出版社 1990 年版。
库兹涅茨:《各国的经济增长》,商务印书馆 1999 年版。
赖德胜、纪雯雯:《人力资本配置与创新》,《经济学动态》2015 年第 3 期。
李和金、胡文伟、肖林、程鹏、李湛:《利率期限结构与固定收益证券定价》,中国金融出版社 2005 年版。
李京文:《21 世纪中国经济长期预测(2000—2050 年)》,《冶金经济与管理》2000 年第 6 期。
李克强:《把创新摆在国家战略核心位置》,《中国政府采购》2015 年第 11 期。
李绍玲、栗建松:《消费、投资、进出口对经济增长的贡献研究——基于需求结构失衡的视角》,《商业经济》2014 年第 9 期。
李晓园:《新型城镇化进程中城市基础设施投资效率分析与政策建议》,《宏观经济研究》2015 年第 10 期。
李扬、殷剑峰:《劳动力转移过程中的高储蓄、高投资和中国经济增长》,《经济研究》2005 年第 2 期。
林毅夫:《新结构经济学:反思经济发展与政策的理论框架》,北京大学出版社 2012 年版。
林毅夫、巫和懋、刑亦青:《"潮涌现象"与产能过剩的形成机制》,《经济研究》2010 年第 10 期。
林毅夫、孙希芳:《银行业结构与经济增长》,《经济研究》2008 年第 9 期。
林毅夫、刘明兴:《经济发展战略与中国的工业化》,《经济研究》2004 年第 7 期。
林毅夫、李永军:《出口与中国的经济增长:需求导向的分析》,《经济学(季刊)》2003 年第 7 期。
林毅夫、刘培林:《经济发展战略对劳均资本积累和技术进步的影响》,《中国社会科学》2003 年第 4 期。
林毅夫、蔡昉、李周:《比较优势与发展战略》,《中国社会科学》1999 年第 5 期。
林云:《我国需求约束型经济的初步形成与经济持续增长》,《当代财经》1998 年第 6 期。
刘穷志、何奇:《人口老龄化、经济增长与财政政策》,《新产经》2013 年第 2 期。
刘锐:《如何解读党的十八届三中全会土地制度改革精神》,《国家行政学院学报》2014 年第 1 期。
刘瑞明、赵仁杰:《国家高新区推动了地区经济发展吗?》,《管理世界》2015 年第 8 期。
刘诗白:《主体产权论》,经济科学出版社 1998 年版。

刘世锦:《供给侧改革不是说需求不重要了》,《中国经贸导刊》2015 年第 34 期。
刘世锦、刘培林、何建武:《中国未来生产率提升潜力与经济增长前景》,《管理世界》2015 年第 3 期。
刘守英:《中国城乡二元土地制度的特征、问题与改革》,《国际经济评论》2014 年第 3 期。
刘树成:《中国五次宏观调控比较分析》,《价格理论与实践》2004 年第 7 期。
刘伟、张辉:《中国经济增长中的产业结构变迁和技术进步》,《经济研究》2008 年第 11 期。
刘伟、苏剑:《供给管理与中国现阶段的宏观调控》,《经济研究》2007 年第 2 期。
刘伟、李绍荣、李笋雨:《货币扩张、经济增长与资本市场制度创新》,《经济研究》2002 年第 1 期。
刘霞辉、张平、张晓晶:《改革年代的经济增长与结构变迁》,格致出版社 2008 年版。
刘星、杨俊、汪锋:《经济增长转型中的资本市场发展理论创新:“经济增长转型与资本市场发展”研讨会综述》,《经济研究》2012 年第 7 期。
刘云刚、陈跃《全球化背景下的中国移民政策:评述与展望》,《世界地理研究》2015 年第 24 期。
龙花楼:《论土地利用转型与土地资源管理》,《地理研究》2015 年第 9 期。
陆铭、陈钊、万广华:《因患寡,而患不均:中国的收入差距、投资、教育和增长的相互影响》,《经济研究》2005 年第 12 期。
罗伯茨:《供给学派革命:华盛顿决策内幕》,格致出版社 2011 年版。
吕楠:《撒切尔政府劳资政策研究》,社会科学文献出版社 2009 年版。
马海倩:《新常态下上海经济增长潜力及动力机制研究》,上海市政府决策咨询研究课题 2015-A-05A。
马文秀:《日美贸易摩擦与日本产业结构调整》,人民出版社 2010 年版。
毛锐:《撒切尔政府经济与社会政策研究》,山东人民出版社 2014 年版。
倪红日:《中国城镇化中基础设施建设资金供给的财税体制研究》,《税务研究》2013 年第 9 期。
潘家华、魏后凯:《中国城市发展报告(2013 年)》,社会科学文献出版社 2013 年版。
彭森:《中国经济体制改革的国际比较与借鉴》,人民出版社 2007 年版。
钱颖:《中国未来经济增长的态势、周期和动力机制及对上海发展的影响:基于系统动力学模型的研究》,上海市政府决策咨询研究课题 2014-A-26-B。
权衡:《新常态下上海经济增长潜力及动力机制研究》,上海市政府决策咨询研究课题 2015-A-05B。
权威人士:《供给侧结构性改革引领新常态》,《人民日报》2016 年 1 月 4 日。
让·巴蒂斯特·萨伊:《政治经济学概论》,商务印书馆 1998 年版。

任耀廷:《战后日本与东亚的经济发展》,秀威咨讯科技股份有限公司,2009年。
任泽平:《中国经济潜在增长率与长期增长前景》,《发展研究》2014年第3期。
桑百川、郑伟、谭辉:《金砖国家服务贸易发展比较研究》,《经济学家》2014年第3期。
沈伯平、沈卫平:《制度建设:中国经济增长的新源泉》,《江苏社会科学》2014年第6期。
沈利生、吴振宇:《出口对中国GDP增长的贡献》,《经济研究》2003年第11期。
石静霞:《国际贸易投资规则的再构建及中国的因应》,《中国社会科学》2015年第9期。
宋玉华:《美国新经济研究》,人民出版社2002年版。
苏剑:《经济新常态"与中国人口政策的调整》,《人口与社会》2015年第31期。
苏剑:《全面改革是中国经济长期健康发展的前提》,《开放导报》2015年第6期。
苏治、李媛、徐淑丹:《"结构性"减速下的中国投资结构优化:基于四万亿投资效果的分析》,《财政研究》2013年第1期。
孙文凯、白重恩、谢沛初:《户籍制度改革对中国农村劳动力流动的影响》,《经济研究》2011年第1期。
滕泰:《"供给侧改革"拉开大幕——以改革开启中国经济上升新周期》,《中国中小企业》2015年第12期。
滕泰:《民富论:新供给主义百年强国路》,东方出版社2013年版。
田东海:《住房政策:国际经验和中国现实选择》,清华大学出版社1998年版。
涂晓芳:《比较公共政策》,北京航空航天大学出版社2011年版。
万海远、李实:《户籍歧视对城乡收入差距的影响》,《经济研究》2013年第9期。
万解秋、徐涛:《汇率调整对中国就业的影响》,《经济研究》2004年第2期。
汪伟:《计划生育政策的储蓄与增长效应:理论与中国的经验分析》,《经济研究》2010年10期。
王诚、李鑫:《中国特色社会主义经济理论的产生和发展》,《经济研究》2014年第6期。
王定祥、李伶俐、冉光和:《金融资本形成与经济增长》,《经济研究》2009年第9期。
王栋:《论社会主义市场经济条件下的劳动力市场》,《财经问题研究》1994年第1期。
王方华、肖林:《金融贸易全球化战略协同》,上海人民出版社2002年版。
王红茹:《"供给侧改革"如中药》,《中国经济周刊》2015年第47期。
王俊豪:《政府管制经济学导论——基本理论及其在政府管制实践中的应用》,商务印书馆2001年版。
王俊豪等:《中国城市公用事业民营化绩效评价与管制政策研究》,中国社会科学出版社 2013 年版。
王克祥、于凌云:《关于渐进式延迟退休年龄政策的研究综述》,《人口与经济》2016 年第 1 期。
王立争:《新时期农村土地承包制度改革的路径选择》,《农村经济》2015 年第 2 期。
王利蕊:《完善农村土地增值收益分配机制的路径》,《农业经济》2015 年第 7 期。
王双正:《中国投资结构调整优化研究述评》,《经济研究参考》2013 年第 16 期。
王拓、刘晓峰:《"一带一路"战略背景下中国服务贸易促进体系构建及政策建议》,《现代管理科学》2016 年第 1 期。
王伟光等:《"十二五"时期中国经济社会发展改革问题笔谈》,《经济研究》2010 年第 12 期。
王小鲁:《中国城市化路径与城市规模的经济学分析》,《经济研究》2010 年第 10 期。
王小鲁:《中国经济增长的可持续性与制度变革》,《经济研究》2000 年第 7 期。
王宇鹏:《中国经济增长要素分析:1978—2012》,《产业经济评论》2014 年第 7 期。
王章辉:《英国经济史》,中国社会科学出版社 2013 年版。
卫兴华:《关于股份制与重建个人所有制问题研究》,《经济学动态》2008 年第 6 期。
卫兴华:《再论究竟怎样正确认识社会主义经济》,《理论前沿》2000 年第 3 期。
卫兴华、侯为民:《中国经济增长方式的选择与转换途径》,《经济研究》2007 年第 7 期。
魏婕:《中国宏观经济结构失衡:理论与实证研究》,西北大学博士论文,2014 年。
魏政:《不良资产爆发期的化解之道》,《东方财经》2015 年第 11 期。
翁媛媛:《中国经济增长的可持续性研究》,上海市政府决策咨询研究课题 2009-A-03B。
吴敬琏:《中国经济的高速成长怎样才能够持续》,《经济观察报》2008 年 2 月 21 日。
吴敬琏等:《大中型企业改革建立现代企业制度》,天津人民出版社 1994 年版。
吴忠群:《中国经济增长中消费和投资的确定》,《中国社会科学》2002 年第 5 期。
吴忠群:《中国经济增长中消费和投资的确定》,《中国社会科学》2002 年第 5 期。
奚俊芳:《社会经济系统评价指标体系设计:方法论原理及其实现——以产业集群竞争力评价为例》,《系统工程理论与实践》2005 年第 25(11)期。
习近平:《习近平谈治国理政》,外文出版社 2014 年版。
夏庆杰、李实、宋丽娜、Simon Appleton:《国有单位工资结构及其就业规模变化的收入分配效应:1988—2007》,《经济研究》2012 年第 6 期。
肖林:《政府经济学:透视"有形之手"的边界》,上海人民出版社、格致出版社 2008 年版。
肖林:《金融战略与财经论衡:迈向国际金融中心的上海之路》,上海人民出版社、格致出版社 2012 年版。

肖林:《国家试验:中国(上海)自由贸易试验区制度设计(增订版)》,格致出版社、上海人民出版社2015年版。
肖林:《融资管理与风险价值(增订版)》,格致出版社、上海三联书店、上海人民出版社2016年版。
肖林等:《中国债券市场发展战略》,《上海证券报》总策划、百家出版社2003年版。
肖林:《直面新常态与创新驱动发展:上海"十三五"规划战略思路》,格致出版社、上海人民出版社2015年版。
肖林:《结构性改革与创新驱动发展:上海建设全球影响力科技创新中心》,格致出版社、上海人民出版社2016年版。
肖林:《问策全球科技创新中心:2014上海国际智库咨询研究报告》,格致出版社、上海人民出版社2015年版。
肖林:《上海2050崛起中的全球城市:联合国首届世界城市日全球城市论坛实录》,格致出版社、上海人民出版社2015年版。
肖林、王方华:《中国都市圈服务经济与全球化竞争战略》,格致出版社、上海人民出版社2008年版。
肖林、马海倩:《特许经营管理:城市基础设施存量资产资本化》,上海人民出版社、格致出版社2013年版。
肖林、任新建:《资本化与财富创造:全球视角的私募股权投资价值分析》,上海人民出版社、格致出版社2012年版。
肖玉贵、肖林、刘家平:《中国战略性新兴产业的示范引领:上海临港模式与发展战略研究》,上海人民出版社、格致出版社2011年版。
肖林:《供给侧结构性改革背后的理论逻辑》,《上海观察》2016年3月29日。
肖林:《公共产品和服务投融资的供给侧改革》,《上海证券报》2016年3月15日。
肖林:《上海怎样打造生态文明的绿色经济》,《解放日报》2016年2月25日。
肖林:《城市可持续发展与全球城市建设》,《文汇报》2016年2月17日。
肖林:《上海征战全球金融中心》,《上海证券报》2016年2月2日。
肖林:《下一步上海自贸区金融创新的突破口》,《上海证券报》2016年1月8日。
肖林:《自贸试验:以主动开放赢得制度创新红利》,《文汇报》2016年1月2日。
肖林:《上海"十三五"发展如何破题》,《解放日报》2015年12月22日。
肖林:《新常态下供给侧结构性改革的上海实践》,《文汇报》2015年12月12日。
肖林:《从六方面探索"协调发展"路径》,《解放日报》2015年11月6日。
肖林:《把创新摆在国家发展全局的核心位置》,《解放日报》2015年11月6日。
肖林:《上海的"十三五"发展主线》,《上海证券报》2015年10月2日。
肖林:《"自贸试验"形成制度创新协同效应》,《文汇报》2015年9月24日。
肖林:《上海共性技术研发主体严重缺失》,《澎湃新闻》2015年8月20日。

肖林:《提升上海全要素生产率》,《解放日报》2015 年 5 月 5 日。
肖林:《全力打造具有全球影响力的科创中心》,《解放日报》2015 年 4 月 28 日。
肖林:《建设开放度最高的自由贸易试验区》,《国际金融报》2015 年 4 月 27 日。
肖林:《以改革和法治推进上海社会治理现代化》,《文汇报》2014 年 12 月 29 日。
肖林:《上海“新常态”:从拼资源转为拼智力》,《解放日报》2014 年 12 月 22 日。
肖林:《自贸试验,上海深改最大举措》,《解放日报》2014 年 9 月 26 日。
肖林:《先行先试　引领开放新格局:中国(上海)自由贸易试验区获批》,《人民日报》2013 年 8 月 23 日。
肖林:《“决定性”,市场作用质的提升》,《解放日报》2013 年 11 月 23 日。
肖林:《主动开放战略与上海自贸试验区制度创新》,《文汇报》2013 年 11 月 25 日。
肖林:《自贸区“国际水准”全对标:中国(上海)自由贸易试验区之国际标杆研究》,《国际金融报》2013 年 9 月 30 日。
肖林:《上海自贸区金融创新应“四箭齐发”》,《国际金融报》2013 年 11 月 7 日。
肖林:《创新转型与上海战略性新兴产业》,《文汇报》2013 年 2 月 25 日。
肖林:《改革永不停止:纪念邓小平同志南方谈话发表 20 周年》,《中国改革报》2012 年 5 月 11 日。
肖林:《在平稳发展中实现率先转型》,《解放日报》2012 年 5 月 6 日。
肖林:《低碳经济与新发展模式》,《文汇报》2010 年 4 月 6 日。
肖林:《全球金融危机中的国家抉择:兼对自由市场经济和美式金融资本主义的评析》,《国际金融报》2009 年 2 月 6 日。
肖林:《坚定迈向国际金融中心和国际航运中心》,《解放日报》2009 年 5 月 25 日。
肖林:《转型和创新的必然选择:上海要加快形成服务经济为主的产业结构》,《文汇报》2009 年 3 月 23 日。
肖林:《以加快发展高端服务业引领上海经济转型》,《文汇报》2009 年 8 月 24 日。
肖林:《寻求高新技术投融资破解之道》,《解放日报》2009 年 10 月 11 日。
肖林、洪浩:《世博会与上海科学发展观的实践》,《解放日报》2008 年 12 月 5 日。
肖林:《经济新常态下结构性改革的上海实践》,《科学发展》2015 年第 12 期。
肖林:《中国特色社会主义政治经济学与供给侧结构性改革理论逻辑》,《科学发展》2016 年第 3 期。
肖林:《供给经济学理论与全球视角的供给侧结构性改革》,《科学发展》2016 年第 4 期。
肖林等:《新供给经济学的实践:上海供给侧结构性改革思路和举措》,《科学发展》2016 年第 4 期。
肖林、王丹:《供给侧结构性改革与中国经济增长潜力分析》,《科学发展》2016 年第 4 期。

肖林:《新供给经济学:供给侧结构性改革经济学思想与理论创新》,《科学发展》2016年第5期。

肖林:《供给侧结构性改革与中国经济增长趋势预测》,《科学发展》2016年第5期。

肖林:《在不确定中谋划相对确定的未来——面向2050年的上海发展战略》,《科学发展》2016年第1期。

肖林:《携手共建长江经济带服务国家战略》,《科学发展》2016年第1期。

肖林:《公共产品融资的市场化改革——从特许经营到PPP模式》,《科学发展》2016年第2期。

肖林:《未来30年上海外部发展环境大趋势大变革大格局》,《科学发展》2015年第3期。

肖林:《未来30年上海迈向全球城市的发展动力及战略举措》,《科学发展》2015年第4期。

肖林:《实现科技创新中心与国家战略全面联动发展》,《科学发展》2015年第6期。

肖林:《关于上海"十三五"发展重大问题的思考》,《科学发展》2015年第7期。

肖林等:《未来30年上海发展的大环境、大挑战、大目标、大战略》,《科学发展》2015年第7期。

肖林:《未来30年上海全球科技创新中心与人才战略》,《科学发展》2015年第7期。

肖林:《未来30年上海迈向全球城市的产业创新发展路径》,《科学发展》2015年第8期。

肖林:《产业技术创新是建设全球科技创新中心的关键》,《科学发展》2015年第9期。

肖林:《建设开放度最高的自由贸易试验区》,《科学发展》2015年第10期。

肖林:《未来30年上海迈向全球城市的生态和能源战略》,《科学发展》2015年第10期。

肖林:《面向未来30年的上海城市形态发展战略》,《科学发展》2015年第11期。

肖林:《上海迈向全球城市的战略路径》,《全球化》2013年第2期。

肖林:《公共产品供给机制与政府责任》,《科学发展》2008年12月创刊号。

肖林、马海倩:《"十二五"时期加快建设上海国际经济金融贸易航运中心思路研究》,《科学发展》2010年第3期。

肖林、马海倩:《上海要全面推进结构转型和经济发展方式转变》,《科学发展》2010年第1期。

肖林、任新建:《推进上海国际贸易中心建设战略创新》,《科学发展》2009年第8期。

肖林、任新建:《奥巴马"新政"剖析及对中国应对全球金融危机的启示》,《党政论坛》2009年第8期。

肖林:《中国政府行政成本的经济学分析》,《上海经济研究》2008年第1期。

肖林:《上海推进“四个中心”战略创新与路径选择》,《经济学家周报》2011 年 3 月 6 日第 8 期(总第 36 期)。
肖林:《世博的战略影响与中国经济转型》,《经济学家周报》2011 年 1 月 9 日第 1 期/2 期合刊(总第 29/30 期)。
肖林:《以低碳经济引领上海发展转型》,《中国经济报告》2010 年第 1 期(总第 21 期)。
肖林:《面向未来 30 年的上海发展战略研究总报告》,2016 年 3 月。
肖林、王楠:《上海经济转型与战略路径》,《宏观经济管理》2012 年第 9 期。
肖林、王楠:《关于上海市在转型发展中深化区域经济与战略合作的思考》,《中国经贸导刊》2012 年第 8 期。
肖林:《全面深化改革:思想、路径和方法》,在中共上海市委党校上海市局级领导干部研讨班的专题辅导报告,2014 年 4 月。
肖林:《以制度创新深化上海自贸试验区发展》,在美国南加州大学(USC)的演讲,2014 年 11 月 5 日。
肖林:《建设开放度最高的自由贸易试验区:影响及展望》,在中国博士后制度建立 30 周年纪念活动暨全国博士后学术论坛的主题演讲,2015 年 9 月 24 日。
肖林:《在不确定中谋划相对确定的未来:面向 2050 年的上海发展战略》,在上海市社会科学联合会第九届学会学术活动月学术报告会的专题学术报告,2015 年 10 月 22 日。
肖林:《经济新常态下结构性改革的上海实践》,在中国大学智库论坛 2015 年年会的主旨报告,2015 年 12 月 5 日。
肖林:《新供给经济学与供给侧结构性改革》,在上海市人民政府参事 2016 年年会的主旨报告,2016 年 3 月 17 日。
肖林:《中国供给侧结构性改革的理论逻辑和思想方法》,在中国浦东干部学院“中国特色新型智库”建设高层论坛(2016)的主题演讲,2016 年 3 月 27 日。
肖林:《新常态下供给侧结构性改革的上海实践》,在中共上海市委党校上海市市级机关系统党委书记研讨班的专题辅导报告,2016 年 4 月 6 日。
萧国亮:《中华人民共和国经济史(1949—2010)》,北京大学出版社 2011 年版。
邢颖:《社会主义市场经济中的劳动力市场问题》,《财贸经济》1994 年第 3 期。
休斯、凯恩:《美国经济史》,格致出版社 2013 年版。
许成钢:《国家垄断土地所有权带来的五大问题》,《党政干部参考》2011 年第 5 期。
杨立岩、潘慧峰:《人力资本、基础研究与经济增长》,《经济研究》2003 年第 4 期。
杨鲁军:《第二次革命——论里根经济学》,格致出版社 2009 年版。
杨瑞龙:《面向未来 30 年:中国中长期经济增长要素的变化及对上海经济发展的影响》,上海市政府决策咨询研究课题 2013-A-45。

杨瑞龙:《制度创新:经济增长的源泉》,《经济体制改革》1993年第5期。
杨瑞龙:《中国制度变迁方式转换的三阶段论——兼论地方政府的制度创新行为》,《经济研究》1998年第1期。
杨文丰:《我国三次产业结构全要素生产率测算及其变动原因分析》,《长春金融高等专科学校学报》2014年第2期
杨小凯:《经济学:新兴古典与新古典框架》,社会科学文献出版社2003年版。
杨振、刘会敏、余斌:《土地非农化生态价值损失估算》,《中国人口、资源与环境》2013年第10期。
杨振兵、张诚:《中国工业部门产能过剩的测度与影响因素分析》,《南开经济研究》2015年第6期。
野中郁次郎:《创造知识的企业·日美企业持续创新的动力》,知识产权出版社2006年版。
叶双瑜:《关于供给侧结构性改革的几点思考》,《发展研究》2015年第12期。
易纲、樊纲、李岩:《关于中国经济增长与全要素生产率的理论思考》,《经济研究》2003年第8期。
尹伯成、华桂宏:《供给学派》,武汉市出版社1996年版。
于良春、张伟:《中国行业性行政垄断的强度与效率损失研究》,《经济研究》2010年第3期。
岳希明、李实、史泰丽:《垄断行业高收入问题探讨》,《中国社会科学》2010年第5期。
张车伟、蔡翼飞:《中国劳动供求态势变化、问题与对策》,《人口与经济》2012年第4期。
张军:《"双轨制"经济学:中国的经济改革(1978—1992)》,上海人民出版社2006年版。
张军:《改革以来中国的资本形成与经济增长:一些发现及其解释》,《世界经济论坛》2002年第1期。
张军:《中国的渐进改革为什么能成功?》,《经济学家》1996年第5期。
张军:《中国经济的非常态:短期与中长期出路》,《中共杭州市委党校学报》2015年第4期。
张军扩、赵昌文:《当前中国产能过剩问题分析》,清华大学出版社2014年版。
张军、陈诗一、Jefferson:《结构改革与中国工业增长》,《经济研究》2009年第7期。
张林:《中国潜在GDP增长率的测算》,华南理工大学博士论文2013年。
张茉楠:《供给侧改革释放中国增长新红利》,《金融博览:财富》2015年第12期。
张平、刘霞辉:《中国经济长期增长路径、效率与潜在增长水平》,《经济研究》2012年

第 11 期。
张少华、蒋伟杰:《中国全要素生产率的再测度与分解》,《统计研究》2014 年第 3 期。
张五常:《经济解释卷四:制度的选择》,中信出版社 2014 年版。
张亦春、周颖刚:《信息不对称、企业改革和证券市场》,《经济研究》1997 年第 5 期。
张占斌:《中国供给侧结构性改革》,人民出版社 2016 年版。
张占录、赵茜宇、林超:《集体经营性建设用地入市亟须解决的几个问题》,《中国土地》2015 年第 12 期。
张志辉:《中国城市土地利用效率研究》,《数量经济技术经济研究》2014 年第 7 期。
章莉、李实等:《中国劳动力市场就业机会的户籍歧视及其变化趋势》,《财经研究》2016 年第 1 期。
赵昌文、许召元、朱鸿鸣:《工业化后期的中国经济增长新动力》,《中国工业经济》2015 年第 6 期。
赵小风、黄贤金、陈逸、陈志刚:《城市土地集约利用研究进展》,《自然资源学报》2010 年第 11 期。
赵志耘:《创新驱动发展:从需求端走向供给端》,《中国软科学》2014 年第 8 期。
中共中央宣传部:《习近平总书记系列重要讲话读本》,人民出版社 2014 年版。
中国经济增长与宏观稳定课题组:《金融发展与经济增长:从动员性扩张向市场配置的转变》,《经济研究》2007 年第 4 期。
中国经济增长与宏观稳定课题组:《资本化扩张与赶超型经济的技术进步》,《经济研究》2010 年第 5 期。
中国科研环境评估研究组:《中国科研环境评估报告》,中国科学技术出版社 2014 年版。
周叔莲:《20 年中国国有企业改革经验的理论分析》,《中国社会科学院研究生院学报》2000 年第 3 期。
周天勇:《效率与供给经济学》,中国经济制度出版社 1997 年版。
朱波:《中国金融体系系统性风险研究》,西南财经大学出版社 2014 年版。
朱玲:《中国社会保障体系的公平性与可持续性研究》,《中国人口科学》2010 年第 5 期。
左学金:《中国现行土地制度与产城融合:问题与未来政策探讨》,《上海交通大学学报(哲学社会科学版)》2014 年第 4 期。
Dosi, Giovanni, Giorgio Fagiolo, Andrea Roventini, 2010, "Schumpeter meeting Keynes: Apolicy-friendly model of endogenous growth and business cycles", *Journal of Economic Dynamics & Control*, 2010(34).
Groenewegen P.D., 1973, "A Note on the Origin of the Phrase 'Supply and de-

mand'", *The Economic Journal*, Vol.83, No.330.

Qian, Y., and R.Weingast, 1996, "China's Transition to Market: Market-Preserving Federalism, Chinese Style", *Journal Policy Reform*, 1.

Stiglitz, J., 1994, "Endogenous growth and cycles", in Shionoya, Y., Perlman, M. (Eds.) *Innovation in Technology, Industries, and Institutions, Studies in Schumpeterian Perspectives*, Ann Arbor, The University of Michigan Press.

Williamson, J.G., 1965, "Regional Inequality and the Process of National Development: A Description of the Patterns", *Economic Development and Cultural Change*, January.

后　记

多年来，我们一直致力于中国经济学理论创新和改革发展实践问题的研究。特别是近年来，中国步入经济新常态，需求管理政策效应及宏观调控效果弱化，我们更加关注供给侧问题的研究。比如经济增长潜力和经济增长趋势问题，供给侧与需求侧的协同运用问题，全要素生产率的提高路径问题，放松管制的市场化改革与制度创新问题，结构性矛盾与经济结构调整问题，主动开放战略与自贸试验区建设，创新驱动发展战略与科技创新中心建设等等。我们先后形成了一系列相关研究成果，有的已付诸实践。

2015 年 11 月中央首次明确提出供给侧结构性改革的经济思想，这不仅是重大经济发展思路的调整，更是重大经济理论的创新。与此同时，受国家发展和改革委员会委托，我主持承担了《新常态下中国结构性改革和结构性政策问题研究》国家重大决策咨询课题。课题组主要由上海市政府发展研究中心研究团队组成，我担任课题组组长，主要成员为李锋博士、王丹博士、张明海博士、杨畅博士、王沛博士、史晓琛、宋奇。课题组围绕供给侧结构性改革理论和实践问题进行了大量深入研究，形成了 10 多篇关于供给侧结构性改革的专题研究报告和 1 篇研究总报告，取得了富有成效的研究成果。

本书就是在我近年来主持研究的有关课题成果和国家发改委委托课题的成果基础上，经进一步深化、细化、系统化、理论化而形成的。在整个研究过程中，经济学界许多学者给予了关注和热忱帮助，我们还特别听取和咨询了上海和北京一些著名经济学家的学术意见，并吸取了一些经济学家的学术观点，在此恕不列举，我谨向这些经济学家表示崇高敬意和诚挚感谢。

在关于供给侧结构性改革有关问题研究过程中，我们还得到许多公司、企业的大力支持，他们为课题组调研工作提供了积极帮助，许多企业家也从企业微观层面对供给侧结构性改革提出了许多有价值的建议。对此，我深表感谢。此外，我们的研究，特别是理论研究、全球案例研究及对国内经济学界有关讨论的综述研究等专题，参阅了大量文献，上海图书馆情报所也给予了大力支持，在此一并致谢。

《新供给经济学》即将出版，但中国新供给经济学理论研究并未停止，我们欢迎并期待国内经济学界对我们关于新供给经济学的学术观点和理论框架，提出批评意见。我们矢志坚持不懈，推进中国经济学理论的创新发展。

“后记”记此，本可止笔。近日收悉母校上海交通大学诞辰120周年庆典之邀请，念怀油然而生，不禁赘上几笔。离开母校已20余载，虽然，日子在岁月的年轮中渐次厚重，那些天真的、跃动的抑或沉思的灵魂，已在繁华与喧嚣中，被刻上深深浅浅、或浓或淡的印痕。一笺烟雨，读不尽岁月维艰；半帘幽梦，终消散功名云淡。不变的是存怀心中的母校精神，铭刻的是矢志践行的母校校训。怀念母校、怀念师长、怀念同学、怀念曾经一切的一切……上院初，下院暮，仰思百年菁菁路，留园玉兰顾；东川渡，剑川宿，樱花蓁蓁怡情驻，饮水思源处。

再诵“天地交而万物通，上下交而其志同”。博学之，审问之，慎思之，明辨之，笃行之。创新致远，可砥砺前行；果毅精勤，必力克时艰。

日月光华，看气象万千；

花开花落，看云卷云舒……

肖　林

2016年4月1日于上海

图书在版编目（CIP）数据

新供给经济学：供给侧结构性改革与持续增长/肖林著.—上海：格致出版社：上海人民出版社，2016.8

（世纪中国论坛典藏文库）

ISBN 978-7-5432-2647-0

Ⅰ.①新… Ⅱ.①肖… Ⅲ.①中国经济–经济改革–研究 Ⅳ.①F12

中国版本图书馆CIP数据核字(2016)第172129号

责任编辑　忻雁翔
装帧设计　陈　楠

·世纪中国论坛典藏文库·

新供给经济学

——供给侧结构性改革与持续增长

肖林 著

世纪出版股份有限公司　格致出版社
世纪出版集团　上海人民出版社　出版

（200001　上海福建中路193号　www.ewen.co）

上海世纪出版股份有限公司发行中心发行

上海中华印刷有限公司印刷

开本720×1000　1/16　印张20.25　插页4　字数306,000

2016年8月第1版　2016年8月第1次印刷

ISBN 978-7-5432-2647-0/F·946

定价　70.00元